Dewajtis

W kolekcji **KLASYKA LITERATURY KOBIECEJ** ukażą się
następujące książki Marii Rodziewiczówny:

Maria Rodziewiczówna

Dewajtis

EDIPRESSE
POLSKA

Tytuł serii: *Klasyka literatury kobiecej*
Tytuł tomu: *Dewajtis*

Wydawnictwo EDIPRESSE POLSKA SA
ul. Wiejska 19, 00-480 WARSZAWA

Dyrektor wydawniczy: Małgorzata Franke
Brand manager: Monika Bogusz
Redaktor prowadzący: Anka Woźniak
Korekta tomu: Elżbieta Szelest
Skład: TYPO2 Jolanta Ugorowska
Projekt graficzny okładki i serii: STUDIO KARANDASZ
Beata Kulesza-Damaziak

BIURO OBSŁUGI KLIENTA
czynne: pn.–pt. w godz. 8.00–17.00
e-mail: bok@edipresse.pl
tel.: (22) 584 22 22
faks: (22) 584 22 32

Druk: Drukarnia Tinta, Działdowo

ISBN 978-83-7769-396-4 (seria)
ISBN 978-83-7769-398-8 (tom 2)
Indeks: 285854

Wydanie na podstawie tekstu opracowanego przez wydawnictwo MG.
W książce starano się zachować oryginalną pisownię i interpunkcję.
Zdjęcia na okładce:
© Nejron Photo – Fotolia.com © Carlos Santa Maria – Fotolia.com

I

Słońce zachodziło za gaj dębowy, wtulony w widły Dubissy i Ejni, w starym cichym kraju świętych dębów, węży i bursztynu.

Za chmurę siwą się kryło, ostatnią wiązką złotych blasków żegnając stary żmujdzki zaścianek szlachecki, do brzegu potoku przyparty i otulony seciną lip niebotycznych, wiśni i jarzębiny.

Był to sobotni wieczór, rozkoszny dla pracowitego ludu i dobytku.

Z pól ściągały na nocleg starodawne sochy, robocze woły, wozy drabiniaste i niewielkie żwawe koniki; schodzili się smukli młodzieńcy z kosami na ramieniu, smagłe złotowłose dziewczęta ze śpiewką na ustach, dziatwa zapędzająca pod strzechy stada bydła i owiec.

Aż wreszcie uciszył się zaścianek, skupiło życie po izbach i podwórzach, gdzieniegdzie ozwały się tony skrzypiec i fujarki, śmiechy młodzieży, gwar nawoływania, a bociany wstawały na gniazdach i jak kaznodzieje prawiły coś do tej rzeszy ludzkiej…

Najciszej było w zagrodzie starego Piotra Wojnata, znacznej wśród innych dobrobytem i zamożnością. Czworo osób obsiadło stół, na którym dymiła wieczerza w wielkich polewanych misach, woń cebuli i świeżego chleba roztaczając na całą izbę. Gospodarz siedział w rogu, między dwoma oknami, w siwej kapocie, suchy, zgięty w kabłąk starzec. Wodził powoli łyżką do ust i powoli gderliwym tonem wiódł rozmowę z sąsiadem na prawo.

Był to średniego wzrostu młodzian, ciemnowłosy, mizerny, ubrany, jak Wojnat, w strój zaścianka, na pół chłopski, na pół szlachecki.

Opowiadał coś w przerwach jedzenia smętnym cichym głosem, wyglądał zalękły, zgnębiony, oczy tylko podnosił co chwila i spoglądał nie wiadomo: w okno czy na siedzących naprzeciw.

Tamci nie odzywali się wcale. Dziewczyna, złotowłosa, rumiana, zwracała profil do światła i przechylając się za otwarte okno, obrywała swawolnie purpurowe owoce z wiśni rosnącej pod samą ścianą. Na kolanach trzymała kapelusz męski i za tasiemkę nawlekała wianeczek z wiśni, uśmiechając się do swej psoty.

Siedzący obok niej młody człowiek przypatrywał się jej rękom opalonym, ale zgrabnym, czasem głowę jej i ładne rysy objął wzrokiem i milczał. Olbrzymiego był wzrostu i ubrany z pańska w cienkie ciemne sukno; w mroku siedział, zgarbiony, a długie spadające na czoło włosy zakrywały mu połowę twarzy.

Niekiedy dziewczyna, znudzona tą milczącą obserwacją, rzucała mu owoc dojrzały. Wtedy spod jasnej grzywy strzelało coś niby iskra w jej błękitne oczy i znowu gasło. Wiśnie brał w opalone dłonie i nie jadł, jakby żałował!

Jedzenie znikało ze stołu. Nareszcie stara sługa sprzątnęła resztki, mężczyźni dobyli fajki i gospodarz raz pierwszy zwrócił się do milczącego biesiadnika.

– A nie masz tam czasem zagranicznego tytoniu, gościńca dla wuja?

– Za granicą gorszy palą! – odparł zagadnięty, mimo to dobywając z kieszeni wzorzysty, skórzany woreczek.

Stary kościste palce zanurzył weń i napychając fajkę, dodał:

– Familijne skąpstwo Czertwanów. Woli ząb wyrwać, jak grosz wydać! At!

Dziewczyna odęła usta żałośnie.

– Dziadek myśli, że on o mnie pamiętał? Uchowaj Boże!

Winowajca milczał, za to smutny młodzieniec ujął się za nim.

– Nie własny towar sprzedawał. Byki z poświckich gorzelni, to i nie miał za co kupować prezentów, ledwie starczyło na przekarmienie tego, co pan Czertwan wyznaczył.

– Dobry i stary, i młody. Dobrali się w korcu maku! Stary zwariował na wielki rozum, a on taki całkiem głupi. Orzą nim jak wołem.

– Rychło przestaną, jak się ożeni i do naszych Sandwilów, do was przyjdzie – mówił dalej obrońca, uśmiechając się smutno, jak na stypie.

Dziewczyna pokraśniała jak wiśnie u kapelusza, a stary łysinę pogładził i trochę udobruchany spojrzał na mruka.

– Aha! Cóż? Ratuję ja go, ratuję, ile mocy. Siostrzany syn, sierota, chciałem za dziecko wziąć kiedyś, ojciec nie dał. Ha! Co robić? Nie dał, to on i sam do mnie przyszedł.

Dziewczyna zrobiła grymas mówiący jasno: „Prawda! Obaczyłbyś go beze mnie!". Ale stary nie zważał.

– Oho, oho! Rada jest na wszystko, byle się nie spieszyć! „Pośpiech to złodziej", mówili ojcowie. Na jesień niech Czertwan szuka sobie innego ekonoma do Skomontów albo sam się weźmie, bo Marek na swoje pójdzie. Już mu czas. Ile masz lat?

– Dwadzieścia osiem minęło na wiosnę!

– Strach! Co to się dzieje teraz? Ja w tym wieku czworo dzieci już miałem, tylko że mi umierały jak na komendę, aż żadnego nie zostało! No, ma się rozumieć, miałem olej w głowie, nie bałem się macochy ani słuchałem każdego! Toteż i wyszedłem na człowieka.

– I Marek wyjdzie, dziadusiu! – upomniała się dziewczyna. – On taki duży!

– Głupia jesteś! – mruknął stary, groźnie brwi marszcząc. Zaśmiała się swawolnie.

– A dziaduś co dzień sąsiadom prawi: „Niech no mi na jesieni Marek osiądzie na gospodarce, to zobaczycie, co potrafi młoda głowa i ręce". Pan Gral świadkiem.

Spojrzała przekornie na młodego chłopca, a on pod tym spojrzeniem wzrok spuścił i westchnął nieznacznie.

– Głupia jesteś! – powtórzył Wojnat, wstając z miejsca. Ruszyli się wszyscy. Ona pierwsza wybiegła z izby i po chwili z ogródka doleciał jej cienki głosik słowami piosenki:

Za lasami,
Za polami
Stoi domek przy ruczaju,
Tam dziewczyna,
Jak malina,
Mieszka, by aniołek w raju.

Marek podniósł się z ławy opieszale.

– Pójdę już – rzekł.

– Czy ci do macochy tęskno? – zamruczał Wojnat.

– Zmitrężyliśmy trzy dni. Ojciec pewnie niespokojny.

– Ani trochę. Słyszę, już na wakacje przyjechał Witold, a i dziewczyna pewnie wróciła z Rygi.

– Już byli, jak odjeżdżałem!

– Otóż to. Dosyć ich tam bez ciebie. A jutro niedziela. Odpocznij ze swoimi.

– Dziękuję, wuju!

W chwili gdy siadali na powrót u okna, skrzypnęły wrota od ulicy i na podwórzu rozległ się obcy głos.

– *Tepul buas pagarbientas Jezus Chrystus.*

– *At amżiu amżius!* – odparła dziewczyna z ogródka i spytała natychmiast: – Czy pan Marka szuka, panie Ragis, tutaj?

– A gdzież by on był! – rzekł nowo przybyły.

Marek porwał się z ławy i wyszedł na podwórze. Gość szukał go oczyma około dziewczyny, która oparłszy się o płot ogródka, rozmawiała, plotąc wianek z pęku malw i stokroci. Był to człowiek maleńki, szczupły, kaleka, z kulą u nogi, ubrany w surducinę siną, krojem żołnierskim, i takąż wypłowiałą czapkę. Twarz miał okrągłą, rumianą, szwów i blizn pełną, sterczały z niej jak szydła siwe wąsiki i świeciły figlarne, zmrużone szare oczki.

– Dobry wieczór, Rymko Ragis! – pozdrowił go Marek od progu.

– Wróciłeś przecie! Ho, ho! Myśleli, żeś drapnął w świat jak Kazio!

– Mieliśmy kwarantannę. Na granicy padł byk Grala!

– Aha! Szkoda chłopca! Dawno wróciliście?

– Będzie dwie godziny.

– Dobrze trafiłem! Chodźmy!

Zawrócił i pokulał za wrota, kiwnąwszy głową dziewczynie. Gdy się obejrzał na drodze, młodzi szli za nim powoli; gdy minął rozdroże naznaczone kapliczką i krzyżem, ona została pod Bożą Męką, strojąc ją w kwiaty, a on kroku przyspieszył i wnet się zrównał z kaleką.

Główną drogę zostawili na prawo, ścieżką przez łąki nadrzeczne szli w kierunku dąbrowy i milczeli długą chwilę, jakby się wczoraj rozstali.

A jednak mijało trzy tygodnie, jak Marek Czertwan poszedł do Prus z partią opasów na sprzedaż i wracał zaledwie.

Żmujdzin nie lubi zaczynać rozmowy, ciekawy nie jest – on patrzy, słucha i… milczy.

Z dala dąbrowa wyciągała do nich jakby ramiona, czarnym cieniem zabiegając drogę; chodziły po niej szmery różne i szelesty tajemnicze.

Z łąki weszli w gąszcz jeżyn, jesionów karłowatych i dzikich róż; potem wielkie dęby otoczyły ich, szli po miękkim mchu i paprociach, gdy stary ozwał się wreszcie pierwszy smutnym, zgnębionym głosem.

– Ze złą wieścią spotykam ciebie, Marku!

Młody nie przeraził się, nawet oczu nie podniósł. Po minucie zaledwie namysłu spytał spokojnie głuchym swym głosem:

– Jakąż, Rymko Ragis?

– Ojciec twój umiera…

I na to nie było żadnego wybuchu. Marek Czertwan znowu pomyślał chwilę, nim rzekł słowo.

– Dawno zasłabł?

– Przed tygodniem. Z Poświcia przyjechał na święto, trzy dni mocował się z chorobą, aż go zmogła, i położył się. Nie choroba to zwykła, ale stara kula, co ją lat tyle w boku nosi. Dokołatała się serca wreszcie! Doktora nie chciał, po co leki żołnierzom? Przyszedł czas do apelu, do kolegów, co tam są – to i pójdzie!

Szorstki, prawdziwy żal brzmiał w głosie starego. Rękawem oczy przetarł, westchnął i po chwili znów mówił:

– O ciebie się pyta co chwila, a dziś przed wieczorem księdza prosił i Jazwigłę sprowadzili z Kowna. Widzi mi się, że wolę swą chce zostawić wam ustnie i śpieszno mu. Czekają ciebie, aż mnie coś tknęło, do Wojnatów się dowiedzieć. Bieda biedą, a tym, co zostają, żyć trzeba i myśleć o sobie. Straszno, by ciebie macocha z dziećmi nie krzywdziła. Boją się one ciebie i nie lubią. Pamiętajże, powiedz swoje, choć raz w życiu, gdy cię ojciec zapyta!

Zamilkł, spojrzał na towarzysza, ale twarz Marka była niezbadaną zagadką. Wątpliwe, czy słyszał dobre rady.

– Cóż myślisz? – zagadnął Ragis z odrobiną niecierpliwości.

– Zobaczymy! – była lakoniczna odpowiedź.

Stary ramionami ruszył. Nie było co gadać z takim człowiekiem.

Długą jeszcze chwilę szumiały tylko dęby święte i szeleściły pod stopami paprocie, a kaleka znowu się odezwał:

– Już ja wiem, co będzie: to, co zawsze z tobą! Krzywda i krzywda. Macocha zrobi, co zechce. Zmarnuje się ojcowizna w rękach faworyta Witolda, zmarnuje się i on, i Hanka – i ty! Znam ja tego, co odchodzi, i tych, co zostają.

– I mnie? – spytał Marek z naciskiem.

– I ciebie! – potwierdził stanowczo stary. – Może nie?

– Nie wiem! – odparł, ramionami ruszając.

– Ot, to posłuchaj! Byłby z ciebie człowiek, żebyś miał własną ziemię, własną żonę i własnego brata. Kto tego nie ma, ten, bracie, opadnie jak liść jesienny, omszeje bezużyteczny jak dziki kamień! I z tobą tak będzie!

Musiał to wreszcie i posłyszeć Marek, bo raz pierwszy podniósł na towarzysza swe oczy, siwe jak stal, a spokojne jak tonie bezdennych wód.

– Dlaczego? – spytał.

– Bo ci nie własne Skomonty, gdzie przepracowałeś dziesięć najlepszych lat, ani żona dla ciebie – Marta Wojnata i nie brat – Łukasz Gral.

– A wy co mieliście własnego, Rymku?

– Ja? – Stary się zamyślił. – Ja miałem w twoim wieku chorągiew nad sobą, szeroki świat i wielką myśl. Rzuciłem wszystko i choć przyniosłem do domu to drewno tylko i blizny, nie zamieniłbym swej doli na twoją... na waszą teraz!

– To Kazio dobrze zrobił, że zbiegł?

– Nie dobrze, ale może najrozumniej!

– Zobaczymy! – powtórzył swoje Marek.

Wyszli z lasu na szeroką uprawną równinę. W dali czerniał dwór nad Dubissą, ku któremu poszły oczy obu, i w jednej myśli zapewne przyspieszyli kroku. Czekano tam ich niecierpliwie.

Nie mówili nic więcej. Brama odwieczna, z daszkiem i jakąś sentencją łacińską wyrytą na sczerniałej blasze, z wizerunkiem Bogarodzicy u szczytu, otwarła się pod dłonią Marka.

W domu świeciło jedno tylko okno narożne, szeroko otwarte. Gdy się zbliżyli, doleciał ich gruby głos recytujący przedśmiertną litanię, a kilka innych głosów, łkaniem przerywanych, odpowiadało chórem.

Odkryli głowy i weszli do wnętrza mrocznych sieni, kierując się blaskiem świecy i szmerem modlitwy.

Noc letnia, gwiazd i róż zapachu pełna, wdzierała się do owego pokoju w rogu domu i dziwiła żółtemu płomykowi śmiertelnej świecy woskowej, co tlała, skwiercząc na stole około posłania... Więcej ona dymu i cieni ruchliwych niż światła rzucała na twarz tego, co tam leżał i konał.

Starzec to był suchy i zwiędły, zmieniony tą pierwszą i ostatnią chorobą, a jednak, pomimo cierpienia, spokojny i bardzo pogodny.

Leżał na wznak i słuchał modłów, od czasu do czasu poruszając ustami; oczy miał wpółprzymknięte, jeszcze żywe i przytomne; nie spuszczał ich ze ściany, gdzie świecił ryngraf pradziadów, dwie szable i wśród święconych ziół i palm krzyżyk na zblakłej wstążeczce.

W rękach, złożonych na piersiach, trzymał kurczowo koniec łańcuszka, co mu opasywał szyję – medalik święty może.

A ksiądz wciąż się modlił. Derkacze ze dworu głuszyły jego modlitwy i płacz je często przerywał, a chory niekiedy podnosił powieki i obchodził wzrokiem otaczających, jakby szukał kogoś na próżno!

Wówczas gasły mu źrenice i kurcz przerywał spokój twarzy, a dłonie jeszcze silniej tuliły do piersi końce łańcuszka.

– Baranku Boży… – zaintonował ksiądz.

Chory trzykroć uderzył się w piersi, obrócił z trudem na bok i spytał:

– Czy jeszcze nie ma Marka z powrotem?

– Jestem! – odparł posępny głos z kąta.

Obejrzeli się wszyscy, a spośród służby klęczącej podniósł się i do ojca przystąpił najstarszy z rodziny, a do rodzica najpodobniejszy, olbrzym jasnowłosy.

Stanął naprzeciw chorego i czekał jak sługa rozkazu. Twarz jego, sucha, ostra, jak brąz twarda i jak brąz opalona, odcinała się ponuro w chybotliwym świetle gromnicy. Oczy wyglądały głęboko spod czaszki i silnych brwi, wąskie usta zacinała jeszcze silniej żałość owa straszna, co nigdy na wierzch nie wybucha.

Stary zmierzył go wzrokiem i spytał spokojnie:

– Opasy dobrze sprzedałeś?

– Po sto talarów sztuka.

Sięgnął do kieszeni, po pieniądze snadź, ale chory głową potrząsnął.

– Zostaw! To nie nasze. Do poświckiej kasy złożysz. To Orwidów grosz! Dobrze, żeś wrócił. Bałem się ciebie nie doczekać, ale Bóg łaskaw!

Umilkł, jakby myśli zbierał, i począł powoli:

– Nie pisali moi ojcowie nigdy testamentu – bo i po co? Uczciwy uszanuje ojcowskie słowo, a zły i pismo zburzy! Starym obyczajem i ja was chcę za życia podzielić ustną wolą. Ziemi kawał jest świętej i grosza trochę; abyście nie skarżyli się na mnie kiedy, żem kogo skrzywdził – sami powiedzcie, czego chcecie z ojcowizny? Ja rozsądzę! Mówcie, dzieci!

Zapanowało milczenie. Marek oczy spuścił, namyślał się po swojemu nad każdym słowem i czekał na tamtych – na troje, co się skupiło bliżej posłania: dwoje przyrodnich i macocha. On stał dalej i sam.

– Mówcie dzieci, mnie pilno kończyć! – powtórzył chory.

Wówczas z klęczek przysunęła się do rąk jego szczupła postać dziewczynki może osiemnastoletniej, bardzo bladej i mizernej. Podniosła oczy swe czarne, cudne wyrazem myśli wielkiej i szlachetnej, i wyszeptała:

– Papo, i ja mogę o co prosić?

– A jakże, Hanko, możesz. Mów śmiało!

– Papo, ja nie chcę ani ziemi, ani grosza – nic, nic, tylko słowa waszego, żeby mnie uczyć się nie bronili! Ja im wszystko oddam za swobodę i pracę, którą kocham. Wszystko!…

– Hanko!… – upominała matka z cicha.

Dziewczyna wzdrygnęła się i nabierając otuchy, mówiła coraz goręcej:

– Ja wiem, mamo, to nie wypada, niestosowne, mama chce mnie zatrzymać w domu, a ja nie mogę! Papo! Na Boga się klnę, że nie nadużyję swobody, tylko mi ją dajcie, bo… bo…

Zabrakło jej tchu.

– Dokończ! – rzekł chory.

– Bo żyć nie potrafię bez nauki i woli – i nie dopuśćcie, papo, żebym kradła to, jak głodny chleb.

Sucha dłoń starca spoczęła na rozpalonej głowie, jakby ją uspokoić pragnął, ale nic nie odrzekł na prośbę, tylko dalej sięgając wzrokiem, spytał:

– Na ciebie kolej, Witoldzie, chodź bliżej!

Z mroku wysunął się chłopak dwudziestoletni, uderzająco ładny, smukły, odziany z wyszukaną elegancją i nieśmiało przystąpił bliżej.

– Ja, papo, sam nie wiem – wybąkał. – Może da Bóg, papo wyzdrowieje.

– Ty nie doktor, a mnie pociech nie trzeba. Czego chcesz na swój dział?

Chłopak spojrzał na matkę, na księdza i zachęcony przyjaznym skinieniem, odparł już śmielej:

– Ja bym chciał gospodarować z mamą w Skomontach, jeśli papy łaska.

– Tak?… – zamruczał Czertwan. I podnosząc oczy, spytał: – A ty, Marku?

Olbrzym snadź się już namyślił, bo odparł natychmiast:

– Dajcie mi, ojcze, nieboszczki matki zagrodę w Sandwilach i Dewajtę.

– Na swój chleb chcesz iść i żenić się pewnie także? – spytał ojciec posępnie.

– Już mi czas! – odrzekł krótko syn.

Stary sposępniał, skrzywił się, jakby go coś zabolało, i chwilę czekał, czy się jeszcze kto nie ozwie.

– A ty? – zagadnął, do żony się zwracając.

Zaszlochała okropnie.

– Mnie nic nie trzeba, gdy ciebie nie stanie. Kąt w Skomontach do śmierci przy Witoldzie. Co wdowie miłe? Jeden grób!

Znowu pomilczał trochę i znowu westchnął.

– Zapomnieliście wszyscy – zaczął smutno – że tu brak jednego, że troje dzieci miałaś.

Kobieta wstała z klęczek i przerwała mu gwałtownie:

– Zabroniłeś go wspominać. Przekląłeś!

– Nie! – zaprzeczył, a oko mu strzeliło iskrami – choć przeklęty każdy, co ziemię rodzoną rzuca, gdy mu ciężko! Pamiętajcie: przeklęty! Wstyd on mi zrobił i hańbę, ale to moje dziecko! Zachowałem mu tę ziemię i pamięć w sercu, choć smutną. Może on wróci, czekajcie! I darujcie, gdy do was przyjdzie, jak ja daruję.

Znowu zamilkł, myśli zbierał, zapatrzony w płomyk gromnicy.

– Daj tu plany, Marku – rzekł.

Syn wyszedł, wrócił po chwili i żądany przedmiot rozwinął przed nim, a chory trochę się podniósł, chudym palcem wiodąc po papierze, coś pokazywał i mówił:

– Skomonty po ojcach wziąłem i starym obyczajem najmłodszemu oddaję. Za rok, z dniem pełnoletności, Witold je obejmie, a tymczasem matka nimi zarządzi i przy nim do śmierci zostanie.

Chłopak obejrzał się znowu na matkę i spytał z cicha:

– To Marek już tu nie będzie gospodarzyć?

– Kiedy mówię, że matka, to nie Marek! Słyszałem, że długi masz – to hańba i wstyd! Słyszałem, że nie uczysz się – to nikczemność, i że hulasz, trwoniąc czas i zdrowie – to podłość! Jeśli takim zostaniesz, odstąpi cię błogosławieństwo Boże i moje. Pamiętaj!

Witold oczy spuścił, poczerwieniał i milczał, a chory dalej wskazywał i mówił:

– A drugi folwark, Ejniki, to Kazia spuścizna, gdy wróci. I to ci, żono, oddaję w opiekę. Niech znajdzie kąt własny i czysty i tę ziemię, którą opuścił, pracującą dla niego! Pamiętaj, nie skrzywdź go i oddaj moje błogosławieństwo, chybaby wiary i mowy zapomniał… Wtedy nie… nie… nie błogosław!…

– Bóg go uchowa i święty jego patron! – wtrącił ksiądz.

I znowu Czertwan coś palcem oznaczył i do żony zwrócony rzekł:

– A to Budrajcie, twoje wiano, Hanki posag. Nie taka ona, jak inne dziewczęta, ale przeto tę różnicę trza w niej uszanować, bo z dębu nie zrobisz obręczy i tylko połamiesz. Pilnuj jej, ale daj swobodę w tym, co godziwe, niech nie zbraknie chleba i wygód, a drogą, którą obierze, niech idzie. Nauki chce, a nauka nie grzech nikomu!

Z łkaniem rzuciła się dziewczynka do rąk ojcowskich. Krzyżyk jej naznaczył nad czołem i mówił łagodnie:

– Pamiętaj, dziecko: wiarę uchowaj, pamiętaj. Nie bądź uczoną lepiej, ale rozumną! Rozumiesz? Żebym nie pożałował w grobie, żem ci uczynił wolę!

Rękę położyła na piersi i powtarzała cała przejęta:

– Nie, nie, nie!

Marek wciąż plan trzymał i patrzył spokojnie, jak po kawałku znikała ojcowizna, i patrzył jeszcze, gdy nic nie zostało na jego dział, nic z tej ziemi, którą od dziesięciu lat w zastępstwie ojca uprawiał w pocie czoła!

Każdy dostał część: i utracjusz, i zbieg – dla niego nie było ani piędzi wśród tych łanów i łąk, i lasów. I słusznie: on tylko prosił o wiano matki, szlachcianki z zaścianka, i lasu kawał w widłach potoku i Dubissy. Ojciec i jego prośby wysłuchał, jak tamtych.

– Złóż plany, Marku, rozdałem wszystko – rzekł wreszcie stary. – Prosiłeś o własny kawał ziemi i niezależność. Czas ci o rodzinie własnej pomyśleć. Prawda! Oni wszyscy odeszli z tym, co chcieli, i tobie się to samo należy! Może słuszniej jeszcze, boś zapracował!

Przymknął oczy i leżał chwilę zamyślony, bez ruchu. Nagle poruszył się gwałtownie i mówić począł gorąco, przeszywając syna wzrokiem:

– A któż mnie zastąpi? Kto? Nie miałem ja nigdy tej swobody i gościem byłem pod własnym dachem. Obce ręce uprawiały moją rolę, póki ty nie dorosłeś. Ja całe życie sługą byłem i ekonomem, a teraz kto weźmie moją służbę?…

Zamilkł i Marek milczał, tylko brwi zmarszczył, usta zagryzł, buntowało mu się coś w duszy…

Stary patrzył nań: odgadł burzę, co wzbierała w skrytej duszy, i mówić począł wolniej, ciszej, jak o czymś świętym a tajemniczym:

– Minęło wiele lat od mojej młodości. Mówią jedni, że inny teraz świat, inni ludzie, inne życie. Nieprawda! Świat ten sam i ludzie, tylko się stępili jak, ot, te moje stare szabliska od ciągłego rąbania a rąbania po kamieniu! Szczerba nie wstyd, byle rdzy nie było, bo rdza zje najlepszą stal, a szczerbę odtoczysz w potrzebie!

Za owych dawnych czasów wielkie burze chodziły po świecie i chmury ołowiane, a lata suszy były, więc lud czekał z tych chmur deszczu i rosy, ale Bóg inaczej chciał. Nie deszcz przyszedł, ale grady i pioruny na ludzi i mienia. I wszystko się skończyło!… Piotr Orwid bratem mi był; z jego łaski ja, chudopachołek, do szkół chodziłem, razem służyliśmy potem jeszcze większemu niż my wszyscy panu! Grom go trafił u mego boku daleko stąd. Wróciłem sam nad Dubissę naszą, zastałem zgliszcza w Skomontach, a w Poświciu u niego dziecko sierotę! I jakem mu przysiągł w chwili zgonu, stanąłem za ojca sierocie, sługą wdowie, opiekunem ich dobra. Trzydzieści lat minęło. Rany się pobliźniły, ból w głąb poszedł i porósł twardą skorupą. Wyhodowałem chłopca na człowieka, sam się ożeniłem, odbudowałem po cegle rumowiska! Pamiętacie, księże dobrodzieju, owe czasy i Kazimierza Orwida? Takich już nie ma teraz! Ha, szczerby, rdza! Wiadomo! Nad dziecko własne milszy mi był, żenić się miał, no, i znowu te burze przyszły, Boże skaranie! I jak dawniej zgubę niosły dla wielu i dla niego! Cudowna patronko nasza! Tyle łez, tyle nędzy. Dwa razy przebyłem za żywota to samo! Poszedł i on, i nie wrócił! Raz go tylko ujrzałem na drodze: na piersi mi upadł i zapłakał, i na krew ojcowską zaklął, żebym o nim pamiętał. Narzeczona poszła za nim! Rzucili mi mienie i dobro, i ziemię, jak święty depozyt sierot, i oto lat tyle, jak nie było o nich wieści.

Głos mu cichł i opadał, szeptem dokończył z przejmującym żalem:

– …I nie zobaczą już ich moje oczy, nie zwrócę im tego, com taką pracą zachował, już nie! Może czekają tam na mój raport?… Tyle lat!…

Urwał, wyczerpany ostatecznie, i zamknął oczy, a po twarzy snuły mu się żałobne cienie.

Marek głowę zwiesił i wszyscy zadumali się smutno, oprócz Witolda, który opodal na fotelu usiadł i ziewał.

Pani Czertwan pierwsza przyszła do słowa:

– Żeby żyli, daliby wiedzieć o sobie – rzekła, a widząc, że mąż się nie rusza, spojrzała nań przelękła.

Piersi chorego podnosił ciężki oddech, hucząc jak w próżni. Pochyliła się nad nim, poprawiła poduszki, do ust podała wina trochę. Wypił, ale oczu nie rozwarł; musiał go ból szarpać, bo chwilami krzywiły się usta i fałdowało czoło.

Człowieczek mały, bezmiernie otyły, w okularach na malutkim nosku, wychylił się z kąta i sapiąc, mrużąc oczy, wygłosił:

– Sądowa dawność minęła! Należy wezwać przez guberskie wiadomości sukcesorów, a jak się nie zgłoszą…

Czertwana jakby kto w twarz uderzył. Zadrżał, ostatnia krew nabiegła twarz i czoło, spojrzał strasznie na mówiącego…

– Dla sumienia nie ma dawności, panie Jazwigło; mnie prawniczych sposobów nie trzeba, ja mam tu prawo – uderzył się w pierś – i wedle niego całe życie postępowałem! Uchowałem spuściznę przez te ciężkich lat tyle nie dla obcych, ale dla niego lub dzieci!

Jurysta brwi podniósł, pogładził monumentalną łysinę, przymrużył jeszcze więcej świdrujące oczki.

– No, a jak oni z kretesem przepadli? I oni, i dzieci? Hę?…

– Jeśli ich nie ma – powtórzył chory z namysłem – to za dziesięć lat od mej śmierci ten, co po mnie nastąpi, ziemię rozda ludziom, co dla niej pracowali, włościanom sąsiednich trzech wiosek, na równe części, a kapitały, com złożył, odda na dobrą sprawę i mszę świętą ufunduje w Ugianach za dusze nieżyjących. Ale tak nie będzie: oni wrócą, prędko może, zobaczycie!

Oczy na milczącego Marka podniósł i rzekł:

– Weźmiesz sobie, synu, matczyną zagrodę i Dewajtę, zasłużyłeś na nie, ale nie pójdziesz do własnej roli i pod twoją strzechę, nie będziesz dla siebie pracować. Nie na to ja ciebie hodowałem! Do Poświcia pójdziesz, tamtą spuściznę świętą weźmiesz po mnie i jakem czynił i żył, tak ci nakazuję!

Olbrzym nic nie odrzekł, a ojciec, snadź przywykły do jego mrukliwości, nie pytał o zgodę, tylko ów łańcuszek zdjął z siebie drżącymi rękami, rozwiązał woreczek jedwabny, co na nim wisiał, i dobył kluczyk niewielki i połowę starego sygnetu z herbem wpółzatartym.

– To klucz od biura, a to znak, pamiątka. Drugą połowę pierścienia Kazimierz Orwid wziął ze sobą, odchodząc. W biurku plenipotencję znajdziesz na swe imię, wszelkie wskazówki. Resztę pan Jazwiłło ci dopowie, bo mi czasu brak i sił. Weź to, Marku, niech umrę spokojny!

Młodszy jeszcze stał jak wryty. Ręce jego muskularne, opalone, na których dziwnie odbijała złota obrączka, zaciskały kurczowo poręcz łóżka. Blady był jak ściana, przez wargi błyskały zacięte zęby.

Czuć było, że mu wulkan kotłował w duszy, że wyłby, gdyby przemówił.

Macocha poruszyła się niecierpliwie.

– Idźże, kiedy ojciec każe! – zawołała, ale stary spojrzał na nią surowo.

– Daj pokój. Nie zawsze ten dotrzyma, kto godzi się bez namysłu. Słuchaj, Marku, mnie pilno kończyć, a ta mi została ostatnia troska jak kamień na duszy. Zdejmij mi ją, a szczęście ci to przyniesie. Chodź.

Marek, ociągając się, przystąpił. Ojciec łańcuszek zarzucił mu na szyję i już uspokojony, pełnym głosem mówił:

– Jak pies wierny będziesz i jak kur czujny, i nie dasz nikomu wziąć Orwidów dobra, chyba kto ci przyniesie drugą połowę tego sygnetu. Taka była umowa z nimi. Zapamiętasz? Ja przysiągłem, a ty dochowasz?

Ręce na głowie mu złożył i dodał uroczyście:

– Duszę ci moją oddaję i świętą myśl, i wiarę! Mało ty mówisz i nikt cię nie zna, możeś zły, to niech cię me błogosławieństwo zmieni, a możeś dobry, to niech ci pragnienia ziści. Najstarszy jesteś i najrozumniejszy z nich wszystkich, a oni boją się ciebie. Nie krzywdź ich i nie myśl o sobie. Twoja część w Poświciu za rzeką. Pamiętaj! Daj słowo!…

Chwilę głos nie chciał wyjść z gardła biedaka, potem wyrwało się niewyraźnie:

– Kazaliście, to dotrzymam!…

Chory odetchnął, jak wyzwolony, głowę syna przycisnął do piersi; na płowe włosy młodego spadło łez parę.

– Niech ci Bóg płaci! – wyszeptał i zaraz potem, jakby napędzony niewidzialną dłonią do pośpiechu, rzekł:

– Marku, podaj księdzu szkatułkę!

Po chwili do rąk plebana syn podał sporą, żelazną, krytą skrzynkę. Witold wstał z fotela i na palcach podszedł bliżej, za opiekuńcze plecy matki i siostry. Chory spod poduszki wyjął klucz od skarbca i mówił do księdza coraz wolniej:

– Siedem części tam jest, ojcze, po pięć tysięcy rubli w każdej. Dla dzieci czworga i dla żony, a szósty rozdzielcie między sługi wasze. A siódmy oddajcie do Ugian, cudownej Pani, pod której opiekę oddałem siebie za młodu. Niech z pracy mojej przyjmie ofiarę, jako mnie nigdy nie opuściła.

Pleban liczył i po kolei wręczał im spuściznę. Część Kazimierza wzięła matka, ostatni wziął Marek i pustą skrzynkę na bok usunął. Nie on ją już będzie napełniał jak dotąd.

Wzrok chorego szedł po nich coraz bledszy.

– To i wszystko! – powtarzał – Skończyłem, skończyłem!…

Rękę do błogosławieństwa podniósł.

– Daj wam Boże dolę i spokój, i swobodę, bo to i całe szczęście na ziemi! Żyjcie w zgodzie i razem – będziecie silni!

Poklękali wszyscy, a on nad pochylonymi głowami krzyż naznaczył i opadł ciężko na posłanie.

Chwilę odpoczywał nieruchomy, strasznie blady, a potem tknięty swą największą troską oczy wlepił w stojącego naprzeciw Marka.

– Pamiętaj, żeś ty Orwidów sługa, pamiętaj! – wyszeptał.

– Kazaliście, będę! – powtórzył swoje olbrzym.

Wtem z mroku wysunął się Rymko Ragis i na kiju wsparty, stanął obok Marka.

– A mnie kto w dziale weźmie, Czertwanie? – rzekł na pół szyderczo. – Zapiszcie komu w inwentarzu, by się nie pobili o mnie!

Na to raz pierwszy ożywiła się ponura twarz Marka i prędko, jakby się lękał, że go wyprzedzą, rzekł:

– Wy ze mną pójdziecie, Rymko Ragis!

– Słusznie – rzekł chory – idźcie z nim, kolego, do jego zagrody, by się nie troskał o swoje! A ty, Witoldzie, ciotkę Annę do śmierci utrzymuj i sług starych nie wypędzaj! Stary sługa – przyjaciel!

Chciał coś jeszcze mówić, ale już nie zdołał, położył się na wznak, oczy zamknął, rękami przyciskał bolejące piersi.

Chwilami jak martwy był, bez głosu i tchu, i ruchu, aż go cierpienie chwyciło: wówczas stękał, jęczał, chrapał, to znowu, jakby modlitwą chciał zagłuszyć ból, szeptał niewyraźnie wciąż jeden psalm, urywając ciągle:

– *Judica me Deus et discerne causam meam...* *

Ksiądz do rąk podał mu gromnicę i monotonnym grubym głosem zaczął odmawiać psalmy. Witold wrócił na

---

* *Judica me Deus et discerne causam meam* (łac.) – Osądź mnie, Boże, i rozeznaj sprawę moją

swój fotel, żona oparła łokcie na brzegu łóżka, wyczerpana zupełnie, dziewczyna szlochała skulona na ziemi.

Tylko Marek stał nieporuszony, ze zmarszczką na czole i zaciętymi ustami patrzył na twarz ojca.

A twarz ta coraz się przeciągała, żółkła, z piersi dobywało się mozolne tchnienie, w którym bystre ucho rozróżnić mogło coraz niewyraźniej:

– *Judica me Deus et discerne causam meam…*

Uroczysta cisza zaległa pokój… Była to agonia, przedsionek wieczności!

W oknie pobladły gwiazdy i uderzyła woń rosy porannej, padającej na kwitnące róże na dziedzińcu. Krótka noc letnia dobiegała kresu.

Aż wreszcie, gdy zapiały trzecie kury, Czertwan oczy rozwarł szeroko, na ryngraf je podniósł i westchnął. Gromnica wysunęła się z rąk i zgasła, powstał gwar i ruch okropny.

Porwali się wszyscy. Stary oczy miał otwarte, łez śmiertelnych pełne, rysy dziwnie pogodne.

– Jak żył, tak umarł! – zamruczał Ragis, ocierając wąsy i powieki.

– O Jezu! O Jezu! – ryczała żona, tłukąc czoło o brzeg łóżka.

– Światła, Józef! – rzucił swój pierwszy rozkaz młody pan Skomontów.

Marek usunął się trochę i w okno spojrzał. Brzask wiosenny świtał i dzień nadchodził, różowymi smugami zaglądając do izby.

Budziły się ptaki po gałęziach, wstawali ludzie, zwierz, owady najlichsze do życia, do pracy, do ruchu, tylko on, starzec pracowity jak pszczoła, ranny jak skowronek, czujny jak kur, nie wstawał.

Zdał już swą pracę i trud – odpoczywał. Był to dla niego dzień wielkiego święta i spokoju.

II

W tydzień po śmierci Czertwana oryginalny orszak przeciągał ulicą zaścianka Sandwile. Przodem szedł Rymko i Ragis z dubeltówką przez plecy i borsuczą torbą przy boku, otoczony półtuzinem psów rozmaitych. Na sznurku prowadził oswojonego lisa, a z zanadrza sinej kapoty wyglądały pyszczki srokatych królików. Wędrowna ta menażeria poprzedzała wóz drabiniasty, eskortowany przez ospowatego parobka, a na wozie piętrzyły się dwie skrzynie zielone, parę stołków, jakieś siatki, pęki wyprawnych i niewyprawnych skórek, motyki, garnki, a na szczycie w ogromnej klatce jechał żuraw siwy i kilkanaście sztuk mniejszego ptactwa, krzycząc i świergocąc wniebogłosy.

Za tym wozem szła para wołów chudych, mizerna krowina, kilkoro cieląt, a na końcu Marek Czertwan wiódł za uzdę sędziwą klacz białą, która w Skomontach woziła wodę i drwa.

Tabor zamykał pies bury, nieufnie spoglądający wokoło.

Pomimo roboczego dnia i obojętności żmujdzkiej kto żyw, wyległ za wrota, pozdrawiając przybyszów uprzejmie i dziwiąc się mocno.

– Toż to wszystko, co dali Markowi ze Skomontów? – szeptano między sobą.

Jego samego nie śmiano zapytać. Szedł chmurny jak noc, milcząc, uchylał przed znajomymi kapelusza.

Stary Wojnat stał u wrót swej zagrody, ręką oczy przysłonił, popatrzył, a zza jego pleców ciekawie wyglądała Marta.

– W imię Ojca i Syna! A to co? – zakrzyczał.

– Pogorzelcy! – odparł szyderczo Ragis, nie zatrzymując się wcale.

– Marek! Co to znaczy? Teatr pokazujesz? Chodź no tu.

Młody głową potrząsnął.

– Za chwilę przyjdę do was – odparł.

Obok zagrody Wojnata, płotem oddzielona, leżała druga granicząca już z polami. Przeciwieństwem była ona pod względem porządku i dobrobytu sąsiedniej. Zamiast parkanu, kilka kamieni broniło jej od ulicy, źle osłaniając zagony mizernej gryki i owsa zasianych w pustym ogródku. Nie było tam wiśni i ulów, z daleka biły w oczy odarte budowle, chata bez szyb i dziedzińczyk chwastem porosły.

Był to dział Markowy, matczyna zagroda. Tabor zwrócił się w podwórze, na zwalonej przyzbie usiadł Ragis i dla dodania sobie rezonu zaczął gwizdać przez zęby. Marek z parobkiem wyładowali wóz, zagnali żałośnie ryczące bydło do pustej obórki, sprzątnęli wóz z drogi.

Dziatwa przyglądała im się z ulicy ciekawa, zdziwiona. Zajmował ją nadzwyczaj szpak w klatce, który co chwila podlatywał i krzyczał:

– Na zdrowie! Na zdrowie!

– Cicho błaźnie! Nikt nie kicha! – upominał go Ragis, na wielką uciechę dzieci.

– Możesz wracać, Grenis – rzekł wreszcie Marek do parobka, wciskając mu w rękę pieniężny podarek.

Chłop się cofnął, jakby mu węgiel gorący podano, i zamiast iść do dworu, stał i milczał, obracając bicz w ręku.

– Czegóż chcesz? – zagadał go Ragis.

– Gdzie moje konie, tam i ja się ostanę – odparł po żmujdzku.

– Pani kazała ci wracać, to wracaj! – mruknął Marek.

Żmujdzin obejrzał się wokoło, na drogę, na niebo, na rzekę, wrócił oczyma do krzywej stajenki, podszedł do niej, zajrzał i pod ścianą się położył.

– Namyśli się, to wróci! – rzekł Ragis. – Ja tymczasem założę sobie gniazdo. Biedne bestyjki moje, przechorują jazdę!

Marek pomyślał chwilę, zawahał się i ruszył do Wojnatów. Kończyć trzeba było, bo wieczorem już go czekano w Poświciu.

Wszedł. Marta szyła u okna, stary dreptał po izbie. Zamilkli na jego widok.

– Raczyłeś wreszcie pokazać się! – wybuchnął Wojnat. – Przez tydzień nie stało ci czasu donieść, co się dzieje. No, gadaj teraz!

– Widać nie było czasu, jeśli nie przyszedłem. Wzrosłem wśród was i przywykłem, ale ojciec dziecku pierwszy. Kilka dni temu w grób go położyliśmy.

– Toż widziałem, byłem na pogrzebie. Ja się pytam, co z sobą robisz teraz?

– Zrobię, jak ojciec kazał! – odparł ponuro.

– No, to gadajże! Co to za komedie z tą zdechliną, coś przyprowadził?

– Ano, co mi dali z domu, to wziąłem!

– Jak to „dali”? Kilka sztuk, tobie, ze Skomontów? Ojciec nie zostawił woli?

– Zostawił. Ziemię podzielił!

– No, jakże? Coś dostał?

– Zagrodę i Dewajte.

– A Skomonty?… Ejniki?… Kapitały?…

– Skomonty Witolda i matki, Ejniki Kaziowi, z kapitałów wypadło każdemu po 5000 rubli!

– Czemuś nie dochodził swej części dobytku? Jak żebraka cię wyprawili! Jest prawo przecie!

– Ja swarów nie chcę. Nie dali, siłą brać nie będę – rzekł Marek, ruszając ramionami.

– Ciemięgo! – zaburczał stary i urwał.

Czas jakiś chodził po izbie i sapał, potem zaczął mówić coraz gniewniej:

– Szachraje! Oszukańcy! Znaleźli gamonia i obrali! Skrzywdzili moją krew, na złość mnie. Poczekajcie! Zobaczymy, kto mędrszy! Wypędzili z torbami i śmieją się ze starego Wojnata! Ja im pokażę! Będzie on pan, a wy hołysze! Przyjdzie nas prosić! Figa!

Zatrzymał się przed Markiem i z dumą patrząc na jego atletyczny wzrost, rzekł:

– Twoje ręce, a moja głowa cudów dokażą! Zagrody połączymy w jedno i będziemy pracować. Nie umrę, nim ty ich wszystkich nie pospłacasz i nie zbierzesz fortuny w swoje ręce. Na jesieni cichy ślub z Martą weźmiecie, razem żyć będziemy i patrzeć, jak oni będą szaleć. Rozumiesz? Na dział się nie zgadzaj i płać im powoli. Życie długie, doczekasz się dobra.

Marek milczał, głowę zwiesił i słuchał. Tak, to było jego marzenie. Marta, praca i ziemia, ziemia ukochana! Może żal i krzywda szeptały coś o odwecie, a stary i to głaskał, rozdmuchiwał. Machinalnie, może na pokusę cichą, młody w zanadrze wsunął rękę i woreczek z sygnetem przycisnął z taką mocą do piersi, że aż go zabolało, i długo nie mógł się zdobyć na słowo.

– A co? – spytał Wojnat. – Dodałem ci rezonu. Nie strach ci już rudery?

Było to wezwanie. Marek oczy podniósł na Martę i rzekł przez zęby:

– Strach czy nie, ja w niej nie zostanę, tylko do wieczora.

Stary pobladł, przestraszył się.

– Dlaczegoż to do wieczora?…

– Bo mi ojciec kazał Poświcia pilnować. Już mnie tam czekają.

Był to grom. Dziewczyna opuściła ręce z robotą i aż zbielała, staremu zaparło dech w piersi. Otworzył usta, wytrzeszczył oczy, oniemiał.

Zapomnieli o przywiązaniu starego Czertwana, o tej kuli przy nodze, którą włókł całe życie, o tej wariacji, jak mówiono! Zdał ją synowi, może zaraził swą słabością jak rodzinną chorobą!

Po chwili jednak złowieszczej ciszy Wojnat wybuchnął:

– Ty? Ty? Do Poświcia? Znowu za ekonoma darmowego! Ty? Ty?

– Pójdę! – rzekł krótko Marek, przerywając.

– Pójdziesz? Czego? Czekać na umarłych, jak Czertwan czekał? Zastanów się!…

– Po co się zastanawiać, wuju? Ojciec w grobie i dałem słowo! Pójdę!

– A twoja ziemia? A ja? A Marta? Pomyśl ty o tym!…

– Co tu myśleć? Ziemi Ragis dopatrzy, a wy i Marta… Wola Boża!

– Jak to? Co to?

– Może poczekacie na mnie, jeśli łaska. Może Orwidowie wrócą prędzej niż spodziewani? Czy ja wiem? Ojciec kazał – muszę!

Stary ręce za pas założył i z gniewu przechodząc w spokojną zaciętość, cedzić zaczął słowo po słowie:

– A to ich sobie czekaj, tych swoich Orwidów! I owszem! Wysługuj emeryturę! Ale co nas, to nie mieszaj do swych planów! Mnie napędza śmierć, nie mam prawa czekać, sił brak! Rąk mi trzeba młodych zaraz i pomocy! Albo zostawaj tu dziś, albo idź – na zawsze…

Marek głową potrząsnął.

– Wy wiecie, że nie mogę zostać! Wola wasza – pójdę!

– Z Panem Bogiem – mruknął stary, odwracając się.

Młody podniósł oczy, szukał narzeczonej, ale miejsce u okna było puste, robota leżała porzucona, dziewczyna wyśliznęła się niepostrzeżenie. Skłonił się wujowi i wyszedł. Na podwórzu nie było Marty, okrążył ogródek, brał za klamkę swych drzwi, gdy go doleciało lekkie łkanie pod płotem.

Zadrżał, rozchylił gąszcz wiśniowy sąsiedniej zagrody i zajrzał.

Dziewczyna siedziała skulona na ziemi, fartuszkiem zakryła twarz i płakała rozpaczliwie.

Długo stał i patrzył na tę boleść, nim się zebrał na słowo.

– Marto, nie płacz! – rzekł z cicha. – Co to pomoże? Chciałem się z tobą pożegnać…

Porwała się z ziemi gwałtownie, zaczerwieniona od łez i wzruszenia.

– Nie słuchaj dziada! – zawołała. – Jemu jedno: ty czy inny, byle zdrów i młody! Niech szuka rąk i pomocy, ale nie męża dla mnie! Trzeba ci iść, och, Boże mój! Strach pomyśleć! Ale czy wrócisz za rok, czy za dwa, czy za sto, ja, póki życia – twoja! Na co chcesz, przysięgnę ci!

– Nie przysięgaj, ale dotrzymaj! – odparł poważnie. – Bóg słyszy! Ja zawsze jednaki! Ty wiesz!

– Zobaczysz – szepnęła z naciskiem – że i ja taka! Ty albo żaden!

Trzymali się za ręce i staliby tak długo, osłonięci gęstwiną, gdyby nie ruch w ruderze i głos Ragisa za oknem. Swoim zwyczajem gadał z menażerią!

Marek uścisnął dłonie dziewczyny i cofnął się. Gałęzie zajęły zwykłe miejsce, oddzieliły znowu zielonym murem dwa ogrody, nie zostało ani szczeliny, ani znaku, chyba w młodych sercach na dnie trochę gorzkiego wesela.

Ragis nie tracił czasu. Rudery swej nie poznał Marek. Stary ją uprzątnął, okurzył, na pustych ścianach rozwiesił broń, trofea myśliwskie i *Życie św. Genowefy* w kilkunastu jaskrawych obrazkach; sprzęty zajęły puste kąty, a w dwóch rogach umieścił dwa tapczany na posłanie.

Zwierzęta oglądały nowe miejsce, piszcząc i skomląc. Gospodarz rozpakowywał skrzynie, prawiąc im moralne sentencje:

– A co? Zjadłeś harbuza? – spytał wchodzącego.

– Od kogo?

– Ano od starego i dziewczyny!

– Stary nie jedno z dziewczyną! – odmruknął Marek, otwierając swój tłumok.

– A wiesz, że Grenis uciekł z końmi?

– Uciekł?

– Widziałem przez okno, jak je wyprowadził, siadł i wyjechał. Chciałem łapać, ale potem złość mnie wzięła! Zabrali tyle, niech ich i ta reszta udławi!

– Dobrze żeście zrobili! Znajdziemy i parobka, i konie za pieniądze.

Zgiął się nad skrzynią i zamilkł.

Ragis głową pokiwał, usiadł na zydlu i fajkę zapalił.

– Ot, się i stało, co ci prorokowałem! – zaczął smutno. – Krzywda i krzywda! Było ci po tyle lat pracować! Co się stało? Jak z łodzi rozbitej kawał spróchniałej deski. I znowu odchodzisz?

Marek milczał uparcie. Powoli dobywał ze skrzyni swe bogactwa i rozmieszczał je po ścianach i stole. Zakrył posłanie. Zapomnieć chciał, że on tu gościem tylko do zmroku.

– Czego to ludzie nie zrobią? – mówił dalej stary. – Czertwan był sprawiedliwy i twardy, no, i jego osiodłali, wodzili na sznurku. Ot, chyba że lepiej na świecie być złym jak dobrym!

– Nie mów nic na ojca! – odparł Marek. – Zrobił, jak chcieli! Oni myśleli źle, a on zrobił dobrze!

– Bo co? – zagadnął Rymko ciekawie.

Młody się wyprostował, jak zwykle namyślał się chwilę nad odpowiedzią.

Był to nałóg charakteru.

Przez tę chwilę oczyma spoczął na ścianie, nad swym tapczanem.

Tam, pod świętym obrazkiem, wisiał z blachy czarnej wycięty rycerz konny, z podwójnym krzyżem na tarczy, z mieczem wzniesionym w prawicy. Na niego patrzył Marek i wyrzekł powoli:

– Nie dla siebie ja pracowałem i znosiłem, i milczałem.

– To dla kogóż? Dla Wojnatów czy Witolda?

– Dla tego! – zamruczał, głową ścianę wskazując.

Ragisowi zaświeciły siwe oczka i wąsiki pokręcił, ale jakby nie zrozumiał, mówił dalej:

– Skomonty za rok przejdą w cudze ręce. Witold zje ojcowiznę jak bekasa! Młode zęby i łakome. Kazio nie wróci, a jeśli i wróci, to sprzeda Ejniki, Hanka zmarnieje z nauki i straci Budrajcie! Zginie wszystko!

Marek podniósł głowę, odrzucił włosy z czoła i dłonią za pierś się chwycił, jakby go tam w głębi zabolało coś okropnie, i znowu po namyśle wymówił już nie cicho, ale pełnym głosem i z dziką energią:

– Zginie, zginie! – powiadacie. – Ej, ojcze, w ten dzień zguby nie stanie chyba na ziemi mnie i Dewajtisa mojego!

Kaleka patrzył i słuchał. Od dziecka znał tego człowieka, żyli razem, a nigdy go takim nie widział. Jak surma bojowa zabrzmiał jego głos posępny, pioruny strzeliły z zimnych oczu.

Słońce zajrzało w cienie izdebki i jeden promyk ozłocił czarnego rycerza na ścianie i jasnowłosego Żmujdzina. I raz pierwszy zauważył Ragis, że chrześniak jego miał takie same surowe i zacięte rysy, jakby jeździec żelaznym bratem mu był czy ojcem i na boje iść mieli razem.

Zdjęła go cześć jakaś niebywała i długo milczał wpatrzony w tych dwóch, i sam nie wiedział, który mu był większym w tej chwili.

Marek pierwszy się opamiętał, zląkł się wybuchu, poczerwieniał, obejrzał się i począł majstrować około swej strzelby. Płomyk zgasł.

– I cóż ty im zaradzisz? Nie masz czasu i prawa iść im z pomocą – zagaił rozmowę stary wojak.

– To oni przyjdą do mnie! – była niewyraźna odpowiedź.

– Przyjdą, żebyś się podpisał na dziale, i musisz!

– Nie muszę, jak nie chcę!

– A to chyba! Masz sens!

Młody skończył swą robotę, siadł u okna, dobył z kieszeni stary pugilares i na skrawku papieru zaczął rachować. Czasem oczy podnosił i smutno spoglądał na słońce. Zstępowało z południa, wzywało go do odwrotu.

Zaczęli rozmawiać o swych niedostatkach. Brakło wszystkiego, chleba nawet. Budynki prosiły strzech, ziemia uprawy, ogród płotów, chata szyb i gruntowej reperacji. Po skończonym obrachunku z kapitału połowa ledwie została; marna suma, którą Marek schował na powrót do kieszeni na spłacenie kaprysów Witolda i powrót do całej ojcowizny.

Ragis zgarnął pieniądze, uśmiechając się żartobliwie.

– No, teraz ja tu niby pan. Kontrolować ostro nie będziesz?

– Może raz na kwartał zajrzę do was!…

– To dobrze! Pokażę ci, co umiem! Zobaczysz!

Młody głową skinął. Nic mu nie mogło wrócić swobody i ochoty.

Zgarbił się, ręce założył i w milczeniu wyglądał okienkiem na białawą grykę i owies nikły w ogrodzie. Mógł już iść do Poświcia, ale się ociągał – myślał, że nieprędko spocznie u siebie, we własnej chacie.

Ragis się krzątał, postukując drewnianą nogą, wychodził i wracał – czuł, że nie czas było drażnić utyskiwaniem biedaka, więc mu dał spokój. I nikt ich też nie odwiedzał z zaścianka. Przyjaciela Grala nie było w domu, a Wojnat nie żartował w gniewie. Smutne to było gospodarstwo.

Wieczór nadchodził: parę ukośnych smug czerwieni zajrzało w Markowe oczy, a on jakby zrozumiał to hasło – wstał, strzelbę zarzucił na plecy, wziął kapelusz.

– Trza mi już iść! Zostańcie zdrowi – rzekł do przyjaciela.

Kapelusz wcisnął na oczy i wyszedł na podwórze.

– Chodź, Margas! – zawołał burego psa.

– Poczekaj, odprowadzę cię do rzeki! – krzyknął Ragis za nim. – A to, co? – dodał, spoglądając w ulicę.

Drogą jechał Grenis konno, drugiego konia prowadząc luzem, zawrócił w podwórze.

– A ty skąd? – zagadnął Marek.

– A z paszy – odparł parobek.

– Toś nie był w Skomontach?

– Juści, że nie byłem! A czego? Przy koniach siedziałem, bo niby święto. A jutro to nam robotę pokażecie.

– Przecież we dworze służysz?

– Ja przy koniach służyłem. Nie na to je pasłem, by drugi poniewierał! Czy obroku dacie, panie?

– Dam, jak wrócę! – odparł Ragis. – Pilnujże zagrody tymczasem!

– A juści! Co mam innego robić? Paniczowe konie i ja!

Ragis uśmiechnął się zadowolony.

– To mi drab setny! Posłuszny i głupi!

Marek spod oka patrzył w okna Wojnatów i milczał. Między wiśniami mignęła krasa chustka Marty, obejrzał się za nią raz i drugi i przyśpieszył kroku. Było to jego ostatnie pożegnanie.

Minęli zaścianek i zniknęli w zmroku. Jak przed tygodniem szli ku dąbrowie, lecz już nie ku Skomontom, ale w prawo, na huk rzeki.

Rymko Ragis półgłosem zaczął odmawiać pacierze; wieczór stawał się coraz cichszy i spokojniejszy. W ciszy tej Marek coś słuchał, podnosząc często głowę i przystając. Coraz bliżej, coraz wyraźniej ogarniała idących głucha, tajemnicza melodia natury ciemnego boru!

Młody słuchał, jak słuchamy ukochanego głosu po latach niewidzenia i jak łowimy chciwie cudną pieśń o wielkich bohaterach.

Coś go ciągnęło do tych szeptów drzewnych, do tej czarnej gąszczy!

– Słyszycie, jak Dewajtis szumi? – ozwał się z cicha do kaleki.

– Ot, gadanie! – Stary ruszył ramionami. – Jakby on inaczej szumiał niż wszystkie. To nawet nie dąb, ale poświcki młyn terkoce na Dubissie.

– Nie, to on gada na polanie! Posłuchajcie!

– Ach, ty poganinie zakamieniały! Czy ci nie wstyd złe wzywać taką mową? Chrztu zapomniałeś czy co, ze swym nabożeństwem do drzewa?

Na tę admonicję* Marek umilkł. Dochodzili dąbrowy, olbrzymy zakrywały im niebo, zabiegały drogę, jakby z powitaniem wyciągały ramiona. Zabrała ich puszcza w zazdrosne objęcie.

Zygzakiem, bez śladu, szedł przodem Czertwan i wciąż nadsłuchiwał, jakby z tych szmerów jeden wyróżniał, jakby na wezwanie czyje szedł, coraz głębiej i głębiej.

Aż nagle rozwidniało im nad głową, kawał nieba mignął i przed idącymi wynurzyła się szeroka polana. Pod stopami

---

* admonicja (z łac.) – napomnienie, nagana

grunt się podnosił: to resztki starodawnych okopów, na boku czerniał kontur zwalonej na pół baszty, a przed nimi na środku polany stał protoplasta dąbrowy, stary jak żmudzkie bogi, i zda się witał przybywających głuchym, przeciągłym szelestem.

Marek się zatrzymał.

– No i czegóż stajesz – rzucił Ragis – już późno, a prąd wartki pod poświckim ogrodem. Jeszcze ci się wypadek zdarzyć może z czółnem.

– Spocznijmy chwilę, ojcze! Zaraz odpłynę!

– No, kiedy tak, to usiądźmy! Moje drewienko narowiste, stać nie lubi. Masz tytuń?

Zapalili fajki i długą chwilę tylko siny dym rozbijał się gęstymi kłębami.

– Źle! – zaczął Ragis – oj, źle! Na co ci przyszło! Drugie dziesięć lat minie na darmo, a potem starość i koniec. Nic nie zdobędziesz i nic nie posiądziesz, a co masz, stracisz! I na co tak? Tamci nie wrócą!

– Kto wie? – zamruczał Marek.

– Każdy wie. Skąd by się wzięli po tylu latach? Spadek jak miód, wnet go za ścianą mucha poczuje! Oni pomarli!

– Może! Trza czekać!

– Ot, głupiś! – stary splunął. – Przez to czekanie stracisz Skomonty, Martę, dolę, zdrowie i młodość. Coś ty dobrego miał kiedy w życiu? Na co ci się zdała ta praca i troska od wyrostka, od berbecia już. Nic nie masz, won wypędzili jak przybłędę i nawet się skarżyć nie umiesz.

– Nie umiem! – potwierdził Marek, wstając – i na co skarga?

Urwał, pomyślał chwilę, objął wzrokiem dębowe konary i dodał po żmujdzku starodawne, typowe przysłowie:

– Czy się stanie, co ma stać, czy nie stanie, Żemajtis* zawsze zostanie.

_____

* Żemajtis (lit.) – Żmudzin

Ragis podniósł się także i głową pokręcił.

– Po zbiegu ślad stóp, po pozostałym ślad krwi! – zamruczał ponuro.

Po tej zamianie przysłów nie mówili z sobą nic więcej. Przerżnęli ukośnie polanę, stromą ścieżyną zeszli na brzeg rzeki. Łódka czekała, uwiązana u pnia olszyny, przewoźnik drzemał w głębi.

– Bywajcież zdrowi, ojcze Rymko – rzekł Marek, pochylając się do ręki starego – dziękuję wam za wszystko dobre!

– Z Bogiem, synku, szczęśliwie! – szepnął Ragis głucho.

Młody odwiązał czółno, nie budząc chłopa, i wziął wiosło w ręce.

Po chwili Dubissa porwała drobną łódkę i odrzuciła ją o kilka sążni od brzegu. Stary oparł się na kiju i patrzył za nią.

Olbrzymia postać wioślarza czerniała na wodzie. Stał z odkrytą głową i patrzył wyżej głowy Rymki, na szczyty dąbrowy.

Żegnał ją ostatnią myślą i spojrzeniem.

Potem malał, czerniał jak punkt niewyraźny, aż wreszcie stopił się w mroku i zniknął.

Kaleka czekał chwil kilka, wreszcie strzelbę zdjął z pleców i wypalił w powietrze.

Po małej przerwie za wodą zaświeciło coś i huk rozległ się, a potem stłumione szumem rzeki szczekanie psa, to Margas na drugim brzegu, w poświckim parku.

Wygnaniec stanął cało na miejscu przeznaczenia.

Ragis westchnął i zawrócił ku domowi.

– Daj mu Boże wrócić do swego, bo dobry i cierpliwy! – wyszeptał.

Dąbrowa szumiała, ale Ragis jej szumu nie rozumiał i nie pojął, że stary dąb z polany odpowiadał mu:

„Powróci, powróci! – tylko poczekajcie! Wszystko mija! Powróci, powróci!…"

III

Dąbrowa w widłach Dubissy i Ejni od niepamiętnych czasów była własnością Czertwanów.

Niegdyś, w szarej wieków oddali, świątynia tam stała, zamek jej strzegł.

W świątyni bogini Aleksota była czczona, zamku bronili zajadli wojownicy w skóry odziani, z toporem w garści, a fanatyzmem w sercu.

Dziś z zamku zostały zaledwie ślady okopów i wałów, zmurszała baszta pod siecią chmielu, studnia bezdenna, wyschła, kurhan, pod który złożono obrońców, i legendy. A po świątyni na polance zostały dwa głazy pokryte jakimiś znakami z wyżłobieniem w środku – i Dewajtis.

Minęły wieki, zginęli Krzyżacy – apostołowie, ucichł Perkun i pogasły święte ognie, miały rządy, ludzie, szły wojny po wojnach, ruiny po ruinach, zmieniały się prawa i obyczaje – Dewajtis stał.

Stał wśród polanki, obok świętych kamieni, dęby-wnuki z daleka otaczały go kołem, olbrzymi, dotąd krzepki, w koronie z zielonych liści, potężne konary niby ramiona wyciągał w górę, jak Kriwe i Kriwejte*, i wyzywał, zda się, do walki żywioły, i mówił:

_____

* Kriwe i Kriwejte – najstarszy kapłan w pogańskiej Litwie

„Nie wy, ludzie, rzuciliście mnie tu i nie wy, wichry i burze, stąd weźmiecie. Osadził mnie tu Bóg i zostanę, zostanę, zostanę".

Osłaniał sobą polanę, kamienie, ruiny zamczyska…

Czasem cichy słuchał wieści, co mu niosła rzeka, czasem z basztą wspominał stare boje i majestatycznie szumiał, to znów, gdy ludzie doń przychodzili, po konarach jego szło potężne tchnienie: „Witajcie, witajcie! Jedna ziemia nas zrodziła i hodowała. Korzeniami ją w uścisk objąłem, a wy ramionami i duszą! Kto nas stąd wyrwie, kto?".

Tylko co jesień Dewajtis wspominał bohaterów, co pomarli, sławę, co minęła, ogień, co zagasł, i żalem zdjęty, rozdzierał szaty i płakał. Ludzie obcy mówili: „dąb traci liście"; Żmujdzini szeptali: „Dewajtis opłakuje stare czasy".

I przez długie miesiące olbrzym stał oszroniony, ponury i milczał w ciężkiej żałobie, aż litowała się nad nim bogini, której kamieni pilnował tyle wieków, i odwiedzała go.

Wstępowała na ofiarne głazy, wstrząsała konary, pieściła gałązki, budziła, a spod jej rąk i z białych szat leciały po polanie ciepłe tchnienia i jasne promyki, i kwiaty.

A Dewajtis strząsał żal z siebie i jak bohater podnosił głowę, a tu rzeka witała go, a tam stara baszta znowu.

Takie baśnie chodziły z ust do ust po zaściankach i wsiach i tymi baśniami usypiała matka Marka, gdy z pieluch wyrósł.

Kobieta to była prosta, zacofana, dziecko chaty szlacheckiej, nigdy nie oswoiła się z pozycją pani dworu i obywatelki. Za szeroko jej było w salonie, za zimno i zawsze cudzo!

Mąż dobijał się fortuny, pracował szalenie, zbierał, szczędził, rósł w możność i potęgę, ona schła jak polny kwiat w cieplarni.

Cicha była, zalękła, bała się świata, w który weszła, płakała czasem żałośnie, a tak skrycie jak dzwonki leśne w gęstwinie, żeby nie dokuczyć mężowi, którego ubóstwiała czcią jakąś niewolniczą.

Hardość w niej żyła i łagodność anielska. Gdy odwiedzała brata w Sandwilach, rzeźwiała i weselała: zostałaby tam chętnie, na progu ojcowskiej chaty, z synem na ręku, nie nęcił jej świetny los, którego zazdrościli ludzie, ale nie mówiła nigdy nic smutnego, wracała do Skomontów, śpiewając dziecku, i dalej znosiła bogactwo jak dopust Boży.

Nie umiała wiele, lecz co mogła, dawała synowi. Religia jej składała się z gorącej wiary i tysiąca zabobonów. Uczyła go więc pacierza i mnóstwa formułek od czarów, uroków i diabelskich sztuk. Historia jej była długim szeregiem legend o smokach i bohaterach, dalej o Tatarach i Szwedach, opowiadała mu, co zapamiętała. Kołysała go żmujdzką pieśnią o Birucie i Kiejstucie*; gdy podrósł, zabawiała legendami z bajecznych dziejów kraju.

Obyczajem zaścianka przędła w długie wieczory zimowe i tkała wzorzyste samodziały, w ogrodzie sadziła nasturcje i nagietki, ubierała się chętnie w jaskrawą spódnicę i koronkowy czepiec, w święta po nabożeństwie lubiła gwarzyć ze szlachciankami na cmentarzu i chętniej by wracała piechotą, a nie porządną bryczką z mężem.

Rozrywką jej było pójść na grzyby lub na jagody samej z dzieckiem, w bór ciemny, gdzie by jej nikt nie turbował nowinami, polityką, modami i plotkami.

Siadywała na mchu lub pniu i słuchała, co las gwarzy.

A chłopak o lnianych włosach i smętnej twarzyczce siadywał obok i w milczeniu słuchał tej mowy poważnej i tajemniczej.

---

* Kiejstut (1292–1382) – książę litewski, syn Giedymina, ostatni bohaterski obrońca pogańskiej Litwy

Do dębu na polanie nabrał z owych czasów czci bałwo-chwalczej.

Matka nauczyła go, że wódz to był tych, co polegli, broniąc bogini i zamku. Aleksota płakała po nim, więc go bogi w drzewo zaklęły, by żył na sławę owego boju, na pamiątkę aż po kres świata.

Tymczasem bogactwa Czertwana rosły. Skomonty stały się pierwsze w okolicy z dobrobytu i rozległości dworem. Co dzień wyraźniej stawało w myśli pokornej Wojnatówny, że ona nie pani do tych dóbr, nie żona dla takiego potentata, że ona jedna w jego doli jest szarą plamą, zawadą, dysonansem! Czuła to i usuwała się w cień, schła, nikła, gryzła się, aż pewnej wiosny zmarła cichutko, jak żyła!

Marek miał wówczas osiem lat i cały skarbiec matczynych wiadomości jako podkład do charakteru. Na pogrzebie zakończył epokę swego dzieciństwa; odtąd stracił opiekunkę i serce, wrócił do domu, obszedł kąty i naraz i jemu zrobiło się w tym pięknym dworze i zimno, i cudzo, i za szeroko.

Nazajutrz uciekł do zaścianka do wuja: chciał tam zostać. I Wojnat rad był sierocie, ale tegoż wieczora przyjechał Czertwan i po ostrej rozmowie ze szwagrem zabrał syna! Nie syn to był, ale niewolnik, jak nieboszczka niewolnicą była.

I popłynęły lata. W Skomontach nastała nowa pani, nowy porządek, inne życie. Wniosła ton i szyk, dała Czertwanowi dzieci troje, delikatnych paniątek, skoligaciła go z pięknymi rodami.

Wszystko się zmieniło i Markowe wspomnienia się zatarły, i obraz matki mu zbladł, tylko dąb na polanie pozostał mu niezmienionym, zrazu zaklętym bohaterem, potem powiernikiem, przyjacielem, nareszcie wcieleniem wielkiej myśli.

Dwadzieścia lat upłynęło od chwili jego sieroctwa; kawał czasu, co włókł się powoli, ciężko, mozolnie, żłobiąc mu duszę w pewną twardą formę, aż zastygła zupełnie.

Trzy złote miał iskierki w życiu, zawsze dąb był ich świadkiem, osłaniał je cieniem swych opiekuńczych gałęzi.

Raz pierwszy na ferie go wzięto ze szkół rossieńskich – odpoczywał w domu.

Do dębu poszedł z powitaniem w śliczny letni ranek i strwożył się.

Samotnię jego odkryli inni, spędzili gwarem świegocące ptactwo i polne koniki.

Było to dwoje dzieci. Chłopak gimnazjalista siedział w trawie z książką na kolanach, a przed nim na ofiarnym głazie stała młodsza dziewczynka, cała w bieli, w wieńcu sasanek na głowie czarnowłosej, i deklamowała po żmujdzku hymn starodawny.

Marek znał oboje. Proboszcz ze Skomontów miał brata, profesora w Kownie, jego to były dzieci, odwiedzały one czasem stryjowską plebanię.

Oboje byli zatopieni w poezji. On ręką wybijał miarę i poddawał niekiedy wyrazy, jej zapał rzucił rumieńce na blade policzki, rozjaśnił zapadłe czarne oczy. Nie zważali na przybysza, który opodal w trawie legł i słuchał.

Nareszcie hymn się skończył. Ostatnie wiersze mówiła ciszej i ciszej. Stało w nich, że bohaterów na stos złożono, który strawił ciała i rynsztunki i opadał, opadał, aż zgasł!

– Czemuż zniżyłaś głos, Julko? – zagadnął brat, gdy urwała, dysząc.

– Bo oni pomarli, a ogień zagasł! Smutny twój hymn!

– Nieprawda, taki stos z wielkich wojowników to nie koniec i nie smutek. Pozostali biorą z niego po iskrze, zapalają nowe pochodnie, idą na dalsze boje! To hasło do innych czynów, to świetny przykład! Ty tego nie rozumiesz, boś mała i kobieta.

– Doskonale rozumiem! Pozwólcie mi tylko wziąć iskrę, a pójdę! A kto się tam za tobą dociśnie!

Urwała i szepnęła ciszej:

– Widzisz, Olechna, tam ktoś nas podsłuchuje.

Gimnazjalista się obejrzał i Marek powstał z ziemi. Pozdrowili się.

– Pan na wakacje? I my też! Zaszliśmy tu trochę poczytać. Śliczna ta dąbrowa.

Przystali do siebie! Odtąd co dzień schodzili się pod dębami we troje.

Olechno, entuzjasta, opowiadał bohaterskie czyny, deklamował tysiące wierszy, Julka szukała gniazd po zaroślach, zaglądała w nory lisów i borsuków, wchodziła w szczeliny ruin, Marek słuchał i marzył w głębi duszy. Spędzili pod Dewajtisem całe wakacje, nigdy niezatarte w pamięci ponurego chłopca.

Następnego roku zastał żałobę u plebana. Olechno przybył pierwej i przed tygodniem, kąpiąc się w Dubissie, utonął.

Nie odnaleziono nawet zwłok, rzeka je poniosła do Niemna i morza.

Na wieść tę Marek uciekł z domu i u stóp dębu legł, i długo nie wstawał.

Mchy leśne wiedziały, że płakał pierwszymi łzami rozpaczy, a potem na głazie przesiedział noc całą i dumał. W rozżalonej jego głowie majaczyło, że Olechnę spalono na stosie, który gasł i gasł, a on z tego stosu wziął iskrę jedną do zatlenia pochodni na nowe boje i dalszą walkę.

Po tej nocy przeleżał na gorączkę parę tygodni; uratowały go zioła ciotki i siły młode. Z pościeli wstał inny; nigdy odtąd się nie zaśmiał i nie rozgniewał, i długi czas unikał dąbrowy!

Po owych smutnych wakacjach nie wrócił już do Rossień.

Ojciec się do Poświcia przeniósł, bracia byli dziećmi – brakło w Skomontach silnej dłoni i głowy trzeźwej a praktycznej; do rozległych interesów i gospodarki zostawiono Marka.

I znów potem po kilku latach prześladowań i swarów macochy i nieustannego trudu znalazł się u stóp Dewajtisa zmęczony, osłabły, z rozpaczą tropionego zwierza.

I zdarzyło się właśnie, że Ragis zaszedł na polanę, szukając kuny w sidłach, popatrzył nań i spoczął obok.

– Zapalmy sobie fajeczkę! – zaproponował.

– Dziękuję wam. Już miesiąc nie palę.

– Oho, ho! A to dlaczego?

– Ot, dla świętego spokoju.

– Aha! To się wie! Nosek macochy nie znosi złego tytoniu, a ty mieszkasz przez ścianę! Miłe sąsiedztwo, rozstać się nie możesz! To się rozumie!

– A gdzież pójdę?

– A do mnie nie łaska? Robaczek ci śmierdzi czy Igiełko? Larendogry ci trzeba? Wielki pan! Z pałacu ani rusz.

Młody milczał, zapatrzony na mrówkę w trawie.

– Zawsze swój ze swoim trzymać powinien. Kawaler z kawalerem! To łajdactwo, bestie, czasem dokucza, ale nie gadają, zawsze wygrana! Zobaczysz, jakem ja to wszystko wyedukował. No, zgoda na kwaterunek?

– Dziękuję, Rymko Ragis!

– No to na początek idź mi sidła opatrz. Moja łopatka niech odpocznie!

Odtąd z kaleką zawarli wierny sojusz.

Rymko niegdyś Czertwanowi sprzedał ziemi kawał z warunkiem dożywocia w Skomontach i od niepamiętnych czasów mieszkał w stancji przy stajni, polując, łowiąc ryby, lecząc konie i bydło. Nie zależał od nikogo, tylko od swej fantazji. Obcował ze swą oswojoną trzodą. Marek dostał pół stancji i prawo słuchania, ilekroć chciał, nauk moralnych wygłaszanych przez starego wiarusa swym wychowankom. Z biegiem czasu nie mogli już żyć bez siebie.

I znowu raz trzeci u stóp starego dębu znalazł się Marek w ciężkiej walce.

Pewnego dnia poczta mu przyniosła list od Kazimierza z daleka.

Kazimierz lubił przyrodniego brata, choć się mało znali, do niego się odzywał raz pierwszy. Skończył w Rydze wydział handlowy, dostał wyśmienitą posadę i wzywał do siebie każdego, komu w domu było ciężko i ciasno.

Z listem tym długo się nosił Marek i – wedle żądania piszącego – nikomu nie wyjawił tajemnicy. Był zdecydowany postąpić jak Kazimierz, bo było tu i ciężko, i ciasno, a nie świtało nigdzie nic lepszego.

Z roku na rok los ściskał ludzi jak kleszczami, bronił wszystkiego, co święte i dobre, i stare, zmuszał do nowego – obcego.

Na Dewajte ruszył Marek z pożegnaniem druha.

Jesień była dżdżysta i brudna. Dąb żałośnie patrzył na przybyłego i zdało się człowiekowi, że ludzki jęk szedł po konarach, drżał na liściach:

„Czego odchodzicie, czego, młodzi? Och, biada, biada! Zostawiacie mnie, myślicie wrócić, nie, nie wracajcie już.

Nie zastaniecie mnie! Ja wami tylko żyję! Już mnie bez was weźmie lada tuman, lada pastuch ognia nałoży i spali!…"

Jak łzy leciały z niego złote i czerwone liście, słały się na ziemię i obrzucały stojącego, który głowę spuścił jak winowajca i szepnął nieśmiało:

– Wytrzymać niepodobna, sił nie ma na nierówną walkę!

I jakby w odpowiedzi zakołysał się starzec, jęk ucichł, a inaczej już szumiały gałęzie:

„Siły być muszą i wszystko podobne! Idź w głąb, do moich korzeni, tam pod czarnoziemem i pod rzeką opoka była, a ja ją objąłem, wżarłem się w nią, poćwiartowałem, na proch skruszyłem i na rodzajną ziemię! Idź! Zobacz! Nie gwałćcie Bożych wyroków, nie odchodźcie, bo zmarniejecie, jakbym ja zmarniał, żeby stąd mnie wzięto!"

Marek został i zawsze mu wstydem była ta chwila słabości, i była też ostatnią. Na list odpisał, wzywając Kazimierza do powrotu i z dnia na dzień olbrzymiała mu dusza, jak dąb kruszyła opokę na rodzajną glebę.

W jesieni, po śmierci Czertwana, raz pierwszy ujrzano Marka z tej strony rzeki. O świcie pieszo odwiedził Ragisa, siadł na sędziwą Białkę i ruszył w stronę Skomontów. Pola już były puste, osnute siecią pajęczyn, na znanych mu dobrze łanach chodziły jakieś modne pługi, krając rolę pod żytni zasiew, a na wzgórku, dozorując, siedział Niemiec, nowy rządca Witolda, pod niebieskim parasolem, z fajką w zębach, i czytał jakąś książkę.

Mimo woli przystanął. Dawno nie widział swej ziemi; rozejrzał się po niej z rozkoszą. Zdawało mu się, że ptaszki i trawa, i skiba każda woła nań:

„Witajcie, gospodarzu, witajcie! Gdzieś był, gdyśmy plon niosły z twej pracy? Czemu obcy za ciebie rządzi? Wróć!"

Było to złudzenie tylko, ale on zawsze coś słyszał. Rozumiał przyrodę może dlatego, że z ludźmi mało obcował.

Gdy tak stał zamyślony, nagle z boku ktoś go pozdrowił:
– Dzień dobry, panie Czertwan.

Obejrzał się. Z bocznej ścieżki wchodziła na drogę kobieta młoda, ubrana ciemno, w wielkim słomianym kapeluszu na hebanowych włosach.

Miała twarz smagławą, wyraz otwarty, myślący, lekko szyderczy na ostrych, delikatnych rysach. W ręku trzymała książkę.

– Pan mnie nie poznał? – zagadnęła, gdy się ociągał z odpowiedzią.

45

Zeskoczył na ziemię, podał jej swą opaloną prawicę. Po zimnych jego rysach przemknął błysk radości.

– Miałbym prawo zapomnieć, bo cztery lata nie była pani u stryja na probostwie. Dzień dobry, panno Julio!

– Rzeczywiście, kawał czasu! Przyjechałam przed tygodniem z Paryża niespodzianie. Zastałam dużo więcej grobów i żeby nie spotkanie z panem, wróciłabym bardzo smutna... Pan mi przypomniał młodość i Olechnę!...

Zamilkli na to wspomnienie. Po chwili zaczęła znów ona:

– Pamięta pan nasze wakacje, stary dąb i ów stos z ballady!... Wzięłam z niego iskrę i poszłam wojować w świat... Ciężko było mi okropnie, ale to już minęło, a iskra nie zgasła, zachowałam ją, może nie tak świetną, ale ciepłą! A pan?

Ruszył ramionami.

– Nie ma co opowiadać. Zostałem za panią.

– Ej, nie. Stryj mi już wszystko opowiedział. Znam pana dzieje i szanuję. Dokąd pan jedzie?

– Do Skomontów. Macocha mnie wezwała.

– Dobrze, że pana spotkałam. Właśnie chciałam i ja prosić pana do nas. Mam interes.

Skłonił się w milczeniu.

– Pan wie, że jesteśmy w przyjaźni z Hanką. Jej to sprawa. Nie rozumiem doprawdy, czego oni wszyscy tak się boją pana. Bo ja to nic a nic.

– Pani zapewne nie ma nic w sumieniu przeciw mnie.

– A oni mają? No, może być, ale chyba nie Hanka.

– Kto milczy, potakuje.

– Zapewne, ale pan, jako sam małomówny, powinien mieć dla milczących pobłażanie. Zresztą nie spierajmy się. Hanka grzeszy brakiem cywilnej odwagi, to fakt, ale pan pomimo to daruje i pomoże.

– Czegóż jej brak?

– Ależ wszystkiego! Nie widział jej pan dawno?

– Od śmierci ojca.

– Jak to, trzy miesiące? Nigdzie, nawet w kościele?

– Parafia poświcka za rzeką. Nie miałem czasu przyjechać do siebie.

– No, to pan jej nie pozna. Cień został! Pomimo pozwolenia ojca matka słyszeć nawet nie chce o jej naukach. Skonfiskowała jej pieniądze, rządzi sama folwarkiem, jej każe pracować w spiżarni i oborze. Nie mogąc sama poradzić, Hanka wezwała mnie na ratunek.

– I cóż pani zrobiła?

– Zbuntowałam stryja, który, od czasu gdy go wyleczyłam z reumatyzmu, zachwycony jest moją medycyną. Tymczasem i jego przedstawienia nie pomogły, pani Czertwanowa nie chce dać pozwolenia.

– A pieniądze oddała? – wtrącił Marek spokojnie.

– Ale broń Boże!

– Uhm… musi mieć rację – zamruczał.

– Dlaczego?

– Bo ich pewnie nie ma.

– No to co będzie? – zawołała niespokojnie.

Swoim zwyczajem ruszył w milczeniu ramionami.

– A gdzie Hanka? – spytał po chwili namysłu.

– W domu! Panie Czertwan, proszę pana serdecznie o pomoc; ja wiem, że gdy pan zechce, to zrobi!

– Trzeba mi Hanki wiary i zaufania. Niech wybiera między nimi a mną.

– Ona już dawno wybrała, mówiła mi! A ja sądzę, że nie ona jedna myślała przez to lato!

– Pomówię z Hanką! – rzekł.

– Dziękuję panu i żegnam! Zobaczywszy pana, myślałam, że się pan zdrzemnął, tak stałeś nieporuszony! – rzekła, uśmiechając się.

– Patrzyłem na Niemca! – wytłumaczył.

– A co? Ładnie wygląda z tą książką!

– Ciekawy jestem, co czyta.

– A to ja pana objaśnię, bo i mnie to zajęło i zaczęłam z nim rozmowę, Heinego wertuje!

Oboje ruszyli ramionami i Marek się zasępił.

– No, nie zatrzymuję pana. Szczęśliwej drogi! Może nas pan odwiedzi?

– Dziękuję pani, przyjadę za parę godzin.

Rozstali się. On konia popędził i prędko minął rządcę i jego parasol.

Co krok spotykał zmiany. Pola poćwiartowane płodozmianem w szachownicę, w wysadzie wycięto dużo starych drzew dla szerszego widoku, zburzono starą bramę, emerytkę. Miejsce jej zajęła nowa, zgrabna, biało malowana, ozdobiona wielkim herbem na blasze; obrazek Bogarodzicy usunięto i ową sentencję starodawną, którą sylabizował jako pierwszą próbę sztuki czytania, a którą mu potem pleban wytłumaczył:

Sub Tuum praesidium confugimus Sancta Dei Genitrix*.

I starej stajni nie było, i mieszkanie Ragisa leżało w ruinie. Na tym miejscu tłum robotników Łotwy stawiał nową murowaną budowlę.

Pierwszą osobą, którą Marek ujrzał, była staruszka, sucha i trochę przygarbiona, szukająca czegoś pilnie na trawniku przed domem.

Podniosła się żywo i szła ku niemu, z daleka kiwając głową.

Przywiązał klacz i z odkrytą głową zbliżył się do niej.

– Jakże cioci zdrowie? – spytał i chciał pocałować w rękę, ale ją usunęła przestraszona, spoglądając trwożnie w okna domu.

---

* Sub Tuum praesidium confugimus Sancta Die Genitrix (łac.) – pod Twoją obronę uciekamy się, święta Boża rodzicielko

– Dziękuję, Marku, dziękuję. A tobie, jak się powodzi? Za rzeką mieszkasz, a mnie się zdaje, że we Włoszech czy Patagonii. Ani wieści…

– Bo ciocia nie była ciekawa.

– Ej, jak to? Ale cóż poradzę? Piechotą nie zajdę, a koni nie dadzą. Ot, stary grzyb ze mnie! Trzeba siedzieć cicho, by kto nogą nie potrącił. Raz byłam w twojej dąbrowie po zioła w dzień świętego Jakuba. Daleko, ledwie wróciłam! Możeś nierad, że tam chodzę? Ale bo widzisz, takiego biedrzeńca*, jak tam, nigdzie nie ma, i brunelka ślicznie kwitnie, bo nikt nie psuje kosą!

Mówiła cicho, jakaś zalękła. Oczy jej stare czerwone były i załzawione, może od wieku i szycia po nocach.

Zmieniła się bardzo. Młodą jej Marek nie pamiętał, ale za życia ojca ruszała się żywo, zajmowała ogrodem, pszczołami, opatrznością była chorych i ubogich, nie zamąciła nigdy wody nikomu, a winę każdą gotowa była na siebie wziąć, byle nie karano Hanki i Wicia. Była to skarbnica gospodarskich przepisów: nie było rzeczy w kuchni i spiżarni, której by zrobić nie umiała, czas swój miała zawsze na usługi potrzebującego wyręczenia. Teraz wyglądała o lata starsza, przygnębiona i – pomimo wrodzonej słodyczy i delikatności – z wyrazem żalu na pomarszczonej twarzy.

– Ciocia coś na oczy niedomaga? – zagadnął Marek z mimowolnym współczuciem.

– At! Starość! Coś łzami zachodzą często. Ścieg stawiam nierówny! Ale ziółka przykładam; przejdzie, przejdzie! To nic!

– Niechby ciocia nie szyła.

– Jakże? Znasz przysłowie nasze: „chleb płacze, gdy go darmo jedzą"! Nie daj Boże, by nade mną płakali!

_____
* biedrzeniec – roślina

Starała się uśmiechnąć, ale skrzywiła się tylko i pochyliła po badyl jakiś na ziemię. Gdy podniosła głowę, oczy były jeszcze czerwieńsze, a łzy biegły po zmarszczkach oblicza.

Wówczas żal Marka chwycił okropny. Przyjechał z urazą śmiertelną do nich wszystkich za krzywdę jednych, obojętność drugich, ale widok łez starowiny, rodzonej siostry ojca, przemógł nawet jego twardą naturę.

– Może cioci źle, broń Boże? – zaczął.

Potrząsnęła głową, ale on mówił dalej:

– Ja się nie pytam, ciociu – wiem, że wam zawsze dobrze, ale tylko proszę pamiętać, że w mojej chacie w Sandwilach jest zawsze dla was miejsce! Dziś stancję oporządzę – nie pałac to, ale spokojna nora, która dla was będzie stać gotowa! Ot, wy wiecie, że ja gadać nie umiem, ale nie płaczcie, bo mnie ojciec przeklnie z nieba, żem dopuścił…

– Co ty gadasz? – szepnęła przez łzy. – Bóg cię pobłogosławi; ty Ragisa wziąłeś, a on nie płacze! I mnie dobrze! To tak sobie! Ojca mi przypomniałeś, boś z twarzy jego żywy obraz, to i żal ogarnął! Oni wszyscy dobrzy! Daj im Boże szczęście!

Zamilkli. Staruszka obejrzała się trwożnie i rzekła:

– Żebyś się nie gniewał, to ci powiem, że byłam ukradkiem u ciebie. Do starego Downara mnie zawieźli, bo chory był na tyfus. Ragis z Grenisem byli na łące, więc się ośmieliłam i obeszłam twoją zagrodę. Jak tam ładnie! Żeby ogródek i pszczoły!

Rozjaśniła się jej twarz, wahająco spojrzała w górę na ponurego olbrzyma.

– Ty nie żartujesz o tej stancyjce? Mnie byle kącik! Ale może Ragis będzie nierad i tobie niepotrzebny ciężar! Parę lat spokoju, to bym się jeszcze na coś zdała, ale potem…

– Kiedy ciocia każe koniom przyjść? – zagadnął, przerywając.

– Ja sama nie wiem! Brat kazał w Skomontach zostać, ale mnie tutaj nie potrzebują. Jeśli twoja łaska…

– Jutro każę Grenisowi przyjechać. To ja cioci dziękuję za łaskę. Wiem, że wy pod dachem to skarb!

– Ej, nie gadaj! Pszczółek ci nahoduję, bo one mnie lubią, za leki lnu trochę zbiorę, w ogródku na jesieni pogrzebię – ot, i wszystko. Kiedy twoja wola i ochota, to zabierz sobie grata.

– Dziękuję cioci!

Staruszka otarła łzy ostatnie i zatrzymała go za rękę.

– Czy Hankę widziałeś? – zagadnęła żywo.

– Jeszcze nie, i rad bym z nią pomówić, nim pójdę do macochy.

– To dobrze, dobrze! Bóg cię nam nasłał! Bo to widzisz… Ale, co ja mam gadać! Przyślę ją, tylko nie patrz się na nią surowo, bo się biedaczka okropnie ciebie boi.

– Nie ma czego! – rzekł.

Panna Aneta Czertwan podreptała w głąb, a on klaczy rozluźnił popręgi i czekał, widząc, że wizyta się przedłuża.

Po chwili z ogrodowej furtki wyszła blada dziewczynka w żałobie.

Im bliżej starszego brata, tym postępowała wolniej. Zbliżył się on o kilka kroków i z niebywałą serdecznością objął ją wpół i pocałował.

Wtedy dopiero podniosła nań swe śliczne czarne oczy i rzekła smutno:

– Ja wiem, żeś ty gniewny na nas – i słusznie.

– Nie o to chodzi! Ja nie obwiniam, a ty się nie tłumacz. Będzie na to czas. Śpieszno mi wracać i gadać nie lubię! Spotkałem pannę Julię Nerpalis i wiem, czego ci trzeba. Czy zgadzasz się na moją opiekę?

– Na wszystko, Marku! Oddaję ci Budrajcie i pieniądze, rób z tym, co chcesz, tylko mi dopomóż do wyjazdu. Wierzę ci nieograniczenie!

– Dobrze! Pójdę do matki i jeśli co zrobię, to pojadę stąd prosto na plebanię. Będziesz na mnie czekać?

– Będę! Dziękuję ci stokrotnie.

– Nie ma jeszcze za co. Gdzie matka?

– Na ganku ogrodowym. Słyszała, żeś przyjechał, i czeka.

Pani Czertwan, od chwili wyprawienia posłańca do pasierba, była w ciągłym niepokoju. Rozmyślała, czy przyjedzie lub nie, co mu powie, jaką odbierze odpowiedź – układała brzmiące frazesy, miała nawet w zapasie przebaczenie i łaskawy powrót do jej salonów.

Szczęściem dnia tego nie było gości, mogła spokojnie fantazjować.

Na odgłos jego kroków powstała żywo i podeszła na spotkanie.

Był jak zwykle w wytartej kurcie, juchtowych butach i bez rękawiczek; mimo to powitała go jak najmilszego gościa.

– Siadaj, proszę! Ślicznie wyglądasz! Sąsiedzi nie mogą się odchwalić porządku w Poświciu…

– Cała moja zasługa, że właśnie nic nie zmieniam z dawnych urządzeń ojcowskich! – odparł, siadając naprzeciw niej.

– A u nas zły rezultat ze zbiorów. Połowa spodziewanego ziarna, brak gotówki, jak nigdy.

– Muszą być większe rozchody.

– Zapewne! Choroba nieboszczyka, pogrzeb, podróże Wicia, żałoba! Przy tym dawniej na całości można było utrzymywać rezydentów, teraz ciężko! A tu ich bez liku. Dyrgajtes, Juchno, ślepa kawiarka, panna Aneta!

– Ciotka jutro do mnie wyjeżdża!

– Doprawdy? Pewnie ci naopowiadała okropności o nas! Witold lubi z nią się drażnić, a ja czasem dam jaką robotę…

– Nic mi nie mówiła. Mnie brak gospodyni, to ją poprosiłem.

– Mała korzyść. – Pani Czertwan skrzywiła się.

– Czy matka ma mi coś do rozkazania? – spytał.

– Ależ nie, drogi synu! Chciałam porozmawiać z tobą, zasięgnąć rady w niektórych rzeczach. Mam wielkie rozumienie o twoim rozsądku.

– Rada rzecz trudna – zamruczał.

– Nie w rodzinie, kochany. Rada między nami jest łatwa i pożyteczna.

– Słucham zatem…

– Ach, ciężki, ciężki krzyż zostawił mi wasz ojciec. Każde z was wzięło gotowe, a ja muszę myśleć za wszystkich. Interesy zastałam w opłakanym stanie, majątek bez kapitału i ciężary znaczne…

– Jakie? – rzucił krótko.

– Konieczne długi Wicia. Dawano mu tak mało, że utrzymać się nie mógł w Rydze.

– Brał czterdzieści rubli miesięcznie.

– Cóż to znaczy przy tamtejszych wymaganiach? Rozważyliśmy to z nim i przekonałam się po dokładnym rachunku, że bez stu rubli miesięcznie uczyć się nie może.

– Droga nauka! – zauważył.

– Cóż robić? Nie mogę mu zwichnąć kariery dla tak niskich względów.

– Jakaż była cyfra długów?

– Ach, dużo! Trzydzieści tysięcy rubli! – szepnęła nieśmiało.

– Zapłaciła matka? – spytał, nie okazując żadnego wrażenia.

– W części zaledwie. Cały mój zapas zginął. Zostałam bez grosza. Ale to są tylko półśrodki, a tu trzeba stanowczego lekarstwa. Wicio musi się uczyć, dom trzeba prowadzić, gospodarstwo ulepszać. Krótko mówiąc, potrzebuję zaraz dziesięciu tysięcy rubli.

Zatrzymała się i odetchnęła głęboko. Spojrzała na swego słuchacza. Siedział pochylony, jak zwykle, patrząc w ziemię. Chłód ten jego, pełen cichej krytyki, doprowadzał ją zwykle do wybuchu niegdyś. Ale teraz czuła, że go potrzebuje, reprezentował jej poświckie kapitały.

– Udaję się tedy do ciebie, jako do głowy rodziny teraz, o radę i pomoc…

Podniósł oczy.

– O pomoc? – powtórzył z naciskiem.

– Tak, kochany synu! Jest to twój święty obowiązek.

Ruszył brwiami.

– A jakież warunki pożyczki? – zagadnął.

– Jak ci się zdaje? Ażeby sprzedać ten kawał ziemi osobny w stronie Sandwilów?

– Żwirble? One niewarte dziesięciu tysięcy, najwyżej dwa…

– Bój się Boga! Tak mało?

– Nikt więcej nie da! Czy matka ma plenipotencję Witolda do sprzedaży?…

– Mam, kochane dziecko, on wierzy, że dla jego dobra życie bym dała!

– Na kiedyż potrzebne pieniądze?

– Choćby zaraz!

Pomyślał chwilę.

– Mogą być jutro, jeżeli matka zgodzi się na moje warunki. Żądam przekazu tej ziemi na moje imię, kwitu z uiszczonej zapłaty i…

– Naturalnie, naturalnie! – potakiwała.

– I z polecenia Hanki wymagam zwrotu jej kapitału i pozwolenia na wyjazd za granicę. Była to wola ojca!

Pani Czertwan poskoczyła na krześle. Z różowej i uśmiechniętej stała się pąsowa i skrzywiona. Oczy jej zaczęły biegać wkoło.

– A cóż to ma jedno do drugiego? Hanka jest moją córką i losem jej ja tylko rozporządzam! – zawołała zmienionym tonem.

– Jak matka chce. Ja inaczej pieniędzy nie dam! – rzekł flegmatycznie.

– Za taką cenę Żwirble każdy kupi!

– Nigdy bez mojej zgody!

– Zmusimy cię do działu! – wołała coraz gwałtowniej.

– Na to trzeba czekać pełnoletności Hanki. I owszem. Mamy czas.

– Są sposoby na upór. Zobaczysz!

– Nie przeczę, ale pieniędzy to jutro nie da.

– Potrafię pożyczyć bez ciebie.

– Czemu nie? Lichwa jest wszędzie.

– Nie pozwolę, by z mojej córki wyrosła awanturnica! Przewrócono jej w głowie, ale ja to powstrzymam, bo mi się to nie podoba!

Zasapała się, gniew nią wstrząsnął, zapomniała panowania nad sobą.

– Jeżeli matce brakuje jej kapitału, ja założę swymi pieniędzmi. Budrajcie wezmę w swój zarząd i rocznie będę wam płacił z nich pięćset rubli, jako wasz posag i własność. Potrzeba mi tylko waszego słowa!

Uspokoiła się natychmiast i chwilę słuchała, uszom nie wierząc.

Ten człowiek był czarnoksiężnikiem – wyczytał w jej duszy najważniejszy powód odmowy, miał radę na wszystko.

– Należy mi się te paręset rubli. Oddałam wszystko dzieciom! – zaczęła już innym tonem.

– Doskonale rozumiem. Dacie mi kartkę na owe 5000 rubli i metrykę Hanki dla paszportu. Jutro u plebana będę z pieniędzmi za Żwirble. Pierwszą ratę za Budrajcie mogę zaraz zapłacić.

Otworzył pugilares i na stole położył pięć tęczowych biletów. Ten rozumiał interes – znał ludzi.

W pół godziny, gdy odjeżdżał, miał, co chciał, w kieszeni. Ruszył prosto na plebanię, zamieniwszy z ciotką parę słów zaledwie.

Obie panienki siedziały u wrót i wyglądały go dawno.

– Zwyciężył pan pewnie! Poszłam z Hanką o zakład. Czy wygrałam? – powitała go siostra Olechny.

– Zrobiłem, co mogłem. Kapitał Hanki przyjąłem na siebie! Czy potrzebujesz całości?

– Ej, nie! Pareset rubli na podróż! Resztę zostaw u siebie! O jakaż jestem szczęśliwa!

– Pan i paszport ułatwi, i odprowadzi nas do granicy! Nieprawdaż?

– I owszem! Zrobię wszystko do końca!

Blada dziewczynka złożyła ręce jak do modlitwy i łzawo patrząc w jego oczy, wymówiła serdecznie:

– Jakiś ty dobry, jakiś dobry… Czym ja ci się wywdzięczę?

– Byle nie medycyną w przyszłości! – zażartowała Julka.

Spojrzał na nią poważnie i długo.

– Odwdzięczysz się, jeśli nauki swej nie wywieziesz za kraj, ale tu, w nim i dla niego będziesz pracowała, nie sławnie, ale z całych sił! – rzekł.

– Wrócę, Marku, i będę pracowała! O! Dziękuję raz jeszcze!…

– Może pan wstąpi na plebanię? Stryja nie ma, wyjechał do chorego! Opowiemy panu nasze projekty! – prosiła wesoło panna Julia.

Dał się namówić. Zgłodniałą Białkę wziął w opiekę parobek księdza, stary sługa kościelny podał im skromny obiad. Parę godzin zeszło niepostrzeżenie, nim się zdecydowali rozstać.

Panienki pieszo pobiegły do Skomontów, on zawrócił do zaścianka stępa, jak człowiek, który myśli lub marzy.

Postawił pierwszy krok na ciernistej ścieżynie, którą sobie za drogę i cel założył. Przyszli po niego ze Skomontów prędzej, niż się spodziewał, i będą już coraz częściej kołatali. Potrzebują pieniędzy, a on je musi mieć i będzie dawał! Był to dla niego pierwszy dzień radosny.

Miał w głowie natłok planów, cyfr, dat. Czasami, jak swawolny chochlik, poważne to zgromadzenie mieszała i gmatwała gorąca fala młodej krwi.

Trzy miesiące nie widział Marty. Zmusił się do tego, żeby gwałt zadać tęsknocie, co go opanowała w Poświciu; dziś rano nie widział jej, ale teraz zobaczy. Przez gąszcz wiśniowy o zmroku uścisną dłonie i pogwarzą. Miał prawo dogodzić sobie choć raz, choć chwil kilka!

Nie kwapił się też. Czekał wieczora, zajechał na Żwirble, obejrzał puste pole i łąki kawał, obliczył dochód i wartość, na przełaj, polem, dojechał na pastwisko zaściankowe.

Wierny Grenis już tam był, zajadając kawał sera i miłośnie patrząc na swe szkapy, pasące się opodal. Uwolnił pana od Białki, mrucząc po żmujdzku i krytykując długą jazdę. Marek piechotą, ogrodami dobrał się do osady.

Zmrok zapadał i chłodno było, ale pogodnie. Jesień ogołociła już trochę sadu, ale wiśnie, choć zwarzone w połowie, otulały jeszcze gęsto Wojnatową zagrodę.

Z daleka doleciał uszu Marka głos męski śpiewający tęskną piosenkę i tony skrzypków wtórujące z cicha.

Przystanął zdziwiony, a w tejże chwili śpiew i muzyka ucichły, a zamiast tego usłyszał głos Marty:

– Czemu to pan Łukasz zawsze smutne gra pieśni, że aż na płacz się zbiera?

– Taka dola moja, panno Marto: ani ja komu miły, ani kogo swego mam na świecie! Od dziecka smutek mnie tłoczy. Takie Boże sądzenie! Nie lubią mnie ludzie, w chacie nie mam do kogo zagadać, a do czego się wezmę, to mi idzie jak z kamienia. Śpiewam smutno, bo mi trochę lżej, choć wiatrom się poskarżę na swe troski!

– Biedny pan Łukasz! – westchnęła dziewczyna płaczliwym tonem.

Marek gwałtownie się rzucił, odskoczył od płotu i wszedł do swej chaty.

Na kominie buchał wesoły ogień, przy którym „kuchmarzył" wieczerzę Ragis, pogwizdując przez zęby.

Zwierzęta powitały radośnie znajomego, kaleka się obejrzał.

– Na rany Pańskie! Coś tak blady? Śmierć spotkałeś gdzie czy upiora? – zawołał, upuszczając łyżkę z ręki.

Marek nic nie odparł. Istotnie wyglądał strasznie. Trupio blady, z posiniałymi wargami i dzikim błyskiem w oczach.

– Zmordowałem się i zziąbłem! – wymówił nareszcie, siadając ciężko u stołu.

– Masz, wypij wódki! Zaraz gotowa będzie wieczerza! Ze Skomontów wracasz? Czego chcieli od ciebie?

– Pieniędzy…

– Oho, ho! Ma się rozumieć! Witoldek szumi! A dałeś?

– Kupiłem Żwirble!

– Wypij drugi kieliszek! Masz rozum! Ho, ho, zaraz znać, że to ja cię do chrztu trzymałem. Zasiejem tam żytka! Będzie chleb! Otóż i wieczerza: skosztuj no kartofli ze słoniną. Jadłeś kiedy takie? Robak, nie zaglądać w garnki! Subordynacja, hołoto!

Ale Marek nic nie jadł. Napił się raz i drugi wódki, oparł łokciami na stole i milczał jak grób.

– Co? Nie zakąsisz nic? – frasował się Ragis. – Ho, ho, musi w Poświciu na pulpetach się pasiesz! Trza to będzie skontrolować.

– Nie jestem głodny! Byłem na probostwie.

– Byłeś? A widziałeś czarną Julkę? Zuch dziewczyna!

Marek głową kiwnął i spytał nagle:

– U Wojnatów dobre urodzaje?

– Nie wiem! Stary cholernik! Czepia się człeka i kąsa jak mucha we wrześniu! Ciągle tam swary i krzyki, bo i dziewczyna nie zmilczy! Tego ciemięgę Grala zamęczają od świtu do nocy.

– A on co tam robi? – rzekł Marek obojętnie.

Ragis zamrugał oczkami filuternie.

Nie było odpowiedzi. Młody odwrócił twarz do okna i patrzył uparcie w ciemną noc. Kaleka sprzątnął wieczerzę, nakarmił swoją trzódkę i załatwiwszy mnóstwo drobnych gospodarskich zatrudnień, zapalił małą lampkę i wziął się do łatania starej uprzęży.

W okularach na nosie i z odstającymi wąsami kłuł szydłem, zawlekał dratwę i zawsze w dobrym humorze gwarzył z milczącym towarzyszem.

– Żebyś wiedział, co ja biedy miał z tą upartą szlachtą, Wojnat, duszka, zbuntował zaścianek, wzięli się mnie wygnać jak liszkę z nory. Spasali zboże, grabili dobytek, raz nawet zbili Grenisa, że spuchł jak kadka* i febry dostał ze strachu. Poczekajcie, myślę! Zebrałem ich raz przed gospodą i mówię: „Mili braciszkowie! Oto macie wóz i przewóz! Albo będziecie grzeczni chrześcijanie, to wam się odwdzięczę, albo będziecie jak poganie, to was ukarzę. Wybierajcie!".

Marek podniósł głowę. Zajęło go to opowiadanie, zgłuszyło na chwilę głos, co mu zgrzytał w uszach: „Biedny pan Łukasz!".

– Zaczęli się śmiać, a młodzież drwinkować i przedrzeźniać, pokazałem im figę: „Poczekajcie nowiu!", powiedziałem i poszedłem. Coś ich to zastanowiło, trochę spokornieli, ale mnie było tego mało!

_____

* kadka – kadź

Na nowiu trzeciego wieczora zrobiłem im spektakl. Nałożyłem czarną opończę, wziąłem garnek z węglami, wypuściłem swoje bestyjki, co do nogi, i nie oglądając się na prawo i lewo, poszedłem sobie ulicą, grając na flecie.

Moja komenda stary żołnierz, karny! Na muzykę wylazło wszystko z chaty, i Robak, i Żuraś, i Żywusia, i Białouszek, i Gryzia, i podreptało za mną. Maruder Igiełko biegł na końcu, jak kłębuszek kolący, a Szpaś siadł na głowie i krzyczał na alarm: „Dobranoc! Dobranoc!".

Ragis z zachwytu nad tym triumfalnym pochodem aż okulary stracił i robotę rzucił. Śmiała mu się twarz cała.

– Powstał gwałt. Kto żyw, wyszedł patrzeć; śmiali się, wołali, potem ich strach zdjął; kobiety pochowały dzieci, starzy zaczęli radzić i posłali najśmielszych za mną! A ja sobie wędrowałem spokojnie aż na Dewajte i dopiero na polance zacząłem różne eksperymenty. Machnąłem trzy razy rękami, zrobiłem kijem koło, na węgle narzucałem liścia i trawy i gadałem jakimś językiem, którego nikt nie rozumiał, bo go nie ma na świecie! A potem nabrałem w garnek żołędzi i tym samym porządkiem zawróciłem do domu. Szpiegi drętwieli ze strachu, ale szli opodal! Chaty zastałem zaparte i ani żywego ducha, pochowali się pod pierzyny i w siano! Dalejże ja tedy od drzwi do drzwi ciągle mamrocząc i pod każdym progiem nasypałem garść żołędzi i poszedłem spać!

– No i cóż się stało? – zagadnął Marek, ubawiony mimo woli.

– Stał się cud, synku! Szpiegi opowiedzieli wszystko, ale żołędzi wziąć nie chcieli, a nazajutrz rano zamiast nich znaleziono pod progiem bób!

Stary podniósł rękę z szydłem w górę i zrobił tajemniczą pauzę.

– A co? Może ja nie czarownik? Uwierzyli tedy wszyscy, bo trzeba takiego wypadku, że jednocześnie z tym zaczęły się klęski. U Feliksa urodziło się cielę z pięcioma łapami, u Jana Arminasa piorun zabił wołu, no i nareszcie stary Downar umarł. Mało mu się należało, bo miał sto lat i tyfus, ale zawsze mi usłużył. Szlachta w płacz, baby najśmielsze przybiegły do mnie, ale ja udałem, że nic nie wiem, i zamknąłem chatę. Poszli do proboszcza, żeby mnie wygnał z kościoła, ale on ich wygnał z plebanii, no i po tygodniu gromadą oddali mi wizytę, przeprosili, przysięgli zgodę, tak że nareszcie zlitowałem się, z całą ostentacją pozbierałem bób, którego nikt tknąć nie śmiał, pomachałem znowu rękami, rozbiłem garnek i obiecałem im pomoc wszelką i opiekę. Może nie jestem czarownik?

Dopiął celu Ragis i sprawił istny cud, bo Marek się uśmiechnął.

To go podnieciło, jako najwyższy triumf dowcipu.

– Oho, ho! Co bym ja zrobił z moim drewienkiem i bólami w kościach, żebym nie umiał czarować? Teraz, jak mi trzeba pomocy, to tylko huknę w ulicę, a hurmem lecą chłopaki i dziewczęta z kosami i sierpem. A Grenis to ze skóry wyskakuje, a jak się ociąga, to ja nic, tylko za garnek z półki, a parobek dygoce i pędem robi! Oho, ho! A myślisz, że po lubczyk do mnie w sekrecie nie zaglądają!

– I dajecie?

Stary filut zmrużył oczęta.

– Aha! Lubczyk? Zaraz ciekawy. Możeś i ty na to łasy? Co? Otóż nie dam tobie, bo nie warto! Pluń na marę!

Marek się żachnął.

– Nie bardzo ja amorliwy! – mruknął i dodał po chwili: – Widziałem dziś nasze pola i aż się zdumiałem, tak pięknie uprawne!

– To czarami, synku, czarami! Co? Ładne? Prawda? Oho, ho, ja wiem, że ty już myślisz sprawić mi na kolędę niebieski parasol i piękną fajkę! Ho, ho! Ze mnie frant, w pierwszy szereg z prawej strony! Ot, tylko się obejrzę i czas mi o żeniaczce pomyśleć! Sprawię gody, bo u nas są już dostatki, a gospodyni zbywa!

– Ciotka Anna jutro przyjedzie. Oporządzimy jej rano stancyjkę od podwórza!

– Panna Aneta! To, to, to! Niech cię uścisnę! Jak raz dobrana para! A toś ze świecą szukał!

Uśmiechnął się żartobliwie i cieniutko zaśpiewał:

Zgodne to stadło i cicha chata:
Mąż kuternoga, a żona garbata!

Przestał żartować, a kiwając głową, zauważył:

– Poniewierali mego chłopca, poniewierali! Ot, i przyszła kreska na Matyska. Biedna panna Aneta! Nie dobro ją zmusiło rzucić faworytka Witolda! Alem jej rad jak nikomu! Toż my tobie tu naczarujemy na spółkę. No, kiedy tak, to jeszcze poczekam z żeniaczką jaki rok! Czego się spieszyć?

Wziął się pilnie do roboty, ale milczeć nie mógł.

– A widziałeś tę chabetę zagraniczną, co Witold kupił za tysiąc rubli? Budują stajnię, zaprowadzają wyścigowe konie. Niemiec kradnie, młyny woda popsuła i stoją, goście nie wychodzą z domu! Sądny dzień! A kto?

W szczelinie drzwi ukazała się rozczochrana głowa Grenisa. Respekt dla garnka i czarodzieja nie pozwalał mu dalej się narażać.

– Gdzie pan kapral każe orać jutro? – zagadnął, zamykając oczy, a otwierając szeroko usta, ku lepszemu słyszeniu chyba.

– W Żwirblach, rekrucie! – zakomenderował stentorowym* głosem Ragis.

– Tytuł wam przybył! – zauważył Czertwan, gdy się drzwi zamknęły.

_____

* stentorowy głos – głos bardzo potężny (Stentor, jeden z wojowników greckich, miał głos silny jak 50 ludzi)

– A cóż? Niech zna subordynację! Co kapral, to nie lada co! Ho, ho!

Dla rozmaitości zaczął gwizdać, gdy wtem Marek oczy podniósł i rzekł:

– Wezmę w arendę młyny u pani Janiszewskiej.

– A one ci na co?

– Wezmę komis dostawy mąki dla wojska.

Stary pomyślał i wąsa zagryzł.

– A Poświcie? – zagadnął.

– Dam radę! – odparł spokojnie Marek.

I pochyliwszy się nad stołem, zaczął końcem noża coś na nim kreślić.

– Zarobię trzy tysiące rubli dla Witolda! – zamruczał w końcu, wstając z miejsca.

Wieczór minął, zaścianek spał. Po krótkim czasie i w ostatniej zagrodzie zgasło światło; psy tylko ujadały i wicher jesienny wył ponuro.

Około północy zbudził się Ragis i posłyszał, że Marek nie śpi.

– Czy ci młyny chodzą po głowie? – spytał półsennie.

– Aha – zamruczał zagadnięty.

I stary znowu zasnął, ale Czertwan darmo zamykał oczy, próbował uleżeć. Nie mógł. Psy ujadały i wicher wył żałośnie; nie młyny go zajmowały, ale z uszu pozbyć się nie mógł nieznośnego dźwięku jak zmory: „Biedny pan Łukasz!".

Ledwie szarzało na dzień, porwał się z posłania i wyszedł cicho na podwórze.

Szron pokrywał ziemię, drzewa, dachy budowli, zimno było dotkliwe.

We drzwiach stajenki Grenis się krzątał, odmawiając pacierze, a od ulicy, na kamieniu, siedział człek jakiś, plecami zwrócony do chaty.

– Grenis! Założysz konie do wozu i pojedziesz do Skomontów zaraz. Powiesz tam pannie Annie, że jesteś na jej rozkazy. Rozumiesz?

– Rozumiem, panie kapral! – odparł wymusztrowany sługa Ragisa i wykonał na lewo zwrot tak niefortunny, że się potknął i upadł.

Marek nie zważał na to, bo jednocześnie człek nieznajomy wstał i podszedł.

Był to Łukasz Gral.

– Niespodzianie przybyłeś? – rzekł po przywitaniu do Czertwana. – Ja się dawno wybierałem do Poświcia ciebie odwiedzić, czasu nie było.

Stali naprzeciw siebie. Jeden spokojny, chłodny, nieubłagany, z góry patrzył na drugiego, ten zaś zalękły skubał róg surduta, przestępował z nogi na nogę, chrząkał i ledwie miał siłę mówić.

– Masz interes do mnie? – wyrzekł Marek.

– Mam prośbę.

– No to mów.

– Czy ty nie masz nic przeciw temu, żem przystał do Wojnatów?

– Przystałeś? Jak? Za parobka?

Gral poczerwieniał zadraśnięty.

– Mam, Bogu dzięki, dosyć chleba u siebie.

– No to na co im służysz? Z łaski?

Szlachcic wyciągnął palce ze stawów, spuścił oczy i jąkając się, rzekł:

– Wojnat… o… o… obiecał mi… Martę!

– Ha, to racja do wysługi. I ona ci obiecała?

– Ona się ciebie boi – szepnął Łukasz.

– Boi? A mnie na co jej lęk? To brednie! Nie boi się ona, ale ty jesteś uczciwy, żeś przyszedł. Wczoraj myślałem, żeś złodziej.

– Słyszałeś? – Zaczerwienił się chłopak.

Marek głową kiwnął.

– Ja ją tak strasznie umiłowałem! – skarżył się smutny młodzieniec. – Ale żebyś co rzekł, tobym sobie poszedł za góry i rzeki! Od wyrostka to kochanie w sercu noszę!

Czertwan milczał. Może i on równie dawno i równie głęboko kochał, ale słów nie umiał składać ani się poskarżyć.

Przesunął ręką po oczach i zagryzł usta.

– Nie gniewasz się na mnie? Pozwalasz? – pytał prosząco Gral.

– Tyś prawy, Łukaszu. Idź z Bogiem! – zamruczał olbrzym.

Okienko chaty otworzyło się, wyjrzała uśmiechnięta twarz Ragisa.

Wystawił na powietrze klatkę z ptakami, obejrzał rozmawiających i zaśpiewał:

Aż tam bieży panna, panna, towarzyszu mój!
Puszczaj charta ze smyczy,
Niechaj pannę pochwyci,
Towarzyszu mój! Towarzyszu mój!

Zaścianek już wstawał do życia. Gral wyciągnął rękę do rywala, uścisnął podaną dłoń i wyszedł zgarbiony, pokorny.

Gdy Marek się obrócił, nikt by nie poznał, że przed chwilą stracił to jedno jedyne, co w życiu posiadał osobiście, wyłącznie dla siebie.

IV

Zima nadeszła dziwnie lekka. Bywały śniegi i deszcze, potworzyły się odmęty, błota, ale do Bożego Narodzenia nie stanęły lody. Dubissa huczała wzburzona, nabrzmiała, a młyny mełły, turkotały na szczęście Marka, niosąc mu tyle pożądany grosz.

Jego samego nikt nie widział z tej strony. Siedem poświckich folwarków, trzy gorzelnie, dostawy zboża i mąki pochłaniały mu dni i noce.

A zresztą po co by tam jechał? U Wojnatów myślano o weselu, czekano tylko końca adwentu; Ragis z ciotką pracowali jak mrówki, a w Skomontach nie było nikogo. Parę razy macocha, przyciśnięta potrzebą, odbyła podróż do Canossy*, do poświckiej oficyny, miluchna, uśmiechnięta, choć ją do rany przyłóż. Brała pieniądze, dawała potrzebne zapewnienie i odjeżdżała rychło. Na święta zatęskniła za Witoldem, który się bynajmniej do domu nie kwapił, i wyjeżdżała do Rygi, mało się troszcząc, jak Niemiec użyje czasu jej nieobecności.

Dla Marka za Dubissą nic nie istniało. Ani Marty, ani pracy, ani przyjaciela. Dewajtis stał żałobny i milczał pod powłoką szronu, ludzie po trosze zapomnieli o nim, ziemia leżała pod śniegiem.

---

* Canossa – zamek w południowych Włoszech, miejsce, do którego udał się z nakazu papieża Grzegorza VII cesarz Henryk IV, aby odprawić pokutę; w przenośni – upokorzenie

Poświcie miało sporo sąsiedztw, ten i ów z młodzieży zajeżdżał niekiedy za interesem. Zapraszano go na polowania, wciągano w towarzystwo.

Bywał rzadko, z obowiązku, z konieczności przesiadując ze starymi gospodarzami; unikał zebrań wesołych, wymawiając się żałobą. Nie lubił rozmawiać, a szaleć z młodzieżą nie potrafił.

Najczęścicj, gdy chwilę miał wolną, siadał na koń i jechał do Jurgiszek. Stara pani Janiszewska dożywała tam resztek życia, ociemniała i niedołężna. Wnuczka niedorosła doglądała jej, a stary Czertwan gospodarzył na folwarku. Gdy umarł, staruszka sprowadziła Marka, oddała mu klucze, księgi i wiarę, jaką pokładała w ojcu.

Mizerna to była fortuna, pełna piasków i mokrych wypasów. Trzy młyny stanowiły całe bogactwo, dawały chleb dwóm kobietom.

Powoli, nieznacznie, sam nie wiedząc, jak do tego przyszło, Marek nawykł przesiadywać w ich schludnym saloniku długie jesienne wieczory, czytywać głośno gazety i książki, słuchać jej opowieści z gorących czasów i rzewnych, cichutko wygrywanych na starym klawikordzie melodii wnuczki. Stary zegar wydzwaniał kuranty, ogień trzaskał – było mu dobrze, spokojnie. Dziewczynka była chorowita, babka przygłucha, nieufna do ludzi. Ubóstwo wyzierało zewsząd, nikt też ich nie odwiedzał oprócz niego i jego jedynego witały ze smętną radością. Przywoził im pieniądze, wiadomość jaką, wnosił w posępne ściany jakby kłąb świeżego, zdrowego powietrza! Gdy odjeżdżał późną nocą, pani Janiszewska wzdychała smutno, Jadwisia zamyślała się długo, nasłuchując szumów wiatru posępnego.

A o Orwidach tymczasem nie było żadnej wieści. Stary Jazwigło rozpisał wezwania po gazetach. Hanka na zlecenie Marka uczyniła to samo w Paryżu, on pisał do

Kazimierza, prosząc o zasięgnięcie języka na Wschodzie – wszystko daremnie! Po złote runo w zakątku Żmujdzi nikt nie przybywał.

Czas się wlókł ciężko dla biednego administratora tych bezpańskich skarbów. Niekiedy, gdy patrzył na pełne gumna i stada bydła, i złoto płynące falą do jego biura, opadała go rozpacz. Dla kogo to i po co?

To znów, gdy spojrzał na pałac osamotniały, pełen cennych zabytków, gotów każdej chwili na przyjęcie tych, którzy może nie istnieli już, gorzko się uśmiechał.

A wreszcie, gdy sam wracał do oficyny, zmęczony, przeziębły i głodny, z długiej kontroli folwarków, opadała go szalona apatia i wściekłość. I pytał się po raz setny: dla kogo to i po co?

Tysiąc mniej lub więcej dla tych umarłych co znaczy?

Po co czekać dziewięć lat jeszcze bez żadnego skutku, po co się zamęczać?

Wtedy zwykle wybierał się do Sandwilów, pofolgować sobie, wypocząć we własnej zagrodzie…

I jechał, daleko nakładając drogi, na prom za Jurgiszkami.

Nigdy doń się nie dobrał. Po drodze myślał, wspominaj ojca, kawał sygnetu na piersi i ten napis na nim ledwie czytelny: *Judica me Deus et discerne causam meam…*

Zawracał i po chwili siedział już naprzeciw ociemniałej, wsłuchany w motyw melodii, powtarzając w duchu: „Osądź mnie Boże i rozeznaj sprawę moją!".

Ogień się palił, brzmiała muzyka, a o zmroku od klawikordu patrzyły nań smętne oczy bladego dziecka, błagające, a harde zarazem…

On ich nie widział, nie uważał, ale ludzie zaczęli szeptać i Ragis pewnego wieczoru zjawił się w Poświciu. Było tak przed samą kolędą.

– Mój synku, to się nie godzi! – zawołał z progu. – Wyrzekłeś się nas? Co? Ho, ho, ho! To brzydko! Tego ciebie na chrzcie nie nauczyłem!

– Nie mam czasu – odparł Marek po serdecznym przywitaniu.

– Nie kłam, bo ci z tym nie do twarzy! Ma się rozumieć, udaje się kłamać, ale nie przed czarownikiem! Ejże! Ot, ja ci powiem, czemu nie przyjedziesz do Sandwilów! Wstyd ci przede mną!

– Przed wami? Za co?

– Boś mi coś ukradł.

– Ja?

– Aha! To się wie! A ja przyjechałem odebrać.

– Wiele mam cudzego, ale waszego, Rymku, nic.

– Masz! Ukradłeś mi lubczyk, co się suszył na kominie! – zawołał stary, grożąc palcem. – Co? Może nie?

Młody potrząsnął głową.

– Jeżelim miał, to i swój zostawiłem w Sandwilach. Na co mi on teraz?

– Aha! Doprawdy! To czasu nie masz odwiedzić nas starych, a w Jurgiszkach siedzieć to czas jest? Ho, ho, ho!

– Przecież lubczykiem pani Janiszewskiej nie traktuję!

Ragis oczy zmrużył i ręce załamał.

– Och, och, och! Toż to ludzie z tej strony zębów dostają? Patrzcie no go! Panią Janiszewską głowę mi zawraca! A toż ci się zdaje! Albo to panna Aneta nie umie położyć kabały? Wczoraj mi powiedziała: „Markowi gody się gotują przez czyjąś śmierć, a na sercu mu szatynka!". Aha, teraz się czerwienisz! Dopieroś poczuła, a jak cały świat paple, toś głuchy i ślepy! Myślisz, żeś kuropatwa, co dla bezpieczeństwa głowę chowa!

Marek istotnie zarumienił się lekko i chwilę milczał, namyślając się. Potem obojętnie ramionami ruszył.

– Język ludzki młyn na plewy! – mruczał.

– Ale ja nierad, jak ty między tymi plewami! No, powiedz bez wykrętów: kochasz pannę Janiszewską? Myślisz ją brać?

Czertwan głowę zwiesił i odparł głucho:

– Jedną kochałem i chciałem brać! Drugiej już nigdy nie zechcę! Ciotka niech lepiej położy kabałę, czy Orwidowie wrócą – to mi jedno na sercu! Poza tym nic!

– To źle! Wstyd mi za ciebie, bo po pierwsze miałeś kiepski gust, a jeszcze kaduczniejszą masz naturę, że tego śmiecia żałujesz! No to tak naprawdę nie zatańczę na twym weselu i ty swego nosa nam nie pokażesz?

– Przyjadę jutro.

– Wiesz co, lepiej dzisiaj pod moją eskortą! Bo jutro to gotów jesteś ugrzęznąć koło promu i nie dojechać! Ja to wiem po sobie! Kawaler kawalera rozumie!

Tak. Ludzie gadali cuda o ich stosunku, a oni jedni tylko o tym nie wiedzieli. Marek się obejrzał, zastanowił i cały tydzień nie odwiedził samotnic.

Na tradycjonalną wigilijną wieczerzę panna Aneta sprawiła mu sążnistego szczupaka z szafranem i starożytną „kutię" na zimno, obiecał przyjechać.

Nad wieczorem wybrał się tam pierwszą sanną, na zawrocie do Jurgiszek popędził konia. Czuł wyrzut sumienia, że mija to sieroctwo opuszczone od wszystkich.

Nagle z wysady parobczak konny wyskoczył na drogę, spojrzał i zatrzymał go zdyszanym głosem:

– Stara pani prosi na minutkę.

Zawrócił, nie mówiąc słowa.

Babka z wnuczką były, jak zwykle, same u stołu nakrytego sianem.

Powitały go przeproszeniem.

– Pan zajęty, śpieszy do swoich. Chciałyśmy z panem opłatkiem się podzielić.

Ucałował ręce staruszki – błogosławiła go. Przed wnuczką głęboko się ukłonił – miała łzy w oczach!

– Nie mamy nikogo – rzekła pani Janiszewska – rodzina
niewielka i jeden przyjaciel, pan! Dlatego byłyśmy natrętne.
Pan wieczerza w Poświciu?

– Jeśli pani pozwoli, tutaj – odparł po swojemu, krótko.

I został. Zapomniał o Ragisie i szczupaku, i plotkach
ludzkich. Pod chropowatą powierzchnią dźwięczało w jego
duszy szczere złoto. Około północy, gdy siedział milczący
i słuchał kolędy śpiewanej przez Jadwisię, nagle służąca ukazała się w progu.

– Przyjechał po pana ciwun* z Poświcia! – oznajmiła.

Pożegnał się i wyszedł. Wójt dworski istotnie czekał go
w sieni.

– Co się stało?

– Ja nie wiem, panie! Ktoś przyjechał pocztą i na gwałt
kazano po pana jechać!

Orwid – zamajaczało jak gwiazda zbawienia w głowie
Czertwana. Nie pamiętał, by mu kiedy tak biło serce. Wziął
ciwuna na sanie i, o cudo, rozmawiał!…

– Widziałeś tego pana?

– A juści! Cały dwór widział. Młody, cieniki, maleńki, z bródką! Musi to kupiec ruski. Jakościś ubrany, niby
w spódniczce po kolana, i po rusku mówił z panem Sawgardem.

Orwid – zamajaczało jak gwiazda zbawienia w głowie.
Popędzał konie, leciał jak do kochanki!

Wjeżdżając na dziedziniec, spojrzał w okna pałacowe.
Były ciemne, jego tylko mieszkanie stało oświetlone.

– Czemuście pana tam nie wprowadzili? – zawołał zgor-
szony.

_____
* ciwun (brs.) – karbowy

– Czyż ja wiem? – odparł wójt. – Musi tak chciał.

Stanęli pod gankiem. Marek wyskoczył, żywo otworzył drzwi.

Gość stał u stołu, na którym kipiał samowar, i zwijał papierosa, pogwizdując bez ceremonii.

– Dusza moja, a gdzież ten wasz *uprawlajuszczyj**? – zagadnął, nie oglądając się.

Markowi na ten głos opadły ręce: prawie rozpacz przemknęła mu po twarzy.

– Kazimierz! – wykrzyknął.

Młody człowiek rzucił papierosa, podbiegł, objął go za szyję i począł ściskać i całować.

– Witaj, brat miły! Witaj! – wołał ze łzami w oczach. – Ot, i ja przyjechał na rodzinę. Co? Ty mnie poznał? Ha? Wyrósł ja?

Marek obejrzał przyrodniego brata uważniej.

Wyrósł zapewne, ale jakże się zmienił! Z ładnego młodego chłopca stał się człowiekiem chudym, bladym, obrzękłym, już trochę łysym, ze szkłami na zapadłych oczach. Jucht czuć od niego było zmieszany dziwacznie z paczulą i słodkawym dymem tytuniu. Atmosfera klubowej szulerni.

– Głos poznałem – rzekł starszy, obserwacje chowając dla siebie. – Może jesteś głodny, zmęczony? Z daleka jedziesz?

– Z Rygi, brat miły! Szelma Witold ma ładną kochankę! Prosto duszka! Już ja się od lata zabieram jechać do was, zaraz po twoim piśmie, ale między tym wypadł interes! Nie było jak!

– Rad jestem, żeś wrócił nareszcie! Siadaj, proszę. Nie słyszałeś czego o Orwidach?

– Ani psa! Zbierałem sprawki najdetaliczniej, ale bez żadnego skutku!

---

* *uprawlajuszczyj* (ros.) – administrator

Ogrodniczek, pełniący zarazem funkcję lokaja Marka, przyniósł wieczerzę. Zasiedli do niej we dwóch. Gość zażądał wódki i pił kieliszek po kieliszku, paplą coś bez ustanku. Gospodarz podparł głowę łokciem i słuchał, coraz posępniejszy.

Stanął mu w pamięci ów wieczór jesienny, gdy po liście Kazimierza poszedł na Dewajtę. Szumy dębowe nie darmo go ostrzegały przed odejściem.

– Epofeja, moja jazda – prawił Kazimierz, upajając się własnymi słowami. – Tydzień żegnaliśmy się z druhami. W niedzielę zaprosił mnie starszy sowietnik*, w poniedziałek dał kolację prokuror, we wtorek byłem u kupca C., we środę na bliny zawołał do siebie przeświatły ojciec Nikanor, we czwartek poszedłem do mojej przyjaciółki wdowy Pelagii Rokowny, a w piątek na dworcu dałem ja kolację kolegom. Nikt nie był trzeźwy, szampeter lał się jak woda, oczyszczonej zabrakło w bufecie. Zapłaciłem 600 rubli daremnych, bo je wybębniłem w stukułkę**, i pojechałem z płaczem. Och, miły brat. Jak mnie ciężko przyszło rozstać się z dobrymi ludźmi! Spałem spokojnie do Kołymny, aż tam kiedy wyjrzę – na platformie sotnia Cyganek i Cyganów. Ktoś im dał wiedzieć, że jadę; przyszli z powitaniem i z pieśnią. A ty słyszał kiedy cygańską pieśń. Jak pieją! Dusza moj. Nic piękniejszego nie ma na Bożym mirze! Na rękach mnie wynieśli i trzy dni trzymali i gościli. Tak ja nigdy nie biesiadował. A co pierzyn nasłali! Cha, cha, cha!

– Z matką się widziałeś? – zagadnął Marek, obojętny na te sukcesy.

– A jakże! Pisałeś, że ojciec – daj mu Boże zbawienie – zostawił i dla mnie majątek i kapitał. No, a gdzież oni?

---

* sowietnik (ros.) – urzędnik carskiej Rosji
** stukułka – rodzaj gry hazardowej

– W matki zarządzie.

– Jakże to? A ona mówiła, że u ciebie znajdę!

– To źle mówiła, bo ja nic o tym nie wiem. Ojciec tobie, jak każdemu z nas, dał 5000 rubli, Ejniki przy tym i błogosławieństwo, jeśli wrócisz! Mnie kazał Poświcia pilnować i do was się nie wtrącać.

– To *płocho**, brat miły, bo ty jedna głowa. Oni mnie gotowi naduć**! – rzekł Kazimierz frasobliwie.

Na pociechę wypił kieliszek.

– Niczego! – zawołał z fantazją. – Połóżmy nawet, że nic nie dadzą, to mi teraz nie strach! Żałoby nie założę. Połączam tysiąc rubli żałowania! Można żyć! Żebym chciał, to bym był bogatszy, mogłem się ożenić. Aha, prawda! Toż i ja ciebie dziś spłoszył od panienki…

Marek obojętnie ramionami rzucił. Kazimierz więcej się nie pytał, sen go morzył, coraz ciężej obracał językiem, mrugał oczyma, rozkładał się wygodnie w fotelu, wreszcie zachrapał! Gospodarz polecił go opiece ogrodniczka, a sam wyszedł na ganek. Atmosfera pokoju tłoczyła mu piersi! Godzinę stał na ganku, obojętny na mróz. Myśli jego były daleko, przy grobie ojca. Jaki on był szczęśliwy, że umarł, nie zobaczywszy dnia tego!…

Nazajutrz, kto żył we dworze, pod przewodem rządcy spędził ranek w kościele.

Gość spał, potem zjadł obiad i znowu spał. Marek kazał konia założyć i ruszył do Sandwilów. Pierwszy raz czuł potrzebę podzielenia się z kimś swoją nową troską. Wczesny mrok zimowy zapadał, gdy wjechał w ulicę.

Ze wszystkich okien biło światło, odzywały się wszędzie skrzypce i bębenki, gromady postrojonych chłopaków

---

* płocho (z ros.) – źle
** naduć (z ros.) – okpić, nabrać

chodziły z kolędą, u Wojnatów tańczono ochoczo, tłum otaczał zagrodę, tylko jedna chata była cicha i prawie ciemna.

Wielki czarodziej i panna Aneta grali sobie w mariasza przy kominie. Żałowali świecy zapewne.

Wszedł, powitany zajadłym szczekaniem i piskiem menażerii.

– Marek! – powitała go radośnie ciotka. – A to dopiero miła niespodzianka!

– Cicho, hołota! – zakrzyczał Ragis, robiąc porządek swą drewnianą nogą. – Aha! Niespodzianka! Czemu to tej miłej niespodzianki nie było wczoraj? Nie zjadłbym całego szczupaka i nie chorował dzisiaj! To się wie! Nasz pan raczkami się karmił panieńskimi i o Bożym świecie zapomniał!…

– Niech go jegomość nie konfunduje! – wdała się panna Aneta. – Dzięki Bogu, że jego biednego co cieszy! Siądź, kochanieńki, przy kominku! Ogrzej się! Nie frasuj! Zaraz cię ugoszczę, jak mogę.

W futrzanym tołubku*, uśmiechnięta, serdeczna, starowina wyglądała młodsza o lat dziesiątek.

Spokój i zgoda wyrównały bruzdy po dawnych łzach. Krzątała się jak za dobrych czasów. A Ragis burczał:

– Panna Aneta wszystkiemu rada. Mordercę by ugościła. Aż złość słuchać. Chłopiec do reszty się rozpuści przez te pieszczoty. Ho, ho, ho! Ja inaczej. Żołnierz w szeregu. Dobrze. Dezerter? Kula w łeb. To się wie.

– Nie słuchaj, Mareczku, nie słuchaj! – wołała poczciwa kobieta, znosząc na stół różne specjały.

Zbyteczne było ostrzeżenie. Marek znał Ragisa, pozwalał mu wygadać się. Usiadł u ognia i w milczeniu grzał pokostniałe ręce. Z ulicy dobiegała aż tu kolęda, to znowu muzyka i tupanie u Wojnatów.

---

* tołub – szerokie futro (kożuch), niezwężane w talii

W tej chwili z sieni otwarto drzwi i ukazała się ospowata przerażona twarz Grenisa. Wedle regulaminu miał oczy zamknięte.

– Proszę pana kaprala! Nieszczęście! – wyjęczał.

– Raportować krótko i wyraźnie! – zawołał gromko Ragis, wstając.

– Jakiś cudzy koń stoi między naszymi. Może złodzieje podrzucili, a może, uchowaj Chryste, złe się pokazało! – wybełkotał parobek.

– Jesteś gęś! – wrzasnął mu nad uchem ekskapral, nie mogąc śmiechu utrzymać, tak głośno, że chłopak otworzył oczy, spojrzał i zawstydzony uciekł czym prędzej.

– Poczciwy Grenis! – Uśmiechnęła się panna Aneta.

– Co to poczciwy – oburzył się kaleka – proszę powiedzieć: głupi! Ale kto tam przekona pannę Anetę? Ot, co to znaczy opuścić swoich! Za złodzieja cię biorą albo złego ducha. Dobrze ci tak!

– Wczoraj nie mogłem być – ozwał się nareszcie Marek.

– Dlaczego?

– Bo Kazimierz przyjechał…

Starzy oniemieli z podziwu i radości. Po chwili dopiero zaczęły się wykrzykniki.

– Przyjechał – powtórzył Marek posępnie – ziemi dochodzi i pieniędzy. A jaki, zobaczycie sami. Ja nie poznałem.

– Czemuś go nie przywiózł? – spytali oboje razem.

– A jak? Kiedy spał. Wypił za wiele. Nie zrozumielibyście, co gada!

Zamilkli wszyscy troje owym ciężkim milczeniem, co kryje zgrozę, ból i często serdeczne łzy. Jedzenie stało nietknięte, ognia nikt nie podsycał.

– Biedne dzieciątko – szepnęła staruszka i dodała coś niewyraźnie, może modlitwę.

Ragis brodę podparł pięścią i gryzł wąsy, wreszcie wzdrygnął się cały.

– Cóż będzie z tego? – spytał głucho. – Zostanie tu czy wróci?

– Bóg wie – zamruczał Marek.

Panna Aneta złożyła ręce, wzrok zwróciła na obrazek ostrobramski nad swym posłaniem. Łzy jej tamowały mowę.

– Matko Najświętsza! Przemów mu rodzoną mową do serca! Daj mu opanowanie, by nie odchodził już od nas! Tyś cudowna!

Stary wojak wstał i stukając kulą, przeszedł się parę razy po izdebce.

– Nie puścić go i basta! – zawyrokował po żołniersku.

Potem zatrzymał się przed panną Anetą i rzekł:

– A co? Krzyczała panna Aneta: „Nie słuchaj, nie słuchaj!". A racja była moja! Za dezercję kulą w łeb! Ale kto tam pannę Anetę przekona! Gotowa i tego ugościć.

– Jakże go nie pożałować, biedniątka? On jak chory teraz!... – usprawiedliwiała się.

– At! – Stary strzepnął rękoma. – Pannie Anecie było się urodzić kapelanem u kryminalistów! Ma się rozumieć, rozgrzeszyłaby ich hurtem! No i cóż ty z nim zrobisz, Marku? – zagadnął.

– Zobaczymy! – odparł po swojemu Żmujdzin.

– Wyswatać mu pannę i jak najprędzej ożenić – doradził Ragis. – Ach, nie ma czarnej Julki, w sam raz dla niego połowica!

– Zatrzymaj go, Marku – szepnęła panna Aneta – może zapomni! Nie frasuj się nad miarę – daje Bóg troskę, da i pociechę!

Dłoń jej, stwardniała od pracy, spoczęła łagodnie na jego schylonej głowie, a on tę rękę wziął i w milczeniu do ust przycisnął.

– Gdzie ta pociecha dla mnie! – wyrzekł po chwili. – Orwidów nie ma!

– Przyjadą! – wymówiła z mocą – niezadługo będą!

Podniósł głowę, smuga ożywienia i zajęcia zabłysła mu w oczach.

– Kto ciotce mówił? – zagadnął.

– We śnie ich widziałam! Nieopodal byli, a szli szparko. Zobaczysz, nie upłynie rok, a wyzwolą cię!

– Tere-fere! Sen mara! – zaśmiał się Ragis. – Ot, lepiej chodź do obory, pokażę ci z latarnią, jakie u nas cielęta dał Bóg na kolędę. Klacz także zrobiła niespodziankę. Źrebak jest jak malowany. Chodź!

Rozproszyło to nieco smutne myśli. Stary istotnie czary znał chyba. W każdym kącie widać było ład i dostatek, z chaty panna Aneta zrobiła czyste, schludne mieszkanko, zapas był w spiżarni i stodółce, bydło utrzymane na pokaz, a szkapy Grenisa parskały wesoło nad pełnym żłobem.

Przepowiednia ciotki i widok przeistoczonej zagrody napełniły otuchą Marka. Przez ten rok wytrącił macosze i Witoldowi sporą sumę, dokupił ziemi, nie żałował pieniędzy na to wydanych, grosz dla niego nie był celem, był tylko środkiem wszechpotężnym. Nazywano go tym chytrym i skąpym, a on był tylko skryty i wytrwały. Od dziecka miał jedną myśl i pragnienie: utrzymać ziemię, jeden strach: dać ją sobie wydrzeć! Z drogi raz obranej nie schodził na cal, nie ustawał na minutę.

Kazimierz tymczasem rozgościł się w Poświciu. Dużo spał i pił, w przerwach czytał gazety, opowiadał swe triumfy lub pytał brata:

– Duszo moja, cóż będzie z moim dziełem?

Tak nazywał interes ojcowskiej spuścizny.

– Czekajmy matki z Rygi… – odpowiadał Marek.

Po Trzech Królach zaledwie rozeszła się wieść, że pani Czertwan wróciła; przyjechał też i Witold, chory, zrezygnowawszy na ten rok z nauki.

Kazimierz zażądał koni i pojechał, odziany w wojskowe buty, ogromną jak bocianie gniazdo czapkę i tołub watowany i marszczony w pasie, który ciwun poświcki nazywał spódniczką. Ze wszystkich okien oglądano ten wyjazd, robiąc różne uwagi i śmiejąc się z cicha.

Stary ekonom, Sawgard, pluł i wąsy targał.

– Nasz starszy – tak nazywano Marka – to i diabła by się nie zląkł, kiedy na tę poczwarę mógł patrzeć i nawet się nie skrzywił – zadecydował, gdy sanie zniknęły za bramą.

W oficynie poświckiej zapanowała dawna cisza. Administrator objeżdżał folwarki, rachował, rozprawiał się z kupcami, zbierał pieniądze i milczał.

Bystre jednak oko spostrzegłoby, że go trapił jakiś niepokój. Wyglądał często na drogę, słuchał uważnie każdego szmeru, czekał powrotu brata.

Po tygodniu pojechał za rzekę. Dubissę ściął już lód mocny, młyny zamilkły, prom ściągnięto na brzeg. Lekkie sanki przemknęły jak duch po wartkim niedawno prądzie, droga zimowa szła pod samymi Skomontami. Marek popędzał konia; niemiły mu był widok dawnego dziedzictwa.

Wtem z dworskiej ulicy brzęczący zaprzęg Witolda wypadł nań z impetem.

W saniach szeroko zajęła miejsce watowana spódnica Kazimierza.

– Postój! Postój! – zaczął krzyczeć. – A gdzie to, duszyczka?

– Do Sandwiłów! – odparł Marek, stając.

– Tak ja z tobą... Ot, dobrze wyszło, że ciebie spotkałem.

Przeniósł spiesznie swą osobę na jednokonkę, forsownie ratując wojłoki ze śniegu. Ruszyli w stronę zaścianka.

Marek, wedle swego zwyczaju, o nic nie pytał, choć może raz pierwszy w życiu był czegoś ciekawy.

– A ja do ciebie jechałem – zaczął Kazimierz – czas wracać. Zasiedziałem się nad miarę. Gościli i poili, ale nie stoi siedzieć bez potrzeby. Mamińka dała pud* wędliny i jabłecznego sera. Biedna ona. Ciężko jej…

– Toż jest Witold… – wtrącił Marek.

– Co, on? Niedorośl! Piwo szumi jeszcze! A jej cały kłopot – wyrzekł dobrodusznie Kazimierz i westchnął. – Jak ja się obejrzał, tak i nic nie mówił o tym spadku. Po co dogryzać biedną kobietę? A ona, duszyczka, sama zaczęła ze łzami: „Ojciec dał Ejniki, to je weź sobie, mileńki. A pieniędzy to nie ma. Chorowałam, wzięła apteka". Święta kobieta! Dobyła z kufra precjoza** swoje i oddawała mnie na zastaw swoje ostatki. Aż mnie coś zaczęło klukać*** w sercu. Ledwie ubłagałem, żeby to przyjęła ode mnie na podarunek. Bo i cóż, miły brat? Albo to mi życie te 5000 rubli, albo matczyne safiry i perły? Żonki nie mam, a Cygance dać niepięknie. Ot, wędliny to przyjąłem, bo to zakąska rzadka. Będzie czym druhów potraktować, jak wrócę.

– A Ejniki? – zagadnął Marek po chwili milczenia.

– Ejniki oddali. Oglądałem ich z Witoldem, ale trochę mieliśmy w czubie, to i niewiele widzieli. Koniak ma nasz młody, że prosto duszka!

Oblizał się z apetytem i zagadnął:

– A będzie tam u ciebie czym zakąsić?

Marek skinął głową i znowu badał:

– Cóż będzie z folwarkiem?

– Radzą oddać w dzierżawę! Nawet Żyda sprowadzili. Dawał sześćset rubli, ale ja się uparł na siedemset.

---

* pud – jednostka wagi używana w Rosji

** precjozy, precjoza (z łac.) – biżuteria

*** klukać (gwar.) – pukać

– Ja ci za niego dam siedemset – zamruczał olbrzym.

– Dasz? To i dzieło skończone. Ty gospodarz sławny! Zagospodarujesz, to będzie co sprzedać potem!

– Chcesz sprzedać? Nie zostaniesz na ziemi? – zamruczał Marek.

– Cha, cha! Jaki ty śmieszny! Na ziemi zostanę, bo do nieba wysoko.

– Jest jedna ziemia swoja, a tamto reszta to wygnanie! Ja się pytałem, czy znowu uciekniesz?

– Muszę, miły brat. Mnie dzieło ziemię tutaj kopać, kiedy tam czekają miliony, byle brać! Ot, ja tobie powiem sekret: my we trzech założyli towarzystwo handlu z Kirgizami! Prowadzimy w stepy perkale, a bierzemy bydło i sierść z wielbłąda. Zarabiamy sto na sto. Na co mnie Ejniki? Co?

– Jak chcesz sprzedać, to daj mi pierwszeństwo – rzekł powoli Marek. – Teraz nie mogę, ale za parę lat zapłacę.

– Z zadowoleniem, duszeczka! Hu, krzepki mróz! Sława Bogu, że dojeżdżamy. Ciotuszka nakazywała, żebym do niej zajechał.

Sanki wbiegły w ulicę zaścianka i stanęły.

Przed nimi cała przestrzeń zatłoczona była końmi i ludem, kilkanaście instrumentów tworzyło hałas piekielny, kilkadziesiąt głosów śpiewało chórem.

– Co to? Odpust? – zagadnął Kazimierz.

Marek nic nie odparł. Zjechał w bok, zatrzymał konie i patrzył.

Naprzód na saniach jechała kapela, gwarno i barwno, za tym drugi zaprzęg, pełen strojnych dziewcząt i kobiet, potem kilkoro młodzieży konno, za nimi wreszcie parokonne sanie, wysłane wzorzystym kilimkiem, a na nich ładna jasnowłosa dziewczyna i chłopak czarniawy, uśmiechnięci radośnie.

Dalej znowu sanie i konni, a wreszcie dziatwa pieszo, krzycząc i machając czapkami.

Korowód otarł się o Czertwanów, a Margas rozgniewany wrzaskiem zawył żałośnie.

Przeleciało to wszystko cwałem i znikło, nim się Marek zdobył na odpowiedź bratu:

– Wesele!

– Toż poznałem i sam... Nawet niczego sobie panna młoda! Znasz ich?

– Znam.

– To ty na swadźbę jechał?

– Nie.

– A czemu nie?

Nie było odpowiedzi. Marek konia zaciął, jak wiatr minęli zaścianek, wjechali do zagrody. Tam nie myślano o weselu.

Grenis w ogromnym kożuchu poił z wiadra sędziwą Białkę, gadając coś do swawolnego źrebaka; Ragis z Żydem szli od świronka*, kłócąc się o cenę jakiegoś ziarna na sprzedaż, a panna Aneta z dziewką stały u drzwi chlewa, naradzając się nad sposobem zaostrzenia apetytu apoplektycznych czworonogów, które się już o własnych siłach nie mogły podnosić.

– Pochwalony! – pozdrowił Marek.

– Na wieki! – odpowiedziano mu radośnie.

– Gościa przywiozłem!... – oznajmił, zsiadając.

Grenis otarł nos o rękaw i odprowadził konia, panna Aneta roztworzyła ramiona, a Ragis, widocznie nierad z proponowanej ceny, pokazał Żydowi figę i wrota wymownym ruchem.

Nareszcie mógł Marek milczeć. Starzy opadli Kazimierza jako niewinną ofiarę.

---

* świronek – spichlerz

Olbrzym ostatni wszedł do izdebki, na kufrze panny Anety usiadł i zwiesiwszy głowę, rozmyślał. Do rozmowy się nie mieszał.

Jak przez sen brzmiały mu wyrazy: łagodny głos ciotki, łamana mowa brata, okrzyki Ragisa.

Nagle kaleka skoczył jak oparzony.

– Co? Wracasz? – zawołał gromkim głosem, stając przed Kazimierzem.

– A cóż? – zagadnął tenże, wytrzeszczając oczy zdumione, że o to nawet pytać mogą.

Zapanowało głuche milczenie.

– To po coś tu jechał? – ozwał się wreszcie stary ponuro.

– Jakże po co? Pisał Marek, że ojciec umarł.

– No to co? Już blisko roku, jak go pochowaliśmy…

– Aha! Czas leci jak depesza po drucie! – Kazimierz westchnął.

– A na grobie jego byłeś? – wtrąciła delikatnie panna Aneta.

– Nie było kiedy, miła ciotuszko! Będę, jak drugi raz przyjadę.

Ragis zwrócił się na pięcie i zmierzył oczami swego chrześniaka.

– Marek! – zawołał ostro.

Zagadnięty podniósł głowę i wzrok ponury.

– Co ojciec chce? – spytał obojętnie.

– Toś ty nie był przy śmierci rodzica? Nie słyszałeś, co mówił?

Młody oprzytomniał, spojrzał po obecnych, domyślił się, o co chodzi, i rzekł:

– Co do mnie mówił, słyszałem i spełniłem.

– A co o nim mówił, to nie pamiętasz? Ho, ho! Ma się rozumieć, nie tobie dali depozyt i polecenie, ale tamtym, ale ty powinieneś dochować!

– Wszystko ja! – zamruczał niechętnie.

– A tak! – potwierdził Ragis gorąco. – Tobie trzeba było powiedzieć mu: ojciec ci ziemię uchował i błogosławieństwo swoje zostawił, jeśliś mowy i wiary nie zapomniał. Bo mowa wielka moc, a wiara wielkie dobro! Czy tak, Kaziu? Rozumiesz ty mnie?

Kazimierz popatrzył na mówiącego przez swe szkła trochę błędnie. Z mrozu, pod wpływem nalewki ciotki, robiło mu się rzewnie na duszy, na płacz mu się zbierało.

– Tak, tak! – zaczął, wzdychając – wy pięknie mówicie! Ja znam! Ojciec święty był człowiek, że o mnie podłym pamiętał! Ja ciągle wybierałem się wrócić i do kolan mu paść, ale czort przeszkadzał! Ale ja tam nie kradł i nie próżnował. Tyle wszystkiego, że hulał trochę. Ja nie zapomniał o was.

– To zostań, dzieciątko, z nami! – szepnęła panna Aneta, podchodząc do stołu i dopełniając mu kieliszek, po który on chciwie sięgał.

– Nie mogę, ciotuszka, gołąbko, nie mogę, przysięgam! – zaczął, wychyliwszy specjał. – My sierść z wielbłąda będziemy kupować, łój topić, ruble zbierać. Jak wrócę, to będę bogaty jak Rotszyld i wam dam, ile zechcecie, w podarku!

– To znaczy ojcowskie błogosławieństwo nie dla ciebie! – rzekł Ragis, siadając ciężko na zydel.

Zrozumiał, że z tym człowiekiem nie było punktu wyjścia. Znowu ciotka dolała nalewki, aż Marek mrugnął na nią znacząco.

Kazimierz pił, krzywił się, spluwał i coraz plątał językiem.

– W Petersburgu takiej nie piłem; złotko, delicje! Czemu ojca krzyż nie dla mnie? Ja *czestny** człowiek. Ja jemu złoty pomnik postawię, sto mszy kupię! Ja nie zapomniał o swoich! Ale coś mnie durno!

---

* czestny – uczciwy, rzetelny

Zaczęła go czkawka dławić, zbladł bardzo, jakby miał zemdleć.

Zerwali się wszyscy.

– Ot, masz! Jeszcze się rozchoruje! – zawołał Ragis.

– To nic, to nic! – szepnęła tajemniczo panna Aneta. – Zanieście go do izdebki jegomości i połóżcie. To tak trzeba…

– Co trzeba? – badał stary, ale panna Aneta położyła palec na ustach i obejrzawszy się wokoło, dodała cichutko:

– Ostatni on raz kieliszek miał w ustach. Dałam mu lekarstwa!

– Aha? – rozpogodziła się twarz Ragisa – to się wie! Tak to zgoda!

Kazimierz jęczał okropnie, pot mu okrywał skronie. Marek wziął go jak dziecko na rękę i wyniósł z pokoiku. Kaleka poszedł za nim.

Wrócili po pewnym czasie, trzęsąc głowami.

– Czy nie za wiele na jedną osobę tego biedrzeńca? – zagadnął Rymko.

– Ej nie! W samą miarę! – rzekła stanowczo.

– No, no, uchowaj Boże chrześcijanina od takiej miary i podobnego trunku. Panna Aneta ugościła go należycie.

– Długo mnie sumienie gryzło: dać, czy nie dać! Ale się dziś brat przyśnił i nie bronił! Sroga to choroba!

– Żeby mu jeszcze zadać dekoktu* na tę sierść z wielbłąda! – zauważył Ragis – to także sroga choroba!

– Da Bóg radę na wszystko! – szepnęła starowina, sprzątając napitek leczniczy do kuferka.

Marek w tej chwili wyjrzał okienkiem. W dali orszak weselny wracał, jeszcze gwarniejszy i śpiewniejszy. Było już po ślubie.

---

* dekokt – odwar otrzymywany przez gotowanie roślin lekarskich

Stary Wojnat przyjmował chlebem i solą, życzono długich lat pomyślności, kapela grała do tańca...

Na Markowym podwórzu Margas zziębły zawył drugi raz, zawtórowała mu psiarnia Rymki i dusza Marka. Od wyrostka myślał o tym dniu i doczekał się go wreszcie. Sztuka była ta sama i scena znajoma, tylko personel się zmienił – dla niego brakło tam miejsca!

V

Wysoko na niebo wzbiły się skowronki i wołały na alarm do roboty.

Z dworów i wsi jak z mrowisk wyległa szara rzesza pracowników, rozeszła się po polach, zahuczała gwarem, zatętniła ziemia ruchem.

Pergrubia, żmujdzka bogini wiosny, szła rozłogami i rzeką, i lasami, uczyła ptaki śpiewu, kwiaty rozkwitu, odziewała szare niebo w błękit, pola w zieleń, aż wreszcie spoczęła na wzburzonych falach Dubissy i pędziła do odwrotu resztki kry zimowej.

Pastuszkowie, wypędzający trzodę nad rzekę, widzieli czasem czarodziejkę. Z zarośli wstawała biała, do mgły podobna, i słała się po parowach, zostawiając, niby ślad cudny, rosy i brylanty; potem ją słonko brało z sobą i niosło w dal, z oczu chłopięcych, do czarnej dąbrowy, która najdłużej obudzić się nie dała…

Przyleciały bociany długim sznurem, zmęczone daleką drogą, obsiadły strzechy stodół, poznawały stare siedliska.

Raz wieczorem para długo krążyła nad Sandwilami: opadały, to znów się wznosiły, aż wreszcie spuściły się majestatycznie na Markową zagrodę i zaklekotały donośnie.

Dawniej lękały się dziurawych strzech i nikt ich nie wzywał, teraz na szczycie budowli czekało ich przybycia stare koło od wozu: zrozumiały, że były pożądanymi gośćmi, dziękowały za przyjęcie.

Ragis uśmiechnięty witał ich z całym żmujdzkim zapałem i tradycją, panna Aneta z ogródka, gdzie pracowała po całych dniach, wyglądała rozpromieniona, nawet ospowaty Grenis, wróciwszy z sochą z pola, zapomniał subordynacjj i wołał na cały głos do kaprala:

– Pone! Pone! Gużutis*! Gużutis!

Goście osiedli na stałe, Rymko zacierał ręce, wyglądał odwiedzin Marka. Toż go dopiero ucieszy to gniazdo...

Ale Marka nie widziano od owej ostatniej wizyty z Kazimierzem. Jak król rządził z Poświcia, objął Ejniki, gospodarzył w Budrajciach, ale sam nie przyjeżdżał. Stara służba ze Skomontów powoli, cichaczem przeszła do niego; nie mogli zżyć się z Niemcem i młodym panem...

Osadzał ich na swych dzierżawach, oddając pod nadzór Ragisa, sam się do niczego nie wtrącał, co było jego własnym interesem; do młynów tylko dojeżdżał, które z wiosną zaczęły znowu terkotać i sypać grosz wraz z mąką.

Coraz szerzej zaczęto o nim mówić po okolicy. Twierdzono, że pracą i skrzętnością przejdzie ojca, wróżono mu miliony, rodzice stawiali za wzór synom, kobiety prosiły Boga o podobnego męża dla córek, zazdroszczono ogólnie starej Janiszewskiej i z ciekawości zaczęto zaglądać do Jurgiszek, aby poznać Jadwisię, ów domniemany ideał mruka.

I Skomonty były na językach ludzkich. Witold wrócił do Rygi, gdzie zadawał szyku i afiszował się z jakąś niemiecką aktorką, miernych zdolności, ale niebrzydkiej twarzy. Tracił dla niej bajeczne sumy, pojedynkował się na rapiery trzy razy na tydzień i pokłócił się nareszcie z matką.

Musiało być krucho około pani Czertwanowej, kiedy przysłała do Marka uprzejme zaproszenie na wielkanocne święta, z tysiącem skarg i utyskiwań.

---

* gużutis – (lit.) bocian

Marek ze swej rezydencji odpisał odmownie. Na święta wzywał go Jazwigło do Kowna dla interesu. Był to doroczny termin zakończenia poświckich rachunków i utworzenia bilansu.

U Wojnatów gospodarzyło młode małżeństwo. Marta promieniała urodą, nie brakowało dostatków, ale mimo to jednak czegoś niedostawało. Bywały częste swary. Wojnat stetryczał i klął o byle co. Marta nie umiała zmilczeć, Łukasz, zawsze zalękły a rozkochany, potakiwał żonie.

Stary co tydzień wypędzał ich z chaty, służba nie wiedziała, kogo słuchać, a młodzi w tej ciągłej niepewności tracili ochotę do pracy.

W dodatku przyplątały się choroby. Zaglądała młoda kobieta często po zioła do panny Anety i choć śmiała się z żartów Ragisa, czuć było rosnącą gorycz w jej duszy. Łukasz, wiecznie wzdychający, nudził ją.

Razu pewnego przyszła nad wieczorem do staruszki. Łez ślady były w oczach, choć rozmawiała swobodnie.

– Przychodzę do pani po deseń na kilimki. Takich gustownych nikt nie ma u nas… O! Jak tu u was ładnie! – dodała, zaglądając do ogródka przez nowiuteńkie sztachety.

– Dziękuję, moja śliczna, dziękuję za pochwałę! – odparła staruszka. – Deseniki mam i dam z przyjemnością… A jakże tam z febrą u was?

– Dziękuję! Trochę lepiej, już dziś Łukasz poszedł w pole do siebie, bo musi być, wyprowadzimy się od dziada…

Zaśmiała się z przymusem i dodała:

– Chleb cudzym nożem krajany niesmaczny! Pana Ragisa nie ma w domu?

– Nie ma. Pojechał na Żwirble, a że ze strzelbą, to pewnie na kaczki pójdzie.

Usiadły na ławce pod chatą. Wieczór był śliczny, pełen zapachu brzozowych pączków, gwarny od roju owadów i usypiającego ptactwa.

Staruszka założyła pracowite ręce, a Marta oglądała czyste podwórko.

Ptactwo domowe szło do rąk karmicielki, z dala dążyła trzódka bydła i owiec kilkoro. Zagroda świeciła spokojem i porządkiem.

– Szczęśliwą macie rękę! – zauważyła młoda kobieta. – Nie darmo pan Ragis czarodziej! W rękach wam się wszystko mnoży i rośnie!

– Największy czarodziej Bóg i cudowna Panienka z Ugian. Nie nasze to szczęście, ale Markowe… Sierota on i wszyscy odstąpili go i skrzywdzili. Takiego Bóg miłuje i opatrzy.

Marta spuściła oczy. Od dawna już było dla niej jasne, że słabością charakteru popsuła sobie dolę. Poczucie to zaostrzyło jeszcze gorzej stosunek z dziadem. Może i sam Wojnat żałował teraz swego uporu i zaciętości.

W tej chwili turkot się rozległ na drodze. Wyjrzały obie.

– Ot, i jegomość wraca! – zawołała panna Aneta na widok białej klaczy ze źrebakiem. – Słowo stało się ciałem! Toż nasz Marek z nim!

Ruszyła żywo otwierać wrota, ale młody już wyskoczył.

– Widzisz bociana? – krzyknął Ragis z wózka.

Marek podniósł oczy i cofnął się mimo woli. Nie spodziewał się zobaczyć w swej zagrodzie dawnej narzeczonej. Krew mu uderzyła do twarzy, spuścił wzrok.

– A skądże to Bóg prowadzi? – zawołała ciotka radośnie. – Chodź, chodź, wyglądamy ciebie!…

Podszedł. Rumieniec ustąpił powoli. Bez odrobiny zmieszania uchylił przed Martą czapki i pozdrowił krótko:

– Dobry wieczór.

– Mnie niech się pyta panna Aneta, gdziem go złapał! – krzyczał Ragis z podwórza od stajni. – Ho! Ma się rozumieć! Stary dąb już szumi, to i wiadomo, gdzie ten poganin siedzi. Pacierze gada do drzewa. Przydybałem go na gorącym uczynku. Dobry wieczór, pani Łukaszowo! Czy aby nie po lubczyk pod sekretem?…

Marta zaśmiała się pusto, po dawnemu.

– Kiedy pan czarodziej, to wie bez mojej odpowiedzi. Do widzenia państwu. Deseniki zabiorę jutro.

Umknęła spiesznie, a Ragis popatrzył za nią i dodał dyskretnie:

– Wiem, wiem, że wy tam którego pięknego dnia pozagryzacie się na śmierć. At, lichota!

Rękami strzepnął i do staruszki się zwrócił.

– A wie panna Aneta, co on nam przywiózł z Kowna? Ho, ho! Powiedziałbym, ale panna Aneta, jak to, wiadomo, niewiasta, gotowa zemdleć.

– Uchowaj Boże co złego? – zawołała przerażona.

– Ot, i jest strach. Ho, ho! A mnie, jakem posłyszał, to aż coś rwało do tańca. Drewienko skakać chciało. Będzie wesele, panno Aneto, ma się rozumieć. Ho, ho!

– Markowe? – spytała, śmiejąc się.

– A czemuż nie moje? – obraził się stary, wąsy kręcąc. – Jegomościne nic pilnego. Toś ty z Kowna, Marku?

– Z Kowna i z Wilna. Przywiozłem ciotce nasion ogrodowych, a Jazwigło z rodziną wasze ręce całują.

– A Kazio nic? – wtrącił Ragis.

– Jaki Kazio? – przerwała, składając ręce.

– Jaki? Nasz Kazio.

– Skądże on tam?

Coś na kształt uśmiechu błysnęło pod płowym wąsem Marka.

– Jakem go odprowadził zimą, to i dotąd siedzi – odparł.

– Święty Boże, a co to za awantura? Cóż on tam porabia?

– A cóż? Myślałem, że ducha widzę w salonie u Jazwigły. Córka starego haftowała w krosnach, a on jej głośno czytał.

Przyszedłem raz, siedzą, na drugi dzień to samo i na trzeci, na czwarty! I tak zostawiłem!...

– Ot, ziółko dała panna Aneta cudowne! – Ragis zaśmiał się, zacierając ręce. – Bodaj to biedrzeniec! Już mu nie w głowie sierść z wielbłąda, co?

– Mówił mi, że sklep założy w Kownie. Wódki do ust nie bierze i zrozumieć można, co gada!

Staruszce łzy biegły po twarzy, usta się trzęsły.

– Cudowne drogi boskiej Opatrzności! – westchnęła.

– Błogosławieństwo ojcowskie go tchnęło. Toż to radość bratu w niebie!

– A Orwidów nie ma i nie ma! – zamruczał Marek.

– I do Jazwigły nikt się nie zgłaszał. Robiliśmy rachunki. Dwakroć sto tysięcy leży w banku, a ileż przybędzie za dziewięć lat! I na co? Nie ma już na świecie tej sprawy i celu, o którym ojciec mówił, umierając.

– Ha! Może i racja! Mało na świecie dobrego zostało. Pocierp jeszcze trochę, a potem po radę do księdza pójdź! Może cię zwolni z przysięgi.

Ciotka podniosła uroczyście rękę.

– Nie zrywaj się, Marku, nie zrywaj – powtarzała zwykłą zwrotkę – zobaczysz, oni wrócą!

Młody obojętnie ręką machnął i wstał.

– Nie z moim szczęściem czego się doczekać! – odparł apatycznie.

– Ejże, chłopcze, a co z tobą? – zawołał Ragis. – Tfu! Aż złość słuchać. Nie grzesz. Idzie ci jak z płatka. A bociana widziałeś?

– Ludzie dość pochwał dla ciebie nie mają! – dodała panna Aneta.

– Ludzie, ciotko, powiedzieli Jazwigle, że okradam Poświcie. Gdy przejrzał rachunki i zobaczył tysiąc rubli wyżej dochodu niż dawniej, to płakał, biedny stary, z oburzenia i żalu. A wiecie, skąd wyszła plotka? Ze Skomontów. Witold opowiada każdemu…

Nie dokończył, zęby zaciął i przeszedł się parę kroków tu i tam.

– Łotr! – zawarczał Ragis wściekle.

– Takiemu dobrze na świecie – ozwał się Marek ponuro – a jak ciężko, to mają mnie na usługi. Dziś spotkaliście mnie na drodze do macochy.

– Na cóż dajesz? – zaperzył się Ragis.

– Żeby kto inny nie dał.

Panna Aneta ze zwykłym swym łagodnym taktem wmieszała się do rozmowy.

– Dosyć, Marku, dosyć. Dobrą drogą idziesz, uczciwie pracujesz, nikogo żeś nie skrzywdził i nie przeklinał, toś bogaty i szczęśliwy. Bądź spokojny, przyjdą po ciężkich dobre dni, nagrodzą ci za te troski. Nie trap się. Inaczej nigdy nie bywa, taki porządek świata. Chodź do ogrodu, zobacz, jak drzewka puszczają pędy, jak się zieleni. Zmęczyłeś się drogą, głowa ci płonie. Może co boli? Nie kaszlesz?

Staruszka dziwny wywierała wpływ swoją słodyczą. Gorzka rozpacz Marka i zniechęcenie stopniały przy tych cichych, delikatnych wyrazach troskliwości; nie mógł na nią patrzeć ponuro, odpowiadać ostro.

– Dziękuję, ciociu – szepnął. – Boli głowa, ale to mi często dolega. Fraszki!

– A widzisz! A nie powiesz nigdy! Każda choroba od fraszki się zaczyna i fraszką, ziółkiem da się z początku wyleczyć. Jakiś ty niepoczciwy, że milczysz. Poczekajże, rosa pada, chodź do domu. Zaraz ci naparzę brunelki z melisą. Wypijesz, nieprawda? To takie smaczne i orzeźwiające. Chodź, moje dziecko kochane, chodź!…

– Ot, słucha panna Aneta! – zakrzyknął Rymko, napychając fajkę. – Nie ziółka mu trzeba, ale żonki! To się wie.

Humory młodości i basta. Ja to po sobie wiem. Kawaler kawalera rozumie…

Przymuszał się do żartu, żeby rozerwać stroskanego. Zniesiono mu na wieczerzę różne przysmaki, przez słabość dla staruszki opił się posłusznie szkaradnego odwaru, rozmawiał nawet trochę o Kazimierzu.

Około północy udali się z Ragisem na spoczynek. Chłodno było, więc stary naniecił ogień z chrustu na kominie i zasypiali przy tym świetle.

Marek z rozkoszą wyciągnął się na posłaniu, w swego ukochanego rycerza z blachy oczy wlepił i rozmyślał nad tym, co gorsze: owe krwawe, straszne boje z Krzyżakami niegdyś czy to nędzne, podłe szamotanie się z losem, bezkrwawe walki, tysiące drobnych ciosów, przygniatająca atmosfera wieku. Rycerz miał dzikie, ale spokojne oblicze; zaciekły, ale pełen woli profil, gonił wroga z jakąś wiarą i nadzieją zwycięstwa, a jego potomek nie posiadał już tej nadziei; energię zastąpił bierną apatią, walka ta niewidzialna wyżerała mu duszę.

Zawstydził się młody. Zdało mu się, że bohater czarny ożył i piorunował go spojrzeniem wzgardy, i miecz zwracał ku sobie, i pokazywał z kolei swe rany, tysiące krwawych blizn, a potem pędził dalej, dalej, ze świętą ideą obrony ziemi, do granic!

Czy pod wpływem ziół ciotki, czy wypoczynku, ale nazajutrz wstał Marek uspokojony i z dawną energią. Nie bolało go już nic. Urazę śmiertelną do ludzi wtłoczył na dno duszy, do obrachunku na potem, ciotki ręce ucałował serdecznie.

– Cóż ci się śniło? – zagadnęła, przyrządzając mu śniadanie.

– Niedźwiedź, ciociu, zabiłem go! – odparł swobodnie.

Radośnie klasnęła rękami.

– Śliczny sen! To swaty oznacza…

– Aha! Prawda! – potakiwał Ragis – panna na niedźwiedziu jedzie. Słowo daję. Żeń się nareszcie! Już ja zebrałem wieści o tej z Jurgiszek. Słyszę, potulna i cicha, gawędą cię nie zmęczy i rodziny nie ma.

– Nie chcę ja jej.

– A to czemu?

– Właśnie, bo milczy. Nie mówiłem ja z nikim w życiu, ale z żoną to bym pogadał i powiedział wszystko.

– Tere-fere! Otóż racja. Alboż ona słuchać nie zechce, ta z Jurgiszek?

Marek pomyślał chwilę, ważąc słowa.

– Nie wiem, jak wam powiedzieć, ale panna Janiszewska nie dla mnie się hodowała. Może zanadto dobra, ot, nie takiej mi potrzeba i nie teraz o tym myśleć. Nie pora! Na co żona do biedy i troski? Samemu lepiej!

Zabierał się do odwrotu; nie zdołali go zatrzymać.

Pieszo, ze strzelbą przez plecy i z wiernym Margasem ruszył do Skomontów, oglądając się co kroków parę za swą cichą zagrodą.

Bociany na nowym gnieździe stały zadumane, pilnując, zda się, roboty na podwórzu; wiśnie Wojnatów zaszeleściły, gdy je mijał, a po chwili Łukasz wybiegł na ulicę i dogonił go, pozdrawiając nieśmiało.

Szedł z uzdą w ręku, niby po konia, i towarzyszył uparcie aż za szlak.

– Dawno was nie widziałem, Marku! – zagaił wreszcie rozmowę.

– Od waszego ślubu – odpowiedział Czertwan spokojnie.

– Zapomnieliście o nas…

– Mam dobrą pamięć.

– Gniewacie się czegoś, musi być – szepnął Gral, patrząc w ziemię.

– Nie! Może wy?

– Oj, nie Marku, nie! Ale mnie troska zjadła przez ten czas! Nieszczęśliwemu nie iść między ludzi.

– Macie, coście chcieli…

– Tak każdy powiada: żonę masz piękną i dostatki. To prawda, ale doli nie ma. Co ja teraz? Parobek u Wojnata. Przed ślubem moją ziemię kazał sobie zapisać, niby w dzierżawę, inaczej nie dawał Marty, a teraz precz wypędza. Ja bym sobie dał radę, ale z kobietą! Do ostatniej kropli krwi pracować będę, ale jej robić nie dam! Ot, moja dola i dostatki!

– Tak żeście chcieli! – powtórzył nieubłaganie Marek.

Gral głowę zwiesił, ociągał się, jakby odejść chciał, ale szedł przecie.

– Pomóżcie mi! – wyjąkał wreszcie.

Olbrzym spojrzał nań przelotnie.

– Ja do Wojnata za wami nie pójdę! – zamruczał.

– Uchowaj Boże! – zaprzeczył Łukasz. – Ja lada dzień do swojej chaty się przeniosę. Roboty mi trzeba tylko! U was, Marku, tyle majątków i handlów, dajcie mi służbę! Martę zostawię – sam pójdę dla niej po chleb!

Czertwan znów spojrzał na niego. Dziwny los! On to miał dać ten chleb dla Marty: przychodzili o pomoc do odrzuconego, skrzywdzonego, jak wszyscy. Za ten chleb oddadzą mu kamieniem może jak wszyscy.

– Jak bracia żyliśmy tyle lat! – mówił smętnie Łukasz. – Chodziliśmy razem z pieńką* i ze zbożem, i z wołami. Znamy się dobrze od dziecka! Wiecie, żem trzeźwy i uczciwy. Nie było między nami żadnej waśni. Wam się wszystko wiedzie, a u mnie w ręku się łamie, co wezmę! Będę teraz jeszcze tężej pracował, bo nie sam jestem,

_____
* pieńka – konopie

a Marcie chciałbym nieba przychylić! Ot! Ona tego nie mówi, ale często płacze, a mnie strach, że jej szczęście popsułem. To mi najgorsza troska! Pomóżcie mi po braterski, jak dawniej.

Wiele słów cisnęło się Markowi na usta, więc po swojemu milczał i żadnego z nich nie powiedział, tylko wreszcie odparł krótko:

– Dobrze, pomogę!

Gral aż pokraśniał: podniósł głowę, ożywiony nadzieją, a Marek przystanął około kapliczki na rozdrożu i ozwał się:

– Znasz jezioro Wiłajki?

– Znam! – odparł, mimo woli prostując się służbowo.

– Pójdziesz tam. Słyszałem, że dzierżawca umarł. Zobacz tonie, pogadaj z rybakami i pójdź do właściciela. Można dać sto rubli drożej niż Żydzi! Oto zadatek, spisz kontrakt na twoje i moje imię. Podzielimy się zarobkiem. Pojutrze czekam cię z powrotem.

Krótki ten, dobitny rozkaz brzmiał jak chór anielski w uszach Grala, napełnił go przy tym niesłychanym uszanowaniem. O śmierci dzierżawcy bogatego jeziora nikt nie słyszał, Marek miał dar jasnowidzenia chyba. Dobry interes nie umknął mu nigdy! Uprzedził każdego!

Gral nie śmiał o nic pytać, wcale się nie odezwał.

Od pewnego czasu dawny towarzysz wędrówek urósł na potentata, a on sam zmalał i znędzniał. Czuł się sługą i to sobie jeszcze uważał za szczęście.

Milcząc, przyjął z rąk Marka pareset rubli, a Czertwan strzelbę poprawił, przed obrazem w kapliczce uchylił czapki i ruszył spiesznie ku Skomontom.

Dla niego czas był drogi, nie umiałby go marnować.

Godzinę potem od Wojnatów wyjechał wóz parokonny, a na nim Gral, ćmiąc fajkę, z miną sfinksa. Nikt nie wiedział, dokąd jechał, chyba może żona, bo miała uśmiech na ustach i długo patrzyła w małe lusterko.

Zapewne szukała w swych oczach tajemnicy Markowej pomocy i łaski; może myślała już, jak mu za nie zapłaci, gdy zażąda.

*

A Dewajtis szumiał. Wśród liści młodych szemrało tchnienie bogini czarodziejki, a wokoło dęby-wnuki kłaniały mu się pokornie, a gdzieniegdzie srebrna brzoza zaglądała trwożnie ku polance, jak zaklęta służebna Aleksoty, szukając ognia i ofiary.

W noc głuchą zaszeleściły wrzosy i paprocie, czciciel wychodził do bóstwa.

Nieopodal stanął, odkrył głowę i na strzelbie wsparty, długo pozostał, błądząc oczyma po konarach. Długie mrozy, śniegi i wichry przeszły bez znaku po członkach olbrzyma, nietknięty został, jeszcze potężniejszy.

– Nie boli cię ta zima, nie męczy, nie gubi? – wyszeptał człowiek z odcieniem zawiści w zachwycie.

Jakby uśmiech wzgardliwego lekceważenia zmarszczył wierzchołki gałęzi.

„Mnie nic nie boli, nie męczy, nie gubi, póki mi ziemi stanie i słońca! Zima jak troska, długo trwa, a lato, jak szczęście, mija chwilą… Oto wieki stoję i Bóg mi lata nigdy nie odebrał, przyjdzie słońce i ożywi każdego! Przyjdzie dzień, co rany zabliźni!…"

– Czy przyjdzie? – zamruczał człowiek zgnębiony.

Dąb się zakołysał jak gniewny.

„Widziałeś ty, człowieku-efemerydo, takie lody, których marzec nie stopi? Widziałeś ty pola, których Pergrubia nie obudzi?… Dziesięć wieków stoję i wiem, że wszystko mija. Kto silny, najgorsze wytrzyma…".

Margas zapomniany skomlał żałośnie, aż straciwszy nadzieję powrotu pana, rzucił się wpław za nim, ale Marek o niczym nie pamiętał.

– Orwid jest! Jest! Jest! – śpiewało mu w duszy jak hosanna.

Wpadł do mieszkania i raz pierwszy cugowe konie, drzemiące nad żłobem, poznały, co służba.

Posłaniec jeden poleciał cwałem na pocztę do Gryni, drugi do Kowna, trzeci do Rossień, we dworze zapanował sądny dzień.

Marek wcale się nie kładł. „Orwid jest!" – szumiało mu ciągle, starczyło za sen, spoczynek, jadło, skarby całego świata.

Jest, a zatem go Hanka widziała, mówiła z nim, znała – może już był w drodze, może lada dzień się zjawi. Emigrant zapewne, może syn Kazimierza, może on sam! Czegóż tak zwlekał, czemu dawniej nie pisał? Należy mu dom przygotować, przyjąć z całą okazałością.

Marek, całe życie mruk i flegmatyk, oszalał.

O północy wydobyto z pościeli stróżów pałacu, stuletnią niańkę pana Kazimierza i odwiecznego kredencerza. Starzy myśleli, że to koniec świata, gdy ich z głębokiego snu wezwano do administratora. Stawili się na pół przytomni.

– Pan Orwid lada dzień będzie! – wrzasnął im nad uchem.

Szanowna ta para była głucha, stosownie do wieku, i odurzona niespodzianą napaścią.

Nie słyszeli i tylko dla rezonu, wyobrażając sobie, że to zapewne wieść jakaś smutna, bo dla radosnej nie budzą ludzi o tej godzinie, pokiwali *unisono** głowami.

– Dom przygotować, opylić, wywietrzyć, srebra poczyścić, spiżarnię zaopatrzyć! – huczał dalej jak z tuby.

---

* *unisono* (wł.) – jednogłośnie, zgodnie

Te same oznaki smutku i mimika oznaczały gotowość i posłuszeństwo. Stara miała ochotę popłakiwać, staremu nos poczerwieniał.

W tej chwili posłaniec z poczty wpadł zabłocony. Starzy wysunęli się sprzed oblicza strasznego pana.

– Słyszał pan Filemon, co się stało? – zagadnęła babina po drodze.

– A słyszałem! Przecie nie jestem głuchy, a pan choć mówił z cicha, ale wyraźnie. Lada dzień wojna będzie, powiedział!

– At! Baja pan Filemon! Nie wojna, ale święty Jan się pokazał w dąbrowie. Cud się stał dla przykładu dla wszelakich złości ludzkich. Pan krzyczał, że aż mnie fluksja* zabolała, a panu Filemonowi to tylko wojna w głowie.

Dalsza rozprawa ucichła za drzwiami pałacu, które zatarasowali za sobą na wszelki wypadek, gdyby Filemon lepiej słyszał niż jego towarzysza.

List od Hanki był. Depesza na Żmujdzi okazała się wątpliwej doskonałości. Marek czytał cały w gorączce:

Kochany braciszku! Od miesiąca jestem w posiadaniu tej ważnej dla ciebie wieści, ale nie zebrawszy faktów i pewników, nie chciałam cię łudzić może fałszywą pogłoską. Teraz zupełnie śmiało mogę ci donieść: Orwidowie są – sukcesorowie Kazimierza z Poświcia – mieszkają w Ameryce...

Było to tak: zimą, wskutek wydrukowania mego nazwiska w dziennikach, przy jakimś sprawozdaniu z żeńskich kursów Sorbony, otrzymuję list po francusku z marką Stanów Zjednoczonych i podpisem: Marwitz. Podpisany pyta mnie bardzo uprzejmie, czy nie znam kogo w Rosji noszącego

---

* fluksja – ropień szczęki, powstały w wyniku zapalnego stanu korzenia zęba

toż imię, a mianowicie w kowieńskiej guberni. Załącza adres i koszt marki, prosząc kilkakrotnie o odpowiedź.

Znasz mój brak decyzji; Julka zmusiła mnie prawie do odpowiedzi, posłałam całą naszą genealogię. Julka prorokowała spadek amerykański. Stało się lepiej. Otrzymuję drugie pismo! Pan Marwitz, bogaty właściciel ziemski z Illinois, donosi mi, że w jego domu jest dziecko niejakiego Kazimierza Orwida, któremu rodzice pomarli od dawna. Wspominali niejasno, że mają w Rosji posiadłość i przyjaciela tegoż co ja nazwiska. Czy nie mogę im o tym czegoś donieść? Naturalnie donoszę - załączam im twój adres i Jazwigły! Stało się to przed tygodniem. Rolę swą odegrałam do końca, teraz na ciebie kolej! O, jakże się cieszę, że życzenie ojca się ziści i ty nareszcie będziesz wolny! Dawno nie pisałeś, choć się nie dziwię; kto pracuje, nieskory do gawędy, choćby listownej!

Jeśli mi wszystko pójdzie po myśli, przyjadę do kraju odetchnąć parę miesięcy. Ciężko mi bywa czasem, ale dodaje otuchy Julka i nadzieja choć dalekiego końca! Wedle twej woli, pomocy u nikogo nie proszę i nie skarżę się nigdy. Chciałabym, żebyś był ze mnie rad kiedyś! Twoja siostra, Hanka.

Marek odetchnął. Był zbawiony. Niewola jego potrwa parę tygodni, może więcej, ale będzie jej kres wreszcie. Teraz należy przygotować dom i pojechać do Kowna; tam z Jazwigłą będą wyglądać zamorskich sukcesorów.

Ziemia paliła mu się pod stopami, we dworze zapanował jakiś ruch gorączkowy, wieść poszła z ust do ust, od najstarszych do najmłodszych, i wszędzie ją przyjęto nieufnie i z żalem.

– Dwadzieścia lat panowali nam Czertwani! Tamci cudzy, może dobrzy, ale nieznani! A ci nasi! Nie będzie lepszych na świecie! Szkoda, szkoda!

Gdy Marek nazajutrz, wydawszy najdrobiazgowsze rozporządzenia, kazał sobie konie zakładać, kilku najśmielszych przyszło się pożegnać.

– Ale pan wróci do nas? – pytano niespokojnie.

– Wrócę z Orwidami, zdać im służbę – odparł z niebywałą wesołością.

Jak huragan przeleciał przez zaścianek; starych nie było. Panna Aneta kopała jakieś korzonki w dąbrowie, Ragis pola pilnował; rzucił im słów kilka, zatknąwszy papier za szybę; rad był tę wieść radosną krzyczeć całą drogę każdemu spotkanemu.

W Kownie Jazwigło go nie poznał, cofnął się o trzy kroki, z czerwonego stał się fioletowy, siny jak śliwa.

– Co się stało? – zakrzyczał. – Palą się poświckie składy z wódką? Czy co? Gadaj!

– Orwidowie są! – wyrzucił z siebie bez zwykłego namysłu i lakonizmu. – Sukcesorowie pana Kazimierza pisali do Hanki z Ameryki. Nie miał pan listu?

– Listów mi nie brak, ale nie od Orwidów! Jakże to, czy tylko prawdziwi? Może jakie oszukaństwo? Opowiedz porządnie!

Wysłuchawszy, stary jurysta długo sumował, bębniąc palcami po stole; wieść ta zakrawała na bajkę. Ostrożny to był Żmujdzin i często zdradzany.

– Poczekajmy listu! – wygłosił wreszcie swe zdanie.

Czekali tedy. Marek chodził od telegrafu na pocztę lub siedział w salonie Jazwigły, admirując brata i pannę Marynię, gadających ze sobą godzinami. Co to można mówić, widząc się co dzień, po dniach całych – tego nie pojmował i nigdy nie słuchał, a tamci też nie krępowali się jego obecnością.

Raz tylko spytał brata, wieczorem, w drodze do zajazdu:

– A cóż tam z twoją spółką handlową z Kirgizami?

– Niech ją pies zje! – Kazimierz machnął ręką. – Albo ja dziki, żebym do dziczy wracał? Mnie tu jak w raiku, miły brat! Szukam posady, bo to, widzisz, i żenić by się wypadało! Źle samemu na świecie! Co?

– A pewnie – potakiwał Marek roztargniony.

Tego samego dnia stary Jazwigło zaszedł, niby przypadkiem, do pokoiku córki i zaczął od pytania, co jutro będzie na obiad. Potem zagadnął o cenę mięsa, o sklep piekarza, o uczciwość Agatki kucharki, wreszcie umieścił swoją okrągłą figurkę na kanapce i po długim milczącym pykaniu z cybucha rzekł mimochodem:

– A to, słyszę, Czertwan wyjeżdża znowu do Rosji.

Panna Maria miała bardzo bujne brwi, bystre oczy i wiele stanowczości w rysach. Chowana bez matki, od dawna była gospodynią w domu, z gotową decyzją i z całym zrozumieniem swej roli.

– Chyba się ojciec myli – odparła spokojnie. – Pan Czertwan powinien zostać w kraju.

– A po co? – marudził stary, zajęty pozornie tylko fajką. – Ma tam karierę gotową i pewny byt, a tu co?

– A tu swe stanowisko i obowiązek – odpowiedziała córka.

– A to czemuż matce nie pomaga, w domu nie siedzi?

Panna Maria poruszyła się żywo.

– Nikt tam go o pomoc nie prosił. Zresztą matka straciła jego kapitał i oddała zrujnowany folwark, gdzie nie sposób się było utrzymać. Sądzę, że dosyć zrobił dla rodziny, gdy to zniósł w milczeniu.

– Aha, to tak? Nie wiedziałem. Dobrze, że od ciebie można o wszystkim się dowiedzieć.

Dziewczyna spojrzała uważnie w dobroduszną twarz starego jurysty. Poczuła docinek, nie lubiła fałszywej pozycji.

– Nic dziwnego, że wiem – odparła spokojnie – pan Kazimierz jest otwarty i do nas się przywiązał szczerze.

– Uhm, czemuż, kiedy do nas, ze mną nie pogada otwarcie?

– Pogada i z ojcem – uśmiechnęła się lekko – niech tylko sobie trochę mowy przypomni i dostanie posadę.

– Aha? Pogada, ręczysz? No to poczekam, kiedy tak.

Uspokojony stary dźwignął się z kanapy i udał się na spoczynek, pogładziwszy na pożegnanie głowę córki. Żmujdzini to byli zakuci. Nie marnowali słów na frazesy, ale rozumieli się wyśmienicie.

Nazajutrz bracia stawili się o zwykłej godzinie. Kazimierz trochę czerwieńszy i weselszy. Marek znudzony, trochę posępniejszy.

– Nie ma listu? – spytał, wchodząc do gabinetu prawnika.

– Dzień dobry, Marku! – odrzekł flegmatycznie gospodarz. – Umiesz ty po angielsku?

– Nie, a po co?

– A tóż te Amerykany jakby Angielczyki. Bo i list po angielsku.

– To jest list?

– A jest. Właśnie go szukam. Rozbieram dziś sprawę Komarów z Molem. Tyle tych papierów na biurze. Ot, masz list, ale zawołaj chyba Maryni, bo my obydwa nie do angielszczyzny.

Marek spłoszył czułą parę w salonie. Panna Maria wstała natychmiast na wieść tę tak pożądaną, Kazimierz na handlowym wydziale niegdyś studiował obce języki, ofiarował się też z pomocą.

List był pisany dużym, wyraźnym pismem, mniej więcej następującej treści:

*Szanowny Panie! Dowiedziałem się od panny
Czertwan w Paryżu, że w pana ręku znajduje się główny
zarząd interesów świętej pamięci Kazimierza Orwida.
Korespondencja jest powolna i trudna, wysyłam tedy
do pana dziecko Kazimierza Orwida. Taka była jego wola
w razie odkrycia śladów spuścizny. Wedle zapewnienia
panny Czertwan, trafiam do uczciwego człowieka, toteż
z całą wiarą upraszam o pomoc sierocie. Dziś odpływa do
Libawy niemieckim statkiem „Aurora", list mój uprzedzi ją
tylko o dni parę. Raz jeszcze polecam ją pańskiej opiece.
Marwitz.*

– To panna? – zagadnął Jazwigło.

– Widocznie – odparła córka. – Nieprawdaż, panie Kazimierzu? Stoi wyraźnie *she** i *her*** wszędzie…

Jeszcze raz oboje tłumacze pochylili się nad listem. Musnęli się włosami o skroń, poczerwienieli i czytali bardzo długo. Ale nikt się o nich nie troszczył.

– Jechać do Libawy? – spytał Marek, patrząc na zegar ścienny.

– I czego? – zareflektował stary. – Rozminiemy się w drodze, broń Boże! Dojedzie sama do Kowna. Ho, ho! Amerykanki to rezolutne niewiasty. Nie pamiętam, jaki to był tytuł jednej powieści, którą kiedyś czytałem. Była tam mowa, jak jedna kobieta z Ameryki połykała żywe węże. Nie przypominasz sobie, Maryniu?

– Co takiego, ojcze?

– No, o tej kobiecie, co to węże jadła. Ale nie, bo ty nie możesz pamiętać. Zdaje się, że to jeszcze czytaliśmy z nieboszczką.

---

* *she* (ang.) – ona
** *her* (ang.) – jej

– To już chyba dotychczas z mody wyszło – zauważył Marek. – My teraz we wszystkim stoimy za Ameryką. Może już czas na dworzec?

– Zwariowałeś? Dziś nie warto wcale jechać. Trzeba obliczyć dni. Pokażcie, państwo tłumacze, datę listu. Żeby tylko, broń Boże, okręt się nie rozbił…

Marek zzieleniał. Nie czekał obliczenia, czapkę porwał i poleciał na kolej. Boże. Boże, czy też ci Orwidowie odłączą się kiedy od jego losu, dadzą mu chwilę spokoju. Te ostatnie chwile oczekiwania dobijały go moralnie i fizycznie. Nabierał on do nazwiska tego nienawiści.

Brakowało pół godziny do przyjścia pociągu. Zaczął chodzić z końca w koniec platformy, wyglądając całą siłą wzroku obłoczka pary na horyzoncie. Plant się bielił prosto, jednostajnie, bez końca, zda się. Długo był pusty i równy, wreszcie zamajaczyła plamka ciemniejsza, żelazny potwór szedł, witany gwarem, gorączkowym ruchem, gwizdem sygnałów, stukiem monotonnym depesz w biurze. Marek stanął i czekał z mocno bijącym sercem.

Co mu przyniesie ten kłąb dymu? Wybawienie czy jeden więcej zawód?…

Pociąg wtoczył się majestatycznie w obręb dworca. W oknach ukazywały się twarze różne, nieznane, szedł wzrokiem za kapeluszami kobiet, jakby się spodziewał zobaczyć gdzie znak jaki, imię Orwidów wypisane na twarzy. Mijały go, znikały, aż nagle w ostatnim oknie mignęła malutka czapka ryskiego studenta z barwami stowarzyszenia.

Czapkę tę właściciel wzniósł nad głową i wychylając się, powitał Marka homerycznym kichnięciem. Był to delikatny żart właściciela Skomontów.

Marek obojętnie kiwnął głową. Przyjazd Witolda był gorszy od zawodu. Czuł w powietrzu umizg do pugilaresu.

– *Morgen**! – powitał student po niemiecku, skracając wyraz do minimum. – Co to? Na wojaż się wybrałeś? Nie straszno ci tak daleko od domu? Pilnuj się, żeby cię nie zamiesili!

Zaśmiał się sam ze swego konceptu i zniknął z okna, bo pociąg stanął. Po chwili ukazał się na platformie. Szczupły, drobny, ubrany bardzo kuso i obciśle, z cygarem w ustach i zuchwałym cynizmem w zmęczonych oczach, szedł niedbale za tragarzem z laseczką w jednym ręku, a drugą prowadząc za obrożę czarnego pudla. Nucił pod nosem niemieckiego walczyka i zaglądał impertynencko w oczy kobietom! Wyzywał, zda się, do skandalu.

Marek dawno odszedł. Górując nad tłumem, rozglądał się na wsze strony. Szukał Amerykanki, podsłuchiwał rozmowy, ścigał wzrokiem każdą młodą osobę. Daremnie! Platforma się opróżniała, tłum ginął w czeluściach bufetu, rozpływał się powoli. Potwór żelazny przywiózł mu nowy zawód tylko.

Zwiesił głowę i zniechęcony ruszył w stronę dorożek. Już schodził ze stopni ganku, gdy, tuż za sobą, posłyszał wymówione nazwisko Jazwigły.

Drgnął i obejrzał się. Średniego wzrostu młody mężczyzna, ubrany elegancko, z pozoru zakrawający na uczonego przemysłowca, rozmawiał złą niemczyzną z głupowatym tragarzem, na którego twarzy malowała się chęć pozbycia się obcego typowym żmujdzkim: *ne suprantu!*

Coś tknęło Marka. Zawrócił i zbliżył się do rozmawiających. Niemiecki język posiadał wraz z odrobiną francuskiego. Przemógł wrodzoną dzikość, podszedł, uchylił czapki i spytał:

– Przepraszam, pan szuka pana Jazwigły?

---

* *Morgen* (niem.) – dzień dobry

– Tak, panie! – odparł obcy, dotykając kapelusza i z pewnym rodzajem podziwu mierząc wzrost interlokutora*.

– Pan ma do niego interes?

– Hm, nie, tak sobie – zamruczał nowo przybyły. – Pan mi może dostarczyć adres?

– Mogę.

W tej chwili Witold mijał ich, wracając z bufetu. Jak łobuz gwizdnął przeciągle.

– Phi, phi! Jak ty ładnie umiesz po niemiecku! – zauważył, przystając. – Czy to przy wołach się nauczyłeś? Może pozwolisz cygaro?

– Dziękuję!

– Nie ma za co! Długo tu zabawisz?

– Nie wiem!

– No, w każdym razie przyjdź do mnie, do hotelu! Mam coś na kształt interesu!

– W takim razie będę cię oczekiwał w swoim hotelu!

– Możesz oczekiwać, a potem każ się wypchać i na zielono pomalować. Bądź zdrów, ozdobo Czertwanów.

Zakręcił się na obcasie i gwiżdżąc, odszedł do dorożki. Obcy tymczasem słuchał cierpliwie niezrozumiałej rozmowy – i nagle spytał:

– Co ten młody człowiek powiedział na końcu?

– Nic ciekawego – odparł ponuro Marek.

– On powiedział „Czertwan". Kto tu Czertwan? Pan zna Czertwana? – rzucił się przybyły niespokojnie.

– Dlaczego nie mam znać?

– No to prowadź mnie pan do Czertwana! Już mnie Jazwigły nie trzeba. Czy to daleko trzeba jechać? Niech pan prowadzi. Zapłacę z ochotą. Wie pan: Czertwan, Poświcie…

_____
* interlokutor (z łac.) – rozmówca

– A czegóż pan chce od Czertwana? – zagadnął Marek, drżąc cały.

– To już ja jemu samemu powiem, panie – odparł, chłodniejąc znacznie, obcy.

– Czy pan Orwid? – rzucił głucho Marek.

Nieznajomy cofnął się o krok.

– Pan wie o Orwidach? – zagadnął żywo.

– Od dwudziestu lat czekamy na nich! Czy to pan, syn Kazimierza?

– A pan sam Czertwan, legendowy Czertwan? Co za spotkanie! Otrzymał pan nasz list?

– Czytałem list pisany do pana Jazwigły.

– Chodźże pan ze mną!

Krótkie te pytania i odpowiedzi krzyżowały się nadzwyczaj szybko. Nieznajomy, rzuciwszy wezwanie, zwrócił się z powrotem do dworca. Marek szedł za nim, obserwując spod oka syna bohatera, a swego obecnego pryncypała.

Dziwna rzecz! Młody człowiek nie miał ani odrobiny rodzinnego typu, znanego Markowi z portretów i opowiadań – i Orwidowie byli ciemnowłosi – on był złotawy blondyn. Mieli typowe bardzo gęste brwi i ciemne oczy – on miał rzadki rudawy zarost i szare, bardzo zimne i jasne źrenice. Nie zostało mu żadnego wspomnienia ojczyzny, nie rozumiał słowa rodzinnego języka, cudzoziemcem był od stóp do głów.

I znowu pomyślał Marek, że ojciec jego szczęśliwy był, że nie dożył powrotu jego i tego widoku. Jego dola zahartowała na wiele podobnych niespodzianek, starzec nie zniósłby obrazu takiej ruiny swoich ideałów.

W milczeniu postępował po pustych prawie salach do pokoju pierwszej klasy – nie rozumiejąc, po co go tam wiodą. Może przybysz chce wylegitymować się, pokazać mu ów sygnet złamany, którego połowę nosił wiernie na sercu.

Szwajcar otworzył drzwi, Amerykanin grzecznie ustąpił Markowi wejścia, po czym zamknął je za sobą troskliwie. Salon zarzucony był pakunkami, nikogo nie było.

W chwili gdy Marek podnosił pytający wzrok na towarzysza, w głębi rozchyliła się portiera i wesoły, młody głos spytał po angielsku:

– Jakże, Clarke, znalazłeś tego prawnika?

Amerykanin postąpił parę kroków i uśmiechnął się z dumą.

– Znalazłem lepiej! Pozwól sobie przedstawić pana Czertwana we własnej osobie!

Portiera rozsunęła się zupełnie. Młoda osoba, ubrana w elegancki strój podróżny, ukazała się w całej okazałości. Chwilę jasnowłosy Żmujdzin i czarnooka, smagła Amerykanka mierzyli się wzrokiem. W obu spojrzeniach była nieufność, wreszcie ona pierwsza zmarszczyła bardzo ciemne brwi i rzekła spokojnie:

– To fałsz! Ktoś cię oszukał, Clarke! Ten pan nie Czertwan!

Mówiła po francusku tym razem, pragnąc widocznie, aby ją zrozumiano.

Marek ruszył lekko ramionami.

– Nie ja potrzebuję składać dowody tożsamości, ale państwo! – odparł po niemiecku. – Pan Jazwigło mieszka niedaleko! – dodał z pożegnalnym ukłonem.

Amerykanin zastąpił mu drogę.

– Ależ Irenko – zauważył tonem wymówki – przecież nie posiadasz rysopisu opiekuna Poświcia, czy jak się to nazywa. Uwaga pańska jest słuszna – dokończył prezentacji. – Ma pan przed sobą córkę Kazimierza Orwida, Irenę, i jej eskortę przyboczną Marwitza.

Marek ukłonił się lekko.

– A pan ma być Pawłem Czertwanem? – zagadnęła panna niedowierzająco.

– Paweł Czertwan od roku spoczywa tam, gdzie i jego przyjaciel Kazimierz Orwid – w ziemi. Na imię mi Marek, jestem jego najstarszym synem.

Dziewczyna rozchmurzyła czoło. Raz jeszcze zmierzyła olbrzyma bystrymi oczyma i jakby w egzaminie tym znikła jej ostatnia wątpliwość, wyciągnęła do młodego człowieka rękę przyodzianą w duńską rękawiczkę.

– Przepraszam pana – rzekła.

Ale on nie przyjął uścisku i mówił dalej głuchym, urywanym głosem:

– Umierając, ojciec mi poruczył administrację Poświcia w spadku po sobie. Rozkazał pracować i ochraniać od złego, ile w mej mocy, i oddać temu tylko, kto oprócz urzędowej legitymacji przyniesie mi znak umówiony z przyjacielem.

– A co? Mówiłam ci, że ten drobiazg ma wielką wartość! Ojciec konając, zalecał ani zgubić, ani go się pozbyć! Proszę pana!

Sięgnęła do medalionu, który miała u zegarka, i po chwili na dłoni jej błysnął odłamek sygnetu. Marek spojrzał i w milczeniu zdjął z piersi ojcowską spuściznę; drugą połowę pierścienia. Milcząc, podał ją właścicielce.

W piersi jego rozlewało się szczęście jak potok. Stał u zarania swobody i woli!

Irena Orwid złożyła sygnet i odczytała powoli:

– „Osądź mnie, Boże, i rozeznaj sprawę moją!".

Marwitz zajrzał też przez jej ramię, dość obojętny na ten rycerski iście epizod.

– Dziękuję panu! – odezwała się dziewczyna, po raz drugi wyciągając rękę.

I tym razem Marek się tylko ukłonił.

– Pani jeszcze nie wie, czym wart podzięki! – zamruczał.

Rzecz dziwna! Tyle lat nazwisko Orwidów zrosło mu się z codzienną troską, że dziś na tę wybawicielkę z długiej niewoli patrzył jak na wroga.

Miał do niej jakiś nielogiczny żal. Miał ochotę powiedzieć: Poświcie zatruło mi tysiąc chwil, odebrało marzoną swobodę – nie dziękujcie – służyłem nie wam, ale cieniom ojca! Szczęśliwy będę, gdy was porzucę!

Milczał jednak pod jej zdziwionym, badawczym spojrzeniem. Pokręciła głową.

– Czy pan się wstydzi swojej ręki czy mojej? – zagadnęła, brwi marszcząc.

– Tu zapewne nie znają naszego *shake-hand** – zauważył Marwitz pojednawczo.

– Zapewne! No, zatem pan zadowolony z moich dowodów tożsamości, panie Czertwan? Mogę odzyskać ojcowski majątek?

– Pani co do prawnych szczegółów uda się do swego plenipotenta, pana Jazwiłgy. On wszystkie trudności ułatwi. Poświcie od dwudziestu lat co dzień gotowe na przyjazd właścicieli. Pani raczy tylko naznaczyć dzień, w którym mam wysłać konie i ekwipaż.

Dziewczyna porwała się za głowę; przykre wrażenie pierzchło; w oczach jej piwnych, nadzwyczaj wrażliwych na myśli i uczucia snujące się po głowie zamigotały jakby iskierki złote...

– Słyszysz, Clarke? Powiozę cię swoim ekwipażem, nakarmię cię swoim chlebem, ugoszczę cię pod własnym dachem! Słyszysz? Mam swą ziemię i dom, ja – sierota!

– Czy ci źle było, Iry, w naszym domu? – spytał poważnie Marwitz.

– Wiesz, że was kocham jak rodzinę! Ale teraz jestem taka szczęśliwa! Więc to prawda, panie Czertwan? Nikt mi nie odbierze własności, pomimo tylu lat nieobecności? Mam tu istotnie, w tym obcym kraju, coś mojego, jestem bogata? Mam prawo się rozporządzać?

---

* *shake-hand* (ang.) – uścisk dłoni

– Ziemia, co nie wyszła z rąk przez takich lat dwadzieścia, teraz już nie zginie! – odparł. – Doczekała się właściciela, nikt słowa nie powie! Córka po ojcu przychodzi do dziedzictwa. Ma pani swój dach i chleb i bogata pani bardzo. Kwestia czasu i kilkunastu arkuszy stemplowego papieru. Forma tylko!

– A tymczasem?…

– Uda się pani do Jazwigły. Oto adres. Pozwoli się pani pożegnać. W razie potrzeby – mieszkam w Hotelu Wileńskim.

– Clarke! A my, gdzie zamieszkamy?

– Zapewne także w Wileńskim Hotelu – odparł Amerykanin, zbierając tłomoczki. – Pan Czertwan nie opuści nas w obcym mieście.

Panna Irena odrzuciła hardo głowę.

– Pan Czertwan nie wygląda na usłużnego człowieka… Rad będzie pozbyć się nas co najprędzej, nieprawdaż?…

Spojrzała mu w oczy pytająco.

– Do chwili, komu pani poleci administrację Poświcia, uważam się za sługę Orwidów. Może mną pani rozporządzać!

– Doprawdy? Bardzo mi miło. Zatem pan nas ulokuje w hotelu, przedstawi temu prawnikowi, będzie wspierać swą radą i pomocą moje pierwsze kroki? Chwilami zdaje mi się, że to sen i że się ocknę w Ameryce u swoich opiekunów. Możemy jechać do hotelu tymczasem. Clarke, *my dear**, każ zabierać rzeczy. Masz dorożkę?

– Czeka! – odparł towarzysz, systematycznie układając pakunki przy pomocy tragarza.

– A zatem chodźmy, panie Czertwan. Daj mi pan ramię, proszę!

---

* *my dear* (ang.) – mój(a) drogi(a)

Marwitz usunął się im z drogi i uśmiechnął dobrodusznie.

– Widzi mi się, że rychło dostanę dymisję – zauważył.

Dziewczyna wsunęła sama rękę pod ramię Marka i oparłszy się na nim mocno, obejrzała na Amerykanina.

– Ciekawa jestem, co ty mi tu możesz pomóc? Jesteś sam jak zbłąkana owieczka! Ja cię tu przyjmuję w swoim kraju. Czekaj mojej wizyty w Illinois.

Zaśmiała się serdecznie i podnosząc oczy na twarz Czertwana, dodała:

– Miałam pięć lat, gdy ojciec umarł. Zapamiętałam jednak upartą dziecinną pamięcią, co mi mówił: „Jak wrócisz do swego kraju, to go kochaj, bo choć smutny, ale dobry i wart kochania. A jak spotkasz Żmujdzina, śmiało mu zawierz, bo choć milczy, nie zawiedzie!". Dlatego pomimo pańskiej posępnej miny nie boję się i wierzę… Prowadź mnie pan!

– A jednak na wstępie zarzuciła mi pani fałsz – mruknął.

– Nie spodziewałam się zobaczyć młodego. Ojciec mówił mi o starym przyjacielu. Wszak przeprosiłam natychmiast pana!…

Zeszli do dorożki. Za nimi Marwitz składał na drugą kufry i tłomoki.

Marek pozostał u stopnia.

– Pan siada? – spytał.

– Dziękuję panu. Dopilnuję do końca depozytu. Boże uchowaj, co zginie, to mnie za powrotem ojciec srodze wyłaje. Miłuję nade wszystko spokój.

– Dyrektor przędzalni miłujący spokój. Co za zestawienie. – Panna Irena zaśmiała się. – Jedźmy, panie Czertwan! Dość mam włóczęgi! Rada bym spocząć nareszcie!

– Ruszaj żywo! – zakomenderował Marek furmanowi.

– Czy to po litewsku? – spytała ciekawie.

– Nie, pani, po polsku.

– To tu państwo zapomnieliście rodzinnego języka?

– O! Nie, pani. Nie zapomnieliśmy niczego i na Żmujdzi naszej dzieje nie zapisały żadnego wstydu! Ubodzy jesteśmy i nieliczni tylko, ale uczciwi…

Przez mroczną jego twarz wybił się blask życia i gorąca z głębi duszy…

Bezwiednie, przypadkiem, dotknęła najdrażliwszej strony cichego charakteru. Uderzyła w bryłę pozornie bezkształtną i jałową, nie spodziewała się usłyszeć takiego czystego dźwięku, zobaczyć takiego ognia w zimnych oczach.

Wpatrywała się weń z zajęciem.

– Pan kocha bardzo swój kraj? – rzekła poważnie.

Urwał i jak zwykle po mimowolnym wybuchu spuścił głowę, jakby ze wstydem, i nic nie odparł. Patrzyła wciąż na niego.

– Ojciec miał słuszność – ozwała się po chwili. – Kraj ten musi być wart kochania, gdy na wzmiankę o nim ludzie tak promienieją. Niech pan milczy; już ja wiem, co pan myśli, i wiem, dlaczego mi pan swej ręki nie podał.

– Dlaczego? – spytał z zajęciem.

– Pan ma mi za złe, żem tyle lat nie zatęskniła i nie stanęła z wami nielicznymi do pracy, nie szukała swej ziemi, ale czas i siły oddała obcym.

Ruszył lekceważąco ramionami. Czas i siły osiemnastoletniej dziewczyny był to, wedle niego, kapitał bez procentu. Oprócz doglądania kwiatów, ręcznych robótek, czytania i muzyki nie widział nigdzie, żeby eleganckie panienki coś więcej robiły. Wyjątki nazywano pobłażliwie dziwolągami.

Panna Irena spostrzegła wyraz ten pogardliwy, wyczytała mu myśl spod czaszki.

– Pan ma słabe pojęcie o mej pracy! – Uśmiechnęła się pobłażliwie. – Dziwna rzecz: panowie z Europy zawsze, gdy mowa o kobietach, mają na twarzy ten brzydki wyraz.

Kobieta u was widocznie stoi bardzo nisko i jest tylko zbytkownym sprzętem! Czy to krewna pańska studiuje w Sorbonie?

– Przyrodnia siostra.

– Czy i do niej pan stosuje swoje lekceważenie?

– Zobaczymy, jak skończy.

Panienka wyjrzała na drogę. Przeszła oczami po domach, sklepach, ulicy i zagadnęła:

– Czy to wieś, Kowno?

– Miasto nasze gubernialne.

– Och, jakież nędzne i brudne! Wyobrażam sobie zgrozę Clarke'a. Już od libawskiego portu słyszę bezustanne wykrzykniki podziwu i wstrętu. Istotnie, po Ameryce Europa sprawia przygnębiające wrażenie. Co tu brudu, niedbalstwa, jakie wszystko małe i opuszczone! Czy tu ludzie nie pracują i nie myślą?

– Ludzie, co bronią gruntu pod stopami, nie mają czasu myśleć, czy na tym gruncie kwitną róże i czy ładnie wygląda. Na placówkach nie gracują ścieżek!…

– Ciężko tu wam bardzo? – spytała poważnie.

– Zobaczy pani! – odparł i po chwili długiego namysłu dodał: – Naród każdy myśl ma swoją, miejsce w szeregu świata i urząd naznaczony. My od wieków dwóch rzeczy strzeżemy: Boga swego i ziemi. I ustrzegliśmy!

Panienka spuściła głowę i spod brwi obserwowała młodego człowieka. Kim on był? Gdzie się wychował? Jakie zajmował stanowisko wśród swoich? Twarz miał wichrami i skwarem spaloną, twardą i pozornie dziką, ręce muskularne i ciemne zdradzały częstą fizyczną pracę; odzież nosił wytartą, a kosmyki płowych włosów nie znały fryzjera… Wyglądał na wyrobnika, zgrubiały moralnie i fizycznie troską o chleba kawałek. Gdy z trudem i niechęcią dobywał słowo, mówił jak człowiek delikatnie i głęboko czujący:

krótko, dobitnie, bez pięknych zwrotów i frazesów. Kim on był? Czy da się oswoić i czy rozchmurzy się kiedy?

Wtem dorożka stanęła. Był to hotel. Na wstępie ujrzał Marek czarnego pudla Witolda, a z głębi korytarza słychać było śmiech właściciela, opowiadającego jakąś anegdotkę po niemiecku.

Weszli tymczasem. Dla młodej panny otworzono paradne apartamenty, nadjechał Marwitz z kuframi, powstał hałas i zamieszanie. Marek wycofał się dyskretnie i ruszył do swego pokoju.

– *Halt!* – zapiszczał głos Witolda z bocznego numeru. – Cóż to za ładna panna z tobą? Gdzieś ją zdybał? Przedstaw mnie! Słowo daję, nie wiem, co z czasem zrobić w tej waszej spelunce!

Drzwi stały otworem. Marek ujrzał brata, jak wypoczywał na kanapie, bez surduta, ziewając co trzy słowa. W progu Żyd faktor* uśmiechał się z łaskawych żartów obywatela.

– Najlepiej, żebyś zaraz jechał do Skomontów – poradził brat serio – tam twój czas przyda się bardzo!

– Et, sam nie wiesz, co gadasz! Tam, to nawet mój Kafr się nudzi!… Ale, znasz Kafra? Sto rubli dałem za bestię, ale, co prawda, rozumniejszy od niektórych wielkich ludzi! Kafr! Kafr! Do nogi, zaraz!…

Bez ceremonii gwizdnął na cały hotel. Marek ramionami ruszył i odszedł, nieznacznie skinąwszy na znajomego faktora.

Żyd wysunął się za nim. Szli ciemnym korytarzem i zaczęli cichą rozmowę:

– Chce pieniędzy?

– Nu, kto ich nie chce?

– A dają?

* faktor (z łac.) – pośrednik

– Oni by dali, ale się boją.

– Czego?

– Ryskich lichwiarzy i jasnego pana. Nikt nie wie, co on ma.

– Niech nie dają, bo nie odbiorą. Pamiętaj, żem ostrzegał.

– Dziękuję wielmożnemu panu.

Żyd zgiął się do ziemi. Cicha ta rozmowa trwała sekundę i znowu faktor stał u progu Witolda i uśmiechnął się do sztuk pudla. Gdy pies pokazał, co umie, chłopak kopnął go nogą, zapalił cygaro i zagaił interes.

– Słuchaj, panie Rubin, trzeba pieniędzy.

– Och, komu ich nie trzeba? – Żyd westchnął sentencjonalnie.

– No to daj, zamiast stękać.

– Och, skąd ich wziąć?

– A co mi do tego. U twoich przyjaciół, szubieniczników.

– Wysoko patrzą takie przyjaciele!… Chcą ewikcji*…

– Toż ją mają przecie te pijawki!

– Nu, a gdzie?

– Mam Skomonty!

– To i chwała Bogu, że pan ma! Ale to taki interes, że i pan Kazimierz powie, że ma, i starsza pani powie, że ma, i panienka powie, że ma. Nu, jak to rozumieć?

– No, i pan Marek powie, że ma! Zapomniałeś największej osoby. – Witold zaśmiał się z przymusem, a blade jego policzki zabarwiła krew.

– Co ja miał zapomnieć? Ja o panu Marku nic nie powiedział, bo on taki, co nie gada; on nie ma czasu na gadanie. Jego ręce i głowa zakręcona interesami! Ja sobie myślę, że on także co ma, bo pieniędzy nie bierze!

_____

* ewikcja (z łac.) – poręczenie

– On nawet daje, jak wy, na pewną ewikcję! Nie sztuka! Poświcka kasa niedaleko! – syknął Witold, gryząc zawzięcie paznokcie.

– Nu, daleko czy niedaleko, ja nie wiem! U niego dobra kasa swoja jest – w głowie i ręku!

– Czy ty tu stoisz, żeby śpiewać pochwały Markowi? Mnie trzeba pieniędzy, słyszałeś? Dam, jaką chcecie ewikcję!

– Nu, niech pan las sprzeda!

Jakaś złośliwa myśl mignęła w oczach młodzika.

– Las? – powtórzył powoli, śmiejąc się do własnej myśli. – Może to najlepsze! Co ty za kasę masz w głowie, panie Rubin? Las… Genialne!… Pośpieszna sprawa… No, zobaczymy, przyjdź wieczorem… Ale nie wiesz, co to za panna? Kaducznie ładna!

– Fi! Gdzie ta ładność? Taka chuda! – odparł, krzywiąc się, Żyd.

– Et, głupiś, panie Rubin! Tak się na tym znasz jak zając na ananasach. Pójdę no ja na zwiady.

Poprawił włosy, krawat, musnął projekt na wąsiki, ubrał się i z czapką na uchu, a rękami w kieszeniach wyszedł na korytarz.

Tablica z nazwiskami była opodal; zbliżyli się z Żydem do niej.

W tejże chwili szwajcar zapisywał nowych gości, zajrzeli ciekawie: „Irena Orwid" stało sążnistymi literami.

Student odskoczył o krok, oczy mu się rozszerzyły osłupieniem.

– Widzisz? – zagadnął Żyda.

– Nu, co nie mam widzieć? Orwid! Pan Marek dostał gdzieś dziedziczkę. Nu, to teraz zobaczymy, gdzie jest kasa!

– Awantura! I nic nie powiedział ten hipochondryk!…

– Kiedy on miał mówić? Pan psa pokazywał…

– Irena Orwid! – zamruczał zamyślony Witold. – Poświcie przepadło! Marek nic niewart bez ich pieniędzy! To źle! Ale ona, pierwsza partia! Hm, hm… można przepadłe odzyskać! Ha! To byłoby dobrze! Trzeba jechać do domu.

Na przemian nucąc i monologując, wyszedł na ulicę. Żyd ruszył w drugą stronę i także monologował:

– Dębina ich warta grubo, spław o krok. Można od tego małego dostać za byle co! Tylko trzeba pośpieszać, bo interes tref! Jak starszy przewącha, aj! Gwałt! Nu, na to masz rozum.

Jednocześnie z pokoju panny Orwid ozwał się dzwonek. Służący stawił się na rozkazy.

– Proszę poprosić pana Czertwana! – poleciła.

– A którego pani każe? Jest trzech w hotelu.

– Trzech?! – zawołała zdziwiona i dodała: – Zatem poproście pana Marwitza.

Eskorta stawiła się natychmiast.

– Wiesz, Clarke, jest już trzech Czertwanów. Nie pamiętasz, jak naszemu na imię?

– Marek. Przecie się zdałem na coś. Trzech Czertwanów? To dużo, ale jeśli wszyscy do siebie podobni, to winszuję temu krajowi. Tęgi to musi być pracownik!

– Podobał ci się?

– Mnie zawsze to się podoba, co i tobie – odparł z ukrytym żalem.

– Zobopólny honor, *my dear!* Czy chcesz mi towarzyszyć do tego prawnika?

– W razie chyba twej woli. Rad bym zasnąć w spokoju. Masz lepszego opiekuna!

– Śpij choć do skończenia świata! Dość nadużyłam twej dobroci! Dziękuję ci serdecznie.

Stali naprzeciw siebie. Przy ostatnich słowach wyciągnęła do niego obie rączki. Wziął je, uścisnął i ostrożnie, powoli, jakby trzymał filigranowy przedmiot, podniósł do ust.

W tejże chwili wszedł Marek, spojrzał i cofnął się o krok. Nie spodziewał się trafić na czułą scenę.

Rola Marwitza w tej zamorskiej podróży wyglądała zagadkowo, teraz zrozumiał.

Narzeczeni! – strzeliło mu nagle do głowy i natychmiast posępny cień pokrył twarz.

Obcy weźmie Poświcie, sprzeda, wróci do siebie za morza! Ziemia przepadnie na marne i na marne pójdzie praca dwóch pokoleń!…

Los go dziwnie prześladował, i to w tym właśnie, co kochał nade wszystko.

Ponuro spojrzał na Amerykanina. Wydał mu się w tej chwili zbrodniarzem! Odebrać miał Żmujdzi kawał ziemi. Dla Marka nie było w świecie gorszego przestępstwa. Torturowałby za nie!

VI

Wiosna była w całym rozkwicie. Kwitły bzy, sady, smukłe narcyzy. Powietrze dyszało ciepłym i wonnym tchnieniem przyrody.

Pod wieczór długiego majowego dnia powóz toczył się szybko traktem rossieńskim, wioząc do ojcowizny zamorską dziedziczkę.

Spasione konie pianą były okryte; spieszyły do domu przed zmrokiem. Panna Irena rozglądała się ciekawie po okolicy, która wypiastowała jej dziadów i pradziadów; obok niej rozglądał się też Marwitz.

– Natura dała, co mogła – mówił – ludzie nie dodali nic nad konieczną potrzebę. Żeby to u nas?

– Czy blisko Poświcie? – zagadnęła dziewczyna siwego stangreta.

Obejrzał się, pomarszczona twarz jego wyrażała daremną chęć zrozumienia, spojrzał na równie starego lokaja.

– *Supranti, kumaj*?* – pytał.

– *Ne suprantu!* – odparł kum.

A Poświcie zbliżało się coraz bardziej. Przez wioski i osady górowały topole i drzewa parku, wszystko świeże, zielone – niby ubrane od święta na przyjazd właścicielki.

– Czertwan na nas czeka niecierpliwie – ozwała się znowu panna Irena.

---

* *Supranti, kumaj* (lit.) – Rozumiesz, kumie?

– Zapewne. Stary prawnik mi mówił, że go ojciec prawie zmusił do objęcia zarządu. Kazał mu czekać i pracować dziesięć lat.

– Już w Kownie chciał zdawać rachunki – uśmiechnęła się – ledwie uprosiłam, żeby jakiś czas jeszcze pozostał. Patrz, jaki to ładny dwór. Może to Poświcie?

– Prawdopodobnie, bo zjeżdżamy na jeszcze gorszą, boczną drogę. To przypomina nasze puszcze przed dwudziestu laty. Pierwszym twoim czynem powinny być szosy…

W tej chwili lokaj z furmanem obejrzeli się na młodą panią i uchylili czapek.

– Poświcie! – ozwali się z uśmiechem.

Dziewczyna stanęła w powozie, uśmiechnięta, zarumieniona wzruszeniem. Szybki oddech rozchylił koralowe usta, wiatr wieczorny rozwiał ciemne włosy, oczy piwne promieniały skrami złotymi. Drżała całym ciałem.

Brama szeroko otwarta, opleciona była zielenią, dziedziniec natłoczony ludem wioskowym, na przedzie stała cała służba odświętnie przybrana, i stary ekonom, Sawgard, który jeszcze dziada jej pamiętał, trzymał na złoconej tacy bochen żytniego chleba i sól.

Powóz stanął. Tłum się zakołysał jak fala, zahuczał stłumionym szmerem. Dziewczynie łzami nabiegły oczy, pierwszy raz straciła pewność siebie. Sawgard zbliżył się do stopnia, odkrył siwą głowę i schylił się do jej kolan.

Panna Irena usunęła się i wyskoczyła na ziemię. Rozpacz mignęła w jej oczach. Spojrzała po tłumie tym, który ją witał, przyjmował całym sercem w dom pradziadów i nie rozumiała ich słów, ani odpowiedzieć im mogła.

– Nie mogę im rzec, jaka jestem wdzięczna, jak im dobrze życzę!… – wyszeptała żałośnie, słuchając przemowy starego ekonoma.

Wtem ktoś stanął za nią. Obejrzała się. Postać Marka wyrosła jak z ziemi. Stał też z odkrytą głową, ubrany świątecznie, jakby się uważał za jednego z jej sług, i witał głębokim ukłonem.

Odetchnęła na widok znajomego wśród tych wszystkich, podała mu rękę i pociągnęła ku sobie.

– Niech pan im podziękuje za mnie! Bardzo serdecznie! Proszę powiedzieć, że im nie zapomnę nigdy tego przyjęcia.

Podniósł głos swój donośny. Tłum słuchał, potem odpowiedział zmieszanym, gromadnym okrzykiem.

– Co oni mówią? – spytała.

– Proszą, żeby pani wśród nich została na zawsze.

– Zostanę, zostanę! Powiedz pan.

Stary Sawgard postąpił o krok i ozwał się:

– Panoczku, proszę panience powiedzieć, żeby nas kochała, jak ojcowie kochali; żeby na ich wzór rządziła.

Marek przełożył orację. Przez łzy spojrzała na siwego sługę, bez namysłu objęła go za szyję i uścisnęła z całego serca.

Stary stracił głowę. Tacę z chlebem oddał Markowi, a sam, jak długi, runął jej do nóg; tłum zahuczał zapałem i cisnąć się począł do niej. Lody były przełamane, gdzieś w głębi ozwała się włościańska kapela, śmiano się i szlochano na przemian, całowano ją po rękach, chciano nieść do domu, aż wreszcie sił jej zabrakło – obejrzała się o pomoc Marka.

Zrozumiał, rzekł słów kilka i wnet ciżba się rozstąpiła na dwie strony, zostawiając jej przejście wolne aż do ganku. Wsunęła rękę pod ramię olbrzyma i szli tym szpalerem powoli, wśród ciągłych okrzyków.

W pół drogi zaledwie przypomniał sobie Czertwan Marwitza i poszukiwał go oczyma. Amerykanin uciekł od owacji. Jego nerwy, miłujące spokój, skryły się pod opiekuńcze skrzydła domu. Chciał wejść, ale na progu trafił na głuchego Filemona, który sztywny, w swej odwiecznej liberii, trzymał na poduszce pęk kluczy i rolę swą szambelana traktował najzupełniej serio. Do grodu tego, gdzie stróżował dwadzieścia lat, miał wpuścić córkę i kasztelankę – pierwej nikogo...

– Otwórz panu! – krzyknął mu ktoś w samo ucho głosem do grzmotu zbliżonym. Otrząsnął się, jakby mu proponowano grzech śmiertelny.

– Pan zamknął, odchodząc i powiedział: otworzysz tylko Orwidom! – wymówił bezzębnymi ustami, z kamiennym uporem, i dodał dla większej mocy: – i Czertwan tak samo mówili! Otworzy panienka, niech obcy czeka.

Marwitz zrezygnowany założył ręce na piersi i czekał, oglądając ciekawe stroje włościan, liberię służby, falowanie tłumu na podwórzu i młodą parę zbliżającą się powoli do podjazdu.

Takich rumieńców i rozpromienienia nie widział na twarzy Irenki. Wyglądała na wyższą, dumniejszą i nad wyraz szczęśliwą.

Chciałbym, żeby ją mój ojciec taką zobaczył! Byłby dopiero rad – pomyślał, uśmiechając się z zadowoleniem.

Filemon postąpił parę kroków, jak mumia pod prądem galwanicznym. Poczerwieniał mu nos i roziskrzyły się oczy; doczekał się Orwidów.

– Stary emeryt, sługa jeszcze pani dziada! – szepnął Marek. – Proszę uszczęśliwić go i własnoręcznie otworzyć drzwi swego domu!

Wzięła klucze. Zamek zgrzytnął, Marek rozwarł podwoje.

– Daj Boże pani w starym ojców domu ich cnoty i szczęście! – rzekł, uchylając głowę.

– No, a teraz wolno mi już wejść, stary? – zagadnął Marwitz do mumii służbowej, naturalnie bez żadnego skutku.

– Daremny trud! – rzekł Marek. – On nic nie słyszy!

– Ty tu, Clarke? Chodźże! – zawołała panna Irena.

– Dobrze, iż raczyłaś sobie przypomnieć moją egzystencję.

– Daruj, mój drogi, ale jestem tak wzruszona i zajęta! Panie Czertwan, ja bym chciała ugościć tych ludzi!

– Wiedziałem o tym! Mają przygotowane jadło i napój! Niech pani pomyśli o sobie i wypoczynku.

– Och, dziękuję panu, że pan się tam znalazł na wstępie. Myślałam, że się rozpłaczę, z żalu, żem obca, i z wrażenia na ten widok! Och, jakże jestem szczęśliwa i wdzięczna panu!

– Za cóż mnie? Spełniłem swój obowiązek!

– Powietrze Europy dziwnie na ciebie działa, Iry! – zauważył Marwitz, rozbierając się powoli z płaszcza i oddając go w ręce Filemona. – Tam, u nas, byłaś zawsze silna, zdrowa i spokojna! O, jakież oryginalne meble!

– A prawda! Proszę mi mój dom pokazać, panie Czertwan.

– Panoczku – ozwał się Filemon tonem, który miał być konfidencjonalny, a brzmiał jak hukanie w puszczy – tyleczko przyjechał do pana parobek z Jurgiszek. Stara pani chora, panienka bardzo prosi pana!

Marek zaniepokoił się widocznie. Stanął, pomyślał chwilę i zwrócił się do swej młodej pryncypałki:

– Muszę odjechać na godzin parę. Pani raczy darować. Chory mnie potrzebuje.

Spojrzała badawczo, z niezadowoleniem…

– Czy to ktoś chory z pańskiej rodziny? – spytała.

– Nie, pani!

– Cóż on mówił, ten stary?

– Sąsiadka Poświcia, ociemniała wdowa, zasłabła. Wzywa mnie!

– Niech pan wraca prędko! Ja tu bez tłumacza nie dam sobie rady. Będę czekać z obiadem.

– Dziękuję, mogę dłużej zabawić. Może wrócę w nocy…

– Ach, jakiż pan dobroczynny!…

– Czy tam tylko mieszka ociemniała wdowa? Nikt więcej? – zagadnął Marwitz podejrzliwie.

Marek nic nie odpowiedział, ukłonił się i zniknął. Na dworze grała kapela i biesiadował tłum ochoczo. Przybysze wędrowali po domu pełni podziwu.

Dwadzieścia lat nie było gospodarzy, a wyglądało wszystko, jakby wczoraj odjechali. Troskliwa snadź i przyjazna ręka rządziła tutaj.

Marwitz zatrzymał się nareszcie, skończywszy przegląd.

– Znasz, Iry, bajkę o królu Haraldzie? – zagadnął.

– Daj mi pokój ze swoją bajką! – rzuciła niecierpliwie.

– Nie chcesz posłuchać? Szkoda! Prawda, że jesteś gniewna, a więc nie ciekawa. Wolną chwilą, gdy się rozchmurzysz, przypomnij, żebym ci ją opowiedział!

Mimo woli roześmiała się.

– No, przypuśćmy, że się rozchmurzyłam! Opowiedz swoją bajkę!

Amerykanin usiadł, zapalił cygaro i gładząc w takt swe faworyty, prawił:

– Król Harald, dla wypróbowania uczciwości poddanych, na drzewie przydrożnym zawiesił złoty naramiennik. Po trzech latach przejeżdżając, znalazł go na tej samej gałęzi.

– I to wszystko? Do czegóż to stosujesz? – spytała ubawiona.

– Ty, Iry, jesteś bardzo rozsądną i praktyczną osobą, ale masz jeden błąd: nie lubisz powolnego rozumowania! Każda prawda potrzebuje przekładu. Stosuję do tego moją bajkę, że sądząc po tym domu, lud tutejszy zapewne pochodzi z Anglii, z poddanych Haralda! Co? Nieprawdaż? Ta stara mumia może nawet pamięta legendowy naramiennik.

Wskazał Filemona, który ukazał się w progu i grobowym głosem oznajmił obiad.

– Zapewnię wezwanie do uczty! – rzekł Marwitz, wstając. – Służę ci, Iry; rad bym skosztować owego chleba, któryś mi w Kownie obiecała. Na Czertwana nie warto czekać. Sądząc z pośpiechu, ta ociemniała wdowa ma u niego szczególne łaski.

– I ja tak myślę – potwierdziła z brwią ściągniętą. – Nie dowiedziałeś się o nim niczego w Kownie u prawnika?

– Myślałem, że ty posiądziesz wszystkie sekreta od narzeczonej jego brata. Czy uważasz, jakie tu ładne kobiety? Ta panna Jazwigło robi bardzo przyjemne wrażenie! Żeby nie drogi, mosty i nieporządek, nie miałbym twej ojczyźnie nic do zarzucenia. Milczysz, Iry? Nad czym tak głęboko rozmyślasz?

– Ależ nad przyszłością, mój drogi. Pomyśl tylko, co zrobimy, gdy Czertwan wypowie swe usługi? A uczyni to niezawodnie!

– Ba, podwój mu pensję! Ile bierze rocznie?

– Nie wiem. Ma swój majątek, z musu tu pracował.

– Weź Niemca agronoma.

– Tu podobno Niemców okropnie nienawidzą.

– Trudna rada! Uczmy się forsownie języka, a tymczasem spuść się na służbę. Niech Czertwan wskaże ci zaufanych.

Jedli w milczeniu długą chwilę. W końcu panienka potrząsnęła głową.

– Rozpieścił mnie twój ojciec! Fe! Wstyd mi. Odzyskałam kraj i mienie i zamiast się cieszyć, upadam na duchu. Masz słuszność! Za miesiąc muszę nauczyć się języka, a tym czasem trzeba cierpieć. Ty mnie nie opuścisz zaraz?

– Zostanę, póki zechcesz! Może się jeszcze Czertwan da utrzymać! Nie chcesz przyjrzeć się tańcom? To oryginalne!

Usiedli przy oknie salonu i długo patrzyli na rozbawiony tłum.

Wieczór zapadł, zabawa cichła, na koniec zaczęły się jakieś szepty tajemnicze, spoglądano w okno, na młodą panią; naradzano się widocznie.

Potem obraz się zmienił. Muzyka wystąpiła naprzód, wszyscy odkryli głowy i ze stu piersi zabrzmiał nieuczony, wiejski śpiew.

Skończywszy zwrotkę, skłonili się do ziemi i ruszyli do wrót.

Muzyka grała wciąż, idąc, śpiewali dalej, za bramą ścichły głosy i długo jeszcze słychać je było w spokojnym wieczorze.

Panna Irena pochyliła się w oknie i łowiła chciwie dźwięki.

– Jakie to proste i śliczne! – powtarzała.

Na dziedzińcu służba sprzątała ślady uczty i zabawy. Kilku poważniejszych oficjalistów* przesunęło się od folwarku i obsiadło ganek prawej oficyny. Gwarzyli coś z cicha, paląc fajeczki i patrząc na drogę. Marwitz zmęczony porozumiał się na migi z Filemonem i udał się na spoczynek.

Po wrażeniach dnia panna Irena nie chciała spać. Czuwała, słuchając szmerów wiatru i drzew. Kiedy ona zrozumie ten kraj i ludzi? Kiedy poczuje się obywatelką i Żmujdzinką?

Około północy daleki tętent spłoszył brytany podwórzowe, ożywił drzemiących ekonomów. Jeździec się zbliżał, jechał prędko bardzo, u bramy zsiadł z konia i pieszo podszedł do oficyny.

Poznała jego wzrost i głos ponury. Krótko dawał jakieś rozkazy; oficjaliści odpowiadali parę słów, czasem o coś zapytał, wreszcie odprawił ich skinieniem ręki.

– *Łaba nakt, ponuj**!* – ozwali się *unisono.*

---

* oficjalista (z łac.) – osoba zatrudniona przy zarządzaniu majątkiem ziemskim

** *Łaba nakt, ponuj!* (lit.) – Dobranoc panu!

– *Łaba nakt, jums!** – odparł.

Klucz zazgrzytał w zamku. W oficynie zaświeciło światło, otworzono okno.

Godzinę czekała panna Irena. Zegary wydzwoniły pierwszą, we dworze rozlegały się tylko gwizdawki nocnych stróżów, światło wciąż tlało i słychać było, gdy wiatr przestał szumieć, szelest papieru w otwartym oknie. Czarny cień człowieka siedział schylony u biurka, coś pisał i rachował, nie podnosząc głowy.

Poruszyła się, wstała i poszła do sypialni.

– Ładna perspektywa – szepnęła do siebie – to i ja tak ślęczeć będę jak on!

Marek wciąż pracował. Jak kiedyś ojciec jego, tak on teraz zbierał dokumenty, plany, raporty ekonomiczne, wykańczał rachunki i sprawozdania. Robota żmudna i męcząca była mu rekreacją. Jutro stos ten bibuły odda właścicielce, weźmie swoją strzelbę, Margasa i pójdzie, jak przyszedł, przez Dewajtę do Sandwilów. Skończona służba, skończona!

Kosztowało go Poświcie rok trudów i narzeczoną. Ludzie w końcu nazwali go złodziejem. Miał dosyć na swój rachunek.

Jeszcze godzin parę! Zebrał porządnie papiery, upakował w skrzynkę trochę odzienia, obejrzał strzelbę, pogładził łaszącego się psa i zgasił świecę.

Brzask świtał na wierzchołkach drzew…

Gdy się Irenka Orwidówna ocknęła, było blisko południa. Chwilę nie wiedziała, gdzie się znajduje. Sypialnia to była jej dziadów, obszerna, ciemna od obić gobelinowych. Przez okno zaglądały lipy ogrodu. Dziewczyna przeciągnęła się rozkosznie na olbrzymim łożu z kotarami i zadzwoniła.

---

* *Łaba nakt, jums* (lit.) – Dobranoc wam!

Wiejska pokojówka wsunęła się z cicha. Była to wnuczka szanownego Filemona. Podała pani jakąś książkę. Panienka otworzyła ją i uśmiechnęła się radośnie. Były to rozmowy niemiecko-polskie, istna nić Ariadny*!

Za ich pomocą porozumiała się jako tako. Dowiedziała się nowa obywatelka, że służąca ma na imię Justka, że dziś pogoda, że pan z oficyny dawno przyszedł i rozmawia z obcym panem i że to on dał jej tę książeczkę.

– Dowcipny pomysł! Rola tłumacza musiała mu dokuczyć! No, jestem gotowa!

W salonie panowie rozmawiali tymczasem. Marek raczej słuchał z zajęciem, a Marwitz opowiadał systematycznie historię swoją i sieroty.

– Ojciec mój za młodu miał fermę w półdzikim stanie. Handlował bydłem i skórami zwierząt. Ożenił się z jedynaczką sąsiedniego osadnika, miał oprócz mnie dwóch starszych synów. Gdym się urodził, nasz stan był już zupełnie inny. Puszcze padły pod siekierami, Indianie cofnęli się głębiej, zaczęły z błyskawiczną szybkością wzrastać miasta i fabryki. Trafiono na pokłady żelaza i cyny, grunt dawał bajeczne urodzaje. Wokoło naszej fermy, jak grzyb po deszczu, urosło miasto – nazwano je Drakecity, od nazwiska ojca mej matki. Pamiętam jeszcze, gdy miało tylko jeden sklep, jeden kościół i jedną szkołę. Teraz liczy sześćdziesiąt tysięcy ludności, posiada kilkanaście sekt, dziesięć szkół, piętnaście fabryk, kilkaset magazynów. Ubiegło dwadzieścia lat zaledwie; jeszcze za dziesięć dorośnie Filadelfii.

Amerykanin zrobił pauzę i z dumą spojrzał na słuchacza.

– Dają wam wzrastać! – mruknął Marek.

---

* nić Ariadny – nić przewodnia, sposób wybrnięcia z kłopotów (Ariadna, w mitologii greckiej córka króla Krety, Minosa, pomogła Tezeuszowi, bohaterowi ateńskiemu, wydostać się z labiryntu za pomocą kłębka nici)

– Ojciec mój przeczuł świetną przyszłość osady. W początkach skupił za bezcen obszary ziemi, potem połowę rozprzedał, zarabiając sto za sto. Połowę zostawił sobie dla dorobku. Najstarszemu bratu kupił kilkaset akrów z żyłą cyny, ożenił go i osadził. Średni nie chciał w domu pracować, z amatorstwa marynarzem został – ja otrzymałem wykształcenie techniczne i kapitał. Założyłem przędzalnię bawełny, ojciec został na fermie, matka dawno umarła, zaraz po moim urodzeniu. Oto masz pan nasze dzieje!

– A panna Orwid? – zagadnął Marek.

– Oh, to także stara historia. Miałem dwanaście lat, gdy do plantacji naszej przyszedł, prosząc roboty i chleba, człowiek wychudły, w gałgany odziany, pokaleczony, z dziewczynką, czteroletnią może, ledwie żywą ze zmęczenia i głodu. Szli z zachodu i długo stali pod bramą naszą, bo nikt nie wierzył, czy ten nędzarz zda się na co w polu. Nareszcie ojciec mój go spostrzegł i przyjął z łaski, dla dziecka więcej – bo lubił dzieci bardzo. Człowiek stanął z Murzynami i Chińczykami do pracy. Robił cicho i posłusznie, ile sił mu zostało w wynędzniałym ciele, ale słaby był już ich zasób. Zapomniano go w tłumie. Z dzieckiem mieszkał w budzie na plantacjach…

W tej chwili zza pleców Marwitza Irenka Orwid wychyliła się cicho i, kładąc mu rękę na ramieniu, rzekła:

– Ja dokończę, Clarke, swoich dziejów! Ty wiele zataisz!

Usiadła między nimi i mówiła dalej wzruszonym głosem:

– Mieszkał w budzie ten zły robotnik, źle jadł, chodził w łachmanach, a grosz zbierał i chował w szczelinę ściany. Dziecko uczył pacierza w nieznanej mowie i usypiał obietnicą, że wnet pójdą dalej na Wschód przez wielkie morza – do matki, co na nich czeka. Mówił, że kraj ma piękny i fermę swoją, i dobrego, starego przyjaciela za morzami. Dziecko wszystko zapamiętało! Pracował dwa

133

lata, aż wreszcie pewnego dnia sięgnął do kryjówki po krwawy grosz na podróż – i nic nie znalazł. Ktoś odkrył skrytkę i ograbił biedaka w czasie nieobecności. Chińczyk zapewne z plantacji.

Potem już człowiek stracił ducha. Miara goryczy przelała się po brzegach: nie chciał pracować, na dziecko popatrzył szklanymi oczyma i zapłakał.

Parę tygodni leżał w budzie: dziecko było głodne, on tylko pić wołał i modlił się. Zginęliby oboje razem, gdyby nie pan Marwitz, a raczej Clarke! On raz przypadkiem zajrzał do budy i ojca sprowadził. Zabrano chorego i dziewczynkę do pańskiego domu, ją nakarmiono, do niego sprowadzono doktora, nie szczędzono starań. Ale już nie było co ratować! Natura się wyczerpała jak knot bez oliwy. Umarł po kilku dniach.

Przed śmiercią z łachmanów wypruł zwitek pożółkłych papierów i szczyptę siwego piasku w szkaplerzyku. Dziecku dał medalik złoty, ułamek sygnetu i kazał, gdy dorośnie, iść na Wschód, za morza, do matki. Z panem Marwitzem chwilę rozmawiał, oddał sierotę i papiery owe. Gdy umarł, ksiądz katolicki pochował go i ten piasek rzucono do grobu.

Głos opowiadającej zerwał się. Umilkła chwilę i wpatrzyła się w okno, zagryzając usta, na które może z głębi duszy cisnęło się łkanie.

Marek nie spuszczał oczu z tej twarzy. Do głębi poruszyła go ta opowieść.

Rozbitek nie doszedł do kraju, szczyptę tylko żmudzkiej ziemi, jak relikwię, rzucono mu na trumnę, a dziecko zostało bez matki ukochanej a dalekiej i płakało…

W piersi ponurego człowieka zabolało coś dotkliwie. Ból nieznany, przejmujący wybił się na lica, przedarł się przez sczerniałą skórę, zabarwił policzki i skronie ciemnym rumieńcem. Spuścił głowę przejęty.

A Clarke Marwitz założył ręce i kołysząc się na krześle, wrócił ich oboje do równowagi spokojnym, powolnym tonem:

– Całe to nieszczęście nie byłoby się stało, gdyby w fermie naszej była kobieta, jaką kilkanaście lat potem została Iry.

Dziewczyna ocknęła się z zadumy, potrząsnęła głową.

– Na takie niedole, co duszę toczą, Clarke, nie ma ratunku. Za wiele stracił mój ojciec w życiu i za daleko mu było do kraju. Tysiące tu leżały dla niego, a pochowano go z łaski pana Marwitza. Łaską ich ja wzrosłam.

– Deklamujesz puste frazesy, Iry! – przerwał Amerykanin. – Ja ten ustęp opowiem. U nas w domu, panie Czertwan, brakło córki. Ojciec nie miał z kim się pieścić i żartować, ja nie miałem z kim swawolić. Poweselał nasz pusty dom, gdy ona przybyła.

– Moglibyście przyjąć krewną jaką lub znajomą. To fałsz! Zrobiliście łaskę! Hodowano mnie jak rodzoną, oddano do szkoły, nie gniewano się nigdy.

– Nie było za co. Ledwie od ziemi odrosłaś, stałaś się użyteczna. Ze szkoły, po latach piętnastu, przyniosłaś patent, odbyłaś kurs handlowy w fabryce, praktykowałaś pół roku jako dozorczyni w szpitalu. Nie myślałaś, czyniąc to, o karierze dla siebie, bo wróciłaś do starego ojca i na fermie stałaś się opatrznością.

– Deklamujesz puste frazesy, Clarke! – powtórzyła jego zdanie, wstając. – Chodźmy na śniadanie! – dodała.

– Poczekaj. Nie powiedziałaś jeszcze, że dzieci robotników zabrałaś do szkółki, że chorym dałaś opiekę, że zastąpiłaś ojcu sekretarza!

– Obowiązkiem było pracować! Dosyć tej gadaniny!...

– Przepraszam, nie powiedziałaś, żeś odrzuciła rękę Wiliama Jacksona, milionera, dlatego tylko, że ojciec płakał na myśl rozstania.

– Mój drogi, mogłam mieć osobiste powody, więc żadnej zasługi z tego niby poświęcenia!

– Toteż i ja tak myślałem i w tej błogiej nadziei oświadczyłem ci się nazajutrz po Jacksonie. Byłem tak pewny przyjęcia, że miałem nawet pierścionek w kieszeni.

Roześmiała się szczerze.

– Nie przypuszczałeś, że poza tobą może ktoś istnieć w mojej duszy?

– Żeby istniał, tobym go zlinczował przynajmniej! Ależ i tej osłody nie doznałem w odmowie!

– Został ci pierścionek i swoboda! Pocieszyłeś się prędko!

– No, zapewne! Nie mogłem płakać albo się powiesić! Co by to pomogło? Zresztą wtedy byłem okropnie zajęty nową maszyną do skubania bawełny! Pamiętasz? Nawet od tego zacząłem oświadczyny…

Marwitz wzniósł do sufitu blade oczy i westchnął. Panna Orwid roześmiała się i wyszła z pokoju.

– Biorę pana za świadka – zwrócił się poszkodowany do Marka – czy to nielogiczne? Ojciec ją chciał zatrzymać, ona chciała pozostać! Wypadało się połączyć z rodziną. Nie broniłbym jej pracować dalej w swym zawodzie. Małżeństwo powinno się było skojarzyć. Ojciec ją kocha do dziwactwa, ja tak byłem pewny takiego końca, żem oprócz niej nie odzywał się do żadnej kobiety wolnej. Po co próżny trud i strata czasu, myślałem, znaliśmy się wybornie, nie było nigdy sprzeczki! Mogłem śmiało kupić pierścionek. A wie pan, dlaczego odmówiła? Żeby nie posądzono jej o interes. Nie, nie i nie! Godzinę gadałem, wezwałem ojca, bratową, nic nie pomogło! Proszę mi powiedzieć, czy to nie wstyd taki brak logiki?

– Ja bym na miejscu panny Orwidówny nie inaczej postąpił – wygłosił swe zdanie Marek. – Była biedna, więc dumna i nieufna. Teraz odpowiedziałaby może inaczej.

– Otóż właśnie że nie. Jeden więcej dowód nielogiczności. Ojciec mnie umyślnie z nią wysłał. Stoimy teraz majątkowo na równi. No, i także nie chce! Pierścionek zawsze noszę w kieszeni, ale sądzę, że innej go oddam, bo strasznie, pomimo nauki i rozsądku, nielogiczna.

Umilkł i kołysał się dalej, gładząc w takt faworyty. Wyglądał zafrasowany, jakby po nieudanej próbie szarpania bawełny.

– Czemuż tak długo nie zaczęliście panowie starań co do spadku? – ozwał się Marek po małej przerwie.

– Nie mieliśmy żadnego dokumentu, oprócz metryki i świadectwa rodu. Kazimierz Orwid chciał właśnie wracać; nie wiedział, że go śmierć zaskoczy. Ustnie ojcu opowiedział, kim był, i nazwał pana Czertwana. Po śmierci zaniechano starań, a potem ojciec nie chciał stracić ulubionej i ociągał się z dnia na dzień. Przypadek wszystko zrządził. W gazecie Irenka wyczytała pańskie nazwisko i ona je pamiętała. Uprosiła ojca, żeby napisał do Paryża. Czy to pańska siostra, ta studentka z Sorbony?

– Przyrodnia.

– Czy panowie już po śniadaniu? – ozwała się panienka, wsuwając głowę spoza drzwi jadalni.

– Dziękuję pani. – Marek ukłonił się, wstając żywo z miejsca. Zaledwie przypomniał sobie, z czym tu przyszedł.

Clarke z wielką precyzją zaczął dobierać cygaro, Czertwan jakiś dziwnie nieswój poszedł do młodej gospodyni.

– Przyniosłem pani księgi – wymówił z trudnością. – Może pani raczy je przejrzeć i uwolnić mnie już…

– Czy pan nie może pozostać? – rzekła z prośbą w głosie.

– Nie mogę, pani. Dorabiam się i ja ciężko lepszego bytu. Mam nawał pracy u siebie.

– Czy panu mało wynagrodzenia?

– My za pieniądze nie służyliśmy tutaj! – odparł, odrzucając hardo głowę. – Ojciec robił to dla przyjaciela, a ja dla ojca. Zresztą zarządzających nie brak, ja pani mogę nastręczyć zdolnego i uczciwego człowieka; służba stara, zaufana, procesów i sporów żadnych, porządek utrwalony od dwudziestu lat.

– Ależ panie! Ja nie znam mowy, obyczajów, praw. Mnie trzeba nie rządcy, ale przyjaciela. Niech mi pan choć swą pomoc i radę przyrzecze w początku nowego życia.

– Ile razy pani mnie zapotrzebuje, stawię się na rozkazy.

– Niech pan choć co tydzień przyjeżdża.

– Przyjadę na każde pani wezwanie. Zagroda moja niedaleko, za Dubissą.

– Dziękuję panu i za to. Czy to wielka łaska i ofiara?

Spojrzała nań uważnie, ale on oczu nie podniósł i patrząc w ziemię, odparł głucho:

– Nie, pani! Żadna ofiara…

Zwróciła się, zniecierpliwiona tym chłodem kamiennym. Czy oprócz kochania kraju głaz ten nic nie ma w duszy?

– Ileż mi pan jeszcze czasu poświęci teraz?

– Do wieczora skończymy rachunki i kontrolę.

– Do wieczora… a potem?

– Pójdę do domu!

– Panie, litości! – zawołała przerażona. – Wczoraj przyjechałam, nie byłam nigdzie poza dziedzińcem. O majątkach swoich tyle wiem, co o wnętrzu Afryki. Pokaż mi pan przynajmniej choć z daleka moją ziemię, lasy, folwarki. Niech cokolwiek zobaczę, zrozumiem! Ojcowie nasi byli braćmi; przez pamięć dla nich proszę mi dać odrobinę przyjaźni. Ja tu nikogo nie mam w tym kraju, do którego z taką tęsknotą jechałam…

Głos jej miał śliczne, miękkie dźwięki, a piwne oczy spojrzały żałośnie.

138

Spotkali się wzrokiem. Surowe jego rysy złagodniały, pociemniały od fali krwi. Źle zrobił, że patrzył, bo się zachwiał w postanowieniu.

– Zostanę, pani, ile będę mógł! – odparł bez namysłu.

Było to jej pierwsze zwycięstwo.

Odetchnęła! Marwitz, dokończywszy cygara, znalazł ich w gabinecie nad stołem zarzuconym papierami. Umieścił się wygodnie i godzinę słuchał agronomiczno-administracyjnej prelekcji, wreszcie znudzony powstał z zamiarem udania się do parku.

– Panie Czertwan – zagadnął – czy ogrodnik mnie zrozumie?

– Nie, on nawet po polsku mało co umie. Czego pan potrzebuje?

– Widziałem rzekę, wnioskuję, że rybna. Chciałbym dostać przynęty do wędki. Jest to najmilsze spędzenie czasu! Hazard i obserwacja! Wędkę przywiozłem z domu. Już się śmiejesz, Iry? Ty zawsze moje gusta traktujesz z humorystycznej strony.

– Myśl wędki z Ameryki to istotnie niezwykły hazard i obserwacja! Przecież byłoby gorzej, żebym płakała nad twoimi gustami!

Marek zawołał służącego i polecił mu amatora rybołówstwa. Panna Orwidówna szczerze była ubawiona tym epizodem. Olbrzym ani mruknął.

– Czy pan nigdy się nie śmieje? – spytała.

Pochylił się nad planem jakimś...

– Nigdy... – zamruczał niewyraźnie.

– Pan nieżonaty?

– Nie, pani!

– Wdowiec zatem?

– Czemu? – zagadnął, podnosząc zdziwione oczy.

– Bo pan ma obrączkę...

Spojrzał na swą rękę i niewyraźnie odparł:

– To matczyna.

– Ah, więc pan stracił matkę? Dawno?

– Bardzo dawno!

– To dlatego pan zawsze ponury. I narzeczonej pan nie ma? Potrząsnął głową.

– I rodziny żadnej?

– Przyrodnia, nie swoja. Oni osobno, ja osobno.

– To panu bardzo pusto i nudno na świecie.

– Jak każdemu! Jest smutek, jest pociecha. Czy pani przejrzała ten plan folwarku Giłus? Owczarnia tam stoi i tysiąc owiec angielskich.

Zatopili się znowu w pracy. Słuchała go uważnie, serio, robiła notatki, pytała o mnóstwo szczegółów. Po paru godzinach policzki jej pobladły, oczy świeciły gorączkowo. Zmęczyła się, nie odpoczęła jeszcze zupełnie po drodze, ale mimo to pracowała dalej. Parę razy tylko skrzywiła się i dotknęła skroni. Bolała ją głowa z natężenia i chaosu cyfr.

Dziwna rzecz: on tylko księgami był zajęty, a jednak spostrzegł i zrozumiał ten ruch. Zawahał się i wreszcie przerwał swe sprawozdanie.

– Cóż dalej? – pytała. – Skończmy o tej gorzelni.

– Może jutro skończymy? Pani zmęczona.

– Mniejsza z tym. Muszę korzystać z pana grzeczności i czasu. Wypocznę potem!

– Już jutro skończymy! – powtórzył, wstając.

– I owszem, kiedy pana wola. Chodźmy odwiedzić rybaka.

– Możemy dziś zwiedzić jeden folwark, ten najbliższy, Powerpiany.

– Ach, dobrze, z całą przyjemnością. Dziękuję panu.

Zakończyła ślicznym spojrzeniem i ruszyli razem do ogrodu. Park tarasami zbiegał do rzeki i utrzymany był, jak wszystko, bardzo starannie. Dubissa na wiosnę obrzucała pianą nadbrzeżne drzewa, teraz ustąpiła już nieco, zostawiając kawał twardego, stromego brzegu. Marwitz tam siedział, z cierpliwością bonza* chińskiego patrząc na kawał korka tańczący na falach. W kuble obok miał już parę drobnych rybek.

Nie obejrzał się wcale na szelest kroków.

– Jakże z twoim hazardem i obserwacją? – zawołała wesoło gospodyni.

Poruszył się niecierpliwie.

– Iry, wiesz, jak ryba boi się hałasu! Tyle razy ci to mówiłem. No i znowu teraz, jak zwykle, spłoszyłaś zwierzynę. Od pięciu minut krążyła około haczyka. Uciekła i nie wróci!

Wydobył wędkę i zniechęcony rzucił ją na piasek.

– Niech się pan nie trwoży – ozwał się Marek – nie jedna ona! Łakomstwo i ciekawość to uniwersalne rybie wady!

Panna Irena ruszyła ramionami i ciekawie przyglądała się panoramie okolicy.

W lewo Ejnia wpadała z łoskotem, obracając koło wodnego młyna, w prawo bielały Skomonty, czerwieniał dach kościółka, grusze plebanii czerniały majestatycznie i długą linią wyciągało się wsi kilka.

Wprost dąbrowa stała cicha, poważna, ozłocona słońcem i przeglądała się w sinych, burzliwych falach Dubissy.

Kilka łódek płynęło tu i tam z rybami lub pękami świeżego siana; po polach snuli się ludzie z pługami, czasem zaśpiewał kto na wodzie pieśń pobożną lub przy spotkaniu witali się Bożym imieniem.

Obrazek był wdzięczny, cichy i bardzo pogodny. Podniósł nawet nań oczy Marwitz i po chwili raczył zauważyć:

---

* bonza – w Japonii i Chinach nazwa świątobliwego kapłana buddyjskiego

– Podoba mi się twój kraj, Iry. Ten widoczek okupuje nawet złe drogi i dziurawe mosty.

– Ładny – powtórzyła z uśmiechem – tylko dziwnie cichy. Zobacz, jak ci ludzie powoli się ruszają, powoli pracują i wciąż milczą! Porównaj to z gorączką naszej fermy.

– Lud, co innego! – odparł Marwitz. – Z moich obserwacji wnoszę, że musi być leniwy, ociężały, nieroztropny i ponury! Cóż dziwnego, że narzekają na biedę!

Marek w dąbrowę miał oczy utkwione i wytężony słuch. Przez huk Dubissy i pomimo oddalenia szum daleki wpadał mu w ucho i coś gwarzył, i wołał, i witał. Słowa Marwitza przerwały tę rozmowę tajemniczą, spuścił w dół na Amerykanina oczy i zaczął głucho, coraz się ożywiając:

– Pan się myli. Lud nasz, ociężały pozornie i ponury, jak mrówka pracuje i serce ma łagodne a szlachetne. Milczy, to prawda, ale nie dlatego, że mówić nie chce albo nie myśli, ale dlatego, że mu mówić nie wolno i czasu nie ma. Po wsiach tych nie znajdzie pan szynków ani rozpusty; lepsza ta cisza od lada jakiej wrzawy! Robimy powoli, ale ciągle ile mocy…

– Przepraszam pana za lekkomyślne przypuszczenie – rzekł Marwitz, wyciągając doń rękę. – Zaraziłem się wadą Iry: prędkim sądem, będę teraz po waszemu milczeć i obserwować.

Panienka spod brwi zmierzyła ich obu.

– Nie zrzucaj na mnie własnych grzechów! – zawołała. – Wyznaj, że dla ciebie poza Ameryką nie ma doskonałości, a poza Kościołem anglikańskim nie ma zbawienia! Tyle razy mi to powtarzałeś!

– No, zapewne, z wyjątkiem Kościoła. Nie jestem dewotem. Lubię nade wszystko spokój.

– Wiemy, wiemy! To *credo* słyszał pan Czertwan pewnie już dzisiaj kilka razy, a ja tysiąc razy! Co to za dwór? – zagadnęła Marka.

– Skomonty! – odparł krótko.

142

– Czyje? Może tej wdowy, którą pan wczoraj odwiedzał?

– Nie, pani, to ojca mego majątek.

– Ach, zatem pański; a to dalej kościół?

– Nasza parafia.

– To pan tam mieszka, w Skomontach?

– Nie, pani. Moje za dąbrową, nie widać.

– A las czyj?

– Mój – rzekł z wyrazem radości w chmurnych źrenicach.

– Są tam zwierzęta jakie? – wtrącił się do rozmowy Marwitz.

– Zwierzyna, pan myśli?

– No tak. Kujoty, szakale, niedźwiedzie?

– Nie, tego u nas nie ma! – odparł z najzimniejszą krwią Marek.

Panna Orwidówna usiadła na brzegu i błądząc oczyma po krajobrazie, spytała:

– A ta wdowa, sąsiadka, zdrowsza?

Co ją może obchodzić nieznajoma? – pomyślał – ot, dla próżnej gawędy chyba.

– Zdrowsza! – odparł lakonicznie.

W tej chwili lokaj znalazł ich i oznajmił, że konie gotowe. Mieli jechać obejrzeć folwark.

Marwitz pozostał. Zarzucił wędkę i wpółprzymkniętymi oczyma obserwował korek na wodzie. Chwilami ciepło i cisza rozmarzyły go i drzemał, kiwając się i bezwiednie rusząc rękami. Śniły mu się plantacje, bawełna, tłoki maszyny, tygodniowe wypłaty i pudding* przygotowany białymi rączkami Irenki. Uśmiechał się przez sen, a tymczasem ryby ogryzały robaki i zmykały dalej, a rybacy z łódek przyglądali się nowej, nieznanej figurze i śmiali się dobrodusznie.

_____
* pudding (ang.) – angielska potrawa z mąki, gotowana na parze albo pieczona, o konsystencji budyniu, podawana jako danie główne (z mięsem) albo jako deser (z cukrem, czekoladą)

Mógł oddawać się swej namiętności bez żadnego skrupułu. Irenka nie potrzebowała go wcale. Od świtu pieszo lub wózkiem odwiedzała swe posiadłości, wglądała w każdy szczegół, za powrotem słuchała objaśnień Marka i uczyła się gwałtownie języka swych ojców. Siedzieli zwykle na ganku ogrodowym: on zgarbiony, zapatrzony w ziemię, ona otoczona podręcznikami i słownikiem. Nie wspominał już o odjeździe, ale powoli nakłaniał ją do sesji gospodarskich, do kontroli, do zatrudnień gospodyni domu, uczył przykładem, przygotowywał do obowiązków!

Zwiedzili folwarki, lasy, młyny, choć powierzchownie, ale wszystkie; służba udawała się do niej po rozkazy, rozumiała już kilkadziesiąt słów mowy. Tydzień minął, a on się nie wydzierał na swobodę, do swej pracy i obowiązków. Siedział jak zaklęty przy niej i milczał.

Pewnego wieczora siedzieli we troje nad Dubissą i Marwitz kokietował ryby robakiem, Irenka uczyła się z podręcznika po polsku jakiegoś zdania najeżonego spółgłoskami. Marek opodal spoczywał na ziemi i na dąbrowę patrzył.

Wtem spoza drzew cicho, tajemniczo wysunęła się łódka, jak łupina, i kierowana śmiałą ręką jednego wioślarza, poczęła w poprzek przedzierać się do Poświcia. Gdy minęła zakres cienia, ostatnie promienie zachodzącego słońca oświeciły wyraźnie śniadą cerę i skrzywione, płaczliwe rysy Łukasza Grala.

Czertwan wstał; na twarzy jego malowało się wrażenie przykrości. Pierwszy raz w życiu ktoś go szukał, wzywając do pracy, przypominając, że czas do dzieła.

Gral spostrzegł go i wiosłował wprost do brzegu, zakłopotany widocznie obcym, a tak pięknym towarzystwem, w którym zastał dawnego przyjaciela.

Z dala już zdjął kapelusz.

– Po mnie jedziesz? – zagadnął Marek.

– Darujcie, czekałem dwa tygodnie. Może nie macie czasu?

– Wziąłeś jezioro?

– Jak kazaliście, zrobiłem wszystko. Jezioro nasze, ale nie miałem rozporządzenia na połów, a tu mi Żydzi progi obijają po rybę. Poszedłem po radę do naszego chrzestnego. Chciał po was sam jechać, ale coś niedomaga, mnie posłał. W jurgijskich młynach zabrakło żyta, od czwartku stoją. Pytał się o was młodszy ze Skomontów trzy razy. I panna Hanka przyjechała wczoraj z proboszczową synowicą, i także was potrzebuje. A najgorzej z tymi rybami, bo bardzo płacą teraz. Tak was czekamy jak słońca.

Panna Irena słuchała tej oracji nadzwyczaj ciekawie. Czasem zrozumiała jakie słowo, reszty się domyśliła.

– Pan już nas opuści? – rzekła z żalem.

Pomilczał sekundę i nie patrząc na nią, odparł po swojemu mrukliwie:

– Ile razy pani zapotrzebuje, rzucę swoje i przyjadę. Teraz iść trzeba.

– Zaraz?

– Zaraz.

Skłonił się przed nią głęboko.

– Do widzenia zatem! Dziękuję panu za wszystko.

W tej chwili rybka srebrna była o cal od przynęty, już zwracała do niej pyszczek, pomimo to Marwitz wydobył wędkę i wyciągnął do Czertwana szeroko otwartą prawicę.

– Do widzenia, byle prędko! – wymówił serdecznie.

Uścisnęli sobie po bratersku dłonie. Panienka spojrzała bystro na Marka.

– Możemy się pożegnać i my po amerykańsku. – Uśmiechnęła się z przymusem.

Szeroka, ogorzała, twarda ręka objęła jej delikatne palce, olbrzymia postać pochyliła się z uszanowaniem. Musiała być bardzo pewna swego, gdy do tego mruka odezwała się wesoło, z błyskiem zalotności w oczach:

– No, możesz ją pan pocałować, kiedy trzymasz.

Pochylił się jeszcze głębiej i spełnił w milczeniu pozwolenie. Gdy się wyprostował, ciemny rumieniec miał na policzkach; unikał jej oczu.

Nie wymówił więcej słowa, skłonił się raz jeszcze i zsunął ze stromego brzegu wprost na czółno; Łukasz zostawił mu miejsce u steru, podał wiosło. Odskoczyli o parę sążni.

Słońce rozpaliło na kolor łuny fale Dubissy. Płonęła woda, czółno, czuby dąbrowy, stały w ogniu sylwetki obu wioślarzy. Jeden drobny, zgarbiony, wpatrzony bezmyślnie w tonie, drugi jak dąb wybujały i potężny, z podniesioną głową, niedbały o wartki prąd i ciągłe wiry rzeczne.

Wiosło gięło się w jego muskularnych dłoniach, postać pochylała się i naginała rytmicznie, bez żadnego widocznie wysiłku.

Patrzył uparcie na dęby swoje i słuchał obojętnie płaczliwej opowieści Grala:

– Już tydzień, jak nas Wojnat wygnał z chaty. Garnki, co były nasze, potłukł, krosna porąbał, odzież i kuferek za próg wyrzucił i ją precz wygnał na deszcz. Dola moja taka! Drugiego dnia ledwie wróciłem z jeziora i do swej chaty przeprowadziłem biedną. Teraz płacze bez ustanku i gadać nie chce. Co ja winien nieszczęsny? Innemu wszystko się śmieje, mnie wszystko płacze. Było się lepiej nie rodzić. Cały zaścianek na języki mnie wziął i na śmiech, a ją palcami pokazują. Co ona winna, biedna, słaba kobieta? Moja dola uczepiła się jej, jak czyrówka (kanianka*) lnu i splątała całe życie.

W tej chwili od Poświcia zabrzmiała po fali melodia nieznanej piosenki. Śpiewał ją jeden głos, potem dwa i znowu

---

* kanianka – roślina pasożytująca na drzewach i krzewach

jeden kobiecy. Marek się obejrzał. Irenka Orwidówna stała na brzegu, oparta o dziwacznie pokręcone członki starej wierzby. Gibkie gałązki objęły, jak w zielone ramki, jej głowę, tło ozłociło słońce. Wyglądała jak obrazek bizantyńskiej szkoły, retuszowany pędzlem Fra Angelica*.

Młody człowiek minutę stał zapatrzony, bezczynnie trzymając wiosło, potem jakby gniew i wściekłość przeszła mu przez oczy, wiosło zagłębił w fale, brwi zmarszczył i nie spojrzał więcej. Łódka wpłynęła w cień dębów i z tamtego brzegu nic już widać nie było. Łuna na rzece zaczęła opadać i gasnąć, potem pieśń ucichła,

Na obu wybrzeżach zapanowała pustka i spokój niczym niezmącony, tylko Dewajtis stary słuchał wieści, co mu niosła Dubissa, i majestatycznie szemrał.

Pod jego cieniem długo dumał człowiek samotny; gdy odszedł, gwiazd było pełne niebo, a w zaścianku piały pierwsze kury. Dąb go żegnał przeciągłym szelestem, a dęby-wnuki za patriarchą powtarzały pożegnanie głuchym chórem.

---

* Fra Angelico – malarz włoski; tworzone przez niego postacie świętych cechuje subtelność koloru i światła

VII

– Panno Aneto?

– A co, dobrodzieju?

– Czy prędko będzie koniec z tymi podłymi robakami?

– Dobrodzieju, nie godzi się poczciwej pszczółki tak postponować. Pracy jest wzorem, jak nasz Marek; śpiewem Boga chwali przy robocie, pałace stawia, jakich by architekt nie potrafił, biały wosk daje do ołtarza i miód na wiele chorób pomocny…

– Niech je tam wszystkie dzięcioły wydziobią, te kąśliwe licho!

– Źli ludzie obgadują biedaczkę! Nie kąsa ona! Matki broni i ula do śmierci! Kto ją lubi i szanuje, tego nie tyka. Ot, trzy roje osadziłam i nie mam żadnej krzywdy.

– Panna Aneta czymś się sekretnie smaruje, to i spokojna. A tymczasem ani my, ani dobytek miejsca znaleźć przed nimi nie może. Pocięły Marka onegdaj, a wczoraj mi źrebaka okaleczyły. Fe! Grenis spuchł jak kadka, mnie oko wygryzły. Skaranie boskie!

– Ja jegomości dam biedrzeńca do oka. Wnet przejdzie!

– Niech panna Aneta lepiej swoim pszczołom da biedrzeńca na umitygowanie. Szelmostwo to lata sobie bez ceremonii wszędzie… Ja im zrobię kiedy sztukę!

– Mój dobrodzieju, nie róbcie, proszę! Melisy im nasiałam, wnet się obeznają i jak dzieci będą ciche!… Trzy pnie,

148

co to znaczy? Ledwie początek. Dziś czwarty znalazłam w dąbrowie, w dziupli; to będzie ostatni!

– Co? Jeszcze jeden? I to leśne, najzjadliwsze! I Grenisa mi weźmie panna Aneta, i wóz, i konia, i drabinę! A! To winszuję!

– Ostatni raz, dobrodzieju, ręczę! Sama bym poszła, ale wysoko, a starość. Żeby Marek był, toby pomógł.

– Pewnie, nawet jemu czas roje wykurzać! Grenis! Zaprzęgaj siwą! No, ale jak mnie panna Aneta zwiedzie, że to nie ostatni, to daję żołnierskie słowo, że pozatykam w ulach okienka, niech zdychają.

– Dobrodzieju, pszczółka umiera, nie zdycha. Nie zwiodę, bo i miejsca więcej nie ma, i czas przechodzi. Jesienią wosk i miodek za to mieć będziemy…

– Ho, ho! Trafiła panna Aneta na moją słabą stronę. Ma się rozumieć! Będzie z tego dochodu tyle, ile kot napłacze. Już ja to wiem. Niech tylko panna Aneta prędko wraca, bo na podwieczorek przyjdzie czarna Julka i Hanka.

– Za godzinkę wrócę. Dziękuję dobrodziejowi za konika!

Grenis zajechał przed dom. Starowina włożyła na wóz sitko, woreczek, kropidło itp. przyrządy pszczelnicze, potem sama się wgramoliła i pojechali, pożegnani skomleniem lisa i klekotaniem żurawia.

Rymko Ragis pozostał na ławce przed domem, z fajeczką w zębach, filuternymi oczyma wodząc dokoła.

Było to świąteczne południe i sobota. Ludzie się rozproszyli po rzece i polach; młodzi dla rozrywki, starzy dla gawędy. Z sąsiedniej zagrody słychać tylko było ciężki kaszel starego Wojnata i gderliwy jego głos, mustrujący parobka i służącą.

W Markowym obejściu nikt się nie kłócił, chyba bocianięta młode na szczycie stodoły, wyglądające żeru. Pogoda, słońce i dobrobyt usposabiały pokojowo mieszkańców. Lis drzemał na przyzbie, siwy żuraw melancholijnie łowił muchy na ścianie, czerwona wiewiórka ze swawoli goniła wróble po wiśniach lub ścigała własny ogon, kręcąc się jak szalona; pod płotem mignęły czasem uszy królika, zajętego gryzieniem łozowych prętów. Gołębie jak biała chmurka spadły do koryta z wodą, a potem obsiadły dach, gruchając *unisono*, psy wygrzewały na słońcu to lewy bok, to prawy, przeciągając się ruchem sybaryty.

Wszystko było zgodne, spokojne i z losu zadowolone; nawet kos w klatce za oknem gwizdał wesoło, a szpak, skacząc po szczebelkach, krzyczał coraz donośniej:

– Na zdrowie! Dzień dobry! Winszuję!

Ragis kręcił wąsa, mrużył oczka, gładził szczotkowatą czuprynę, potem nałożył nową fajkę i jął śpiewać pod nosem:

Nie mówiąc matce powodu,
Tari, tari, tari,
Poszła Filis do ogrodu,
Tari, tari, tari.

Jakby dla kontrastu, w ulicy rozległo się gwizdanie zrazu, potem kuplety z operetki po niemiecku:

Beim Weine, beim Weine, da sitzt man gern zu drei,
Beim Liebchen, beim Liebchen, da sitzt man nur allein!

Podkowa zadzwoniła o kamień i za bramą ukazał się Witold konno, ubrany, jakby jechał na łowy do Windsoru.

– Hej! Jest tam kto? – krzyknął, w bok się biorąc.

Ragis jeszcze szczelniej zmrużył oczka i udawał śpiącego, psiarnia nawet nie raczyła się odezwać, tylko wiewiórka i króliki pierzchły w głąb ogródka, przerażone niebywałym krzykiem.

– *Verflucht! Verdammt!* – zamruczał paniczyk. – Powymierali ci szpitalnicy czy co? Ani swędu! Hej! Marek, otwórz wrota, bo ci je połamię!

Psy, jakby zrozumiały pogróżkę, porwały się z wrzaskiem; wówczas i Ragis odemknął jedno oko i splunąwszy flegmatycznie, odezwał się do hałaśliwej zgrai:

– A, sa, a, sa! Do nogi! Cicho! Subordynacja, hołoto!

– A za się! Do stu piorunów! Łby wam porozwalam, bestie! Czy to wy jesteście Rymko Ragis?

– A ja! – zamamrotał stary, nie ruszając się z miejsca.

– Czy Marka zastałem?

– A nie! – była tymże tonem odpowiedź.

Ładna twarz chłopca poczęła drgać nerwowo. Zbrzydł do niepoznania.

– Dokąd ja tu po niego będę jeździł? Czy to drwiny? Czy on nigdy w domu nie bywa?

– On domu nie ma, a za młody, żeby ze szpitalnikami siedzieć – odparł Ragis flegmatycznie, wytrząsając fajkę.

– To mi nic do tego! Bez żadnych konceptów oświadczam, że ostatni raz tu jestem i raz ostatni wzywam Marka. Więcej mnie nie ujrzycie!

– Cóż robić, zniesiemy i ten dopust! – Ragis uśmiechnął się szyderczo.

Witold zakipiał złością.

– Proszę powiedzieć mu, żeby się w trzy dni stawił w Skomontach dla podpisania działu majątkowego wedle woli ojca i żeby mi oddał dobrowolnie plany, które podstępnie zatrzymał! Rozumiesz? Do trzech dni daję termin, potem go zmuszę. Niech sobie to zanotuje!

– Zanotujemy, jasny panie, każde wasze słóweczko! Ma się rozumieć! Rachunki się zejdą! Ho, ho, czemu nie? Potrzeba wam nagle kruszcu, widać? No, no, trochę cierpliwości! Marek go dla siebie nie zatrzyma! Przyniesie!

– Ja jego nieczystych pieniędzy znać nie chcę! Niech mi odda, co zagarnął, i idzie sobie na cztery wiatry! Ja go nauczę uczciwości i akuratności!

– Może i mnie? – wtrącił Ragis.

– Wam się należy także nauka, jak traktować poważnie poważny przedmiot. Głupie żarty wcale nie na miejscu.

– I głupie pogróżki także!

– Zobaczymy, czym się ten upór i szachrajstwo wasze skończy…

– Zobaczymy, a tymczasem wasze impertynencje warto skończyć, błaźnie. – Rymko podniósł głos, wstając z ławy.

Na ruch ten i głos komenda czworonożna stanęła do boju gotowa. Psy, nader awanturnicze, skoczyły pierwsze, warcząc złowrogo. Stary sięgnął po kij i postąpił do wrót.

– Wracaj do domu, młokosie! Tu w tej zagrodzie nie ma miejsca dla szubrawców! A języka pilnuj, bo możesz pożałować! Fora!

Witold z wyżyn swego folbluta* spojrzał zuchwale na kalekę, szpicrutę ścisnął mocniej w dłoni i gryząc do krwi pobladłe wargi, żuł przekleństwa.

Ragis doszedł furtki, otworzył ją; psiarnia patrzyła mu w oczy.

– Fora! – powtórzył jeszcze silniej.

– Nie krzycz, staruszku! – odparł młodzik, uśmiechając się zjadliwie. – Tyle dbam o ciebie, co o twe szczudło!

– Fora! – huknął kaleka.

Psy, jak na hasło, skoczyły naprzód. Dwa rzuciły się do nozdrzy konia, dwa do nóg i brzucha. Jeden znienacka porwał za but jeźdźca. Zapanował piekielny hałas. Koń zaczął wierzgać, chrapać, rzucać się jak szczupak. Szpicruta Witolda, zamiast odpędzać psy, pobudzała do szału konia, który

* folblut – koń pełnej krwi angielskiej

152

pomimo munsztuka wziął na kieł i rzucił się w ulicę bezprzytomny. Po chwili jeden pies zziajany przyniósł do nóg Ragisa zakurzoną dżokejską czapkę, drugi dostawił podartą rękawiczkę, dwa przyszły, kulejąc i skomląc żałośnie, ostatni nareszcie ukazał się z największą zdobyczą – niósł triumfalnie groźną przed chwilą szpicrutę.

Po świetnym jeźdźcu został tuman kurzu…

Psy, mocno zdziwione, obchodziły pana i zaglądały mu do rąk. Nie mogły zrozumieć, czemu po łowach na takiego grubego zwierza nie dostały ani skoków, ani jelit? Ragis, dysząc z gniewu, nie patrzył nawet na swych faworytów.

Spokój i cisza uciekły z zagrody. Pozostało nadzwyczaj przykre wrażenie; dołączyła się zewnętrzna przeszkoda.

Parobek od Wojnata zajrzał przez płot i rzekł zalękłym głosem:

– Gospodarz prosi pana Marka.

– Nie ma – odburknął Ragis.

– Oj, to co będzie? – zajęczał chłop. – On musi już prędko umrze!

– Wojnat? Cóż mu tam?

– Nie wiedzieć co! Położył się i bardzo grzecznie gada. Musi to już mu koniec, panie!

– Powiedz, że jak Czertwan wróci, to go przyślę.

Parobek odszedł, ale wieść ta mocno podnieciła starego.

Czego mógł chcieć wuj od wygnanego niegdyś siostrzeńca? Może naprawdę umiera?…

Niedługo dumał spokojnie kaleka. Sądzonym było, że zagroda Markowa będzie dnia tego celem pielgrzymki i hiobowych wieści.

Furtka skrzypnęła, na dziedziniec wszedł chłop niemłody, obielony mąką, postawy, pomimo lat, prostej i zdradzającej dawną żołnierkę,

O trzy kroki od Ragisa stanął w prawidłowej pozycji szeregowca i milczał.

– A cóż tam, kolego Juchno? – zagadnął były kapral, wąsa muskając.

– Z raportem od młyna przychodzę. Dziś w nocy woda porwała koło.

– A gdzież ty byłeś, żeś nie dopilnował? Spałeś?

– A spałem. Panicz mi wyznaczył trzy godziny wypoczynku od północy. Jak się obudziłem, nie było koła. Poszedłem go szukać i znalazłem pod Gryniszkami. Chłopi złowili. Chcą wykupu.

– To dopiero facecja*! Takie koło! Paręset rubli warte! A mówiłem ci, Juchno; w młynie, jak na forpoczcie, Dubissa zawsze nad złem przemyśliwa. Zdradny to nieprzyjaciel! No i zrobiła psotę!

– Aha! To klekotanie i hałas tak odurzy, że śpisz jak zabity. Chłopi chcą teraz trzydzieści rubli! Już ja bym swymi zapłacił, ale odesłałem wnukowi do szkół, więc przyszedłem do panicza po ratunek…

– Ma się rozumieć! Do panicza po ratunek! Już on do tego tylko na świat się urodził. Ho, ho! To się wie. Każdy rad puchliznę z głowy jemu oddać. Jeszcze łaja potem na podziękę. Wracaj, stary, bo ci Dubissa i resztę zabierze. Panicza przyślę jutro rano.

Tu Ragis, jak arcykapłan wielce możnego boga, skinął łaskawie, dumny ze swego stanowiska – i rozsiadł się wygodniej.

– Cudowna Panienko – rzekł z westchnieniem, gdy się furtka za Juchną zamknęła – dzięki ci raz jeszcze, że tylko to drewienko mam swoje na świecie! – Pokiwał głową i przerwał monolog nuceniem:

_____

* facecja – żart, dowcip

Kto pieniędzy nie ma, ten żyje szczęśliwy,
I noc ma spokojną, i dzień nietroskliwy!

– Marczysko moje niby coś ma i cóż z tego? Spieszy, spieszy od tego jeziora, jak na gody do chaty! Aha, ma się rozumieć – będą mu gody! Witold, Wojnat, Juchno z kołem! Antyfona! Jeszcze nim przyjdzie, kilkoro tego przybędzie. Ot, tobie pociecha obywatelska! Oh, moje ty drewnuszko poczciwe – z tobą nie ma kłopotu!

Uśmiechnięty starzec poklepał pieszczotliwie swą drewnianą nogę i wnet ucha nadstawił.

– Oho, wraca panna Aneta z muchami swoimi! Moje uszanowanie! Dostanę buziaka, nie prosząc! To ci dopiero amatorstwo!

Turkot się zbliżał, Ragis wstał żywo i umknął do chaty. Przez okienko wytknął głowę i parlamentował:

– A co? Udało się pannie Anecie?

– A jakże, dobrodzieju, a jakże! Jak Grenis podkurzył, wyleciały nieboraczki. Podałam im gałązkę jarzębiny i wnet opadły. Królowa siadła mi na ręku – ot, mam ją tu, w klateczce!

– Dziękuję, dziękuję, nieciekawym! Zabierajcie to z podwórza! Hu, co ich lata! Aż mi ciarki chodzą po skórze!

– I nie wstyd to staremu żołnierzowi kryć się przed ukłuciem żądła? – zabrzmiał znienacka obcy głos z przeciwnej strony, od łąk.

– A nie wstyd to wam, dziewczęta, trawę mi deptać? Ej! Ograbię, ograbię! – odparł niezmieszany, oglądając się z uśmiechem.

W głębi podwórza, za płotem ogródka warzywnego, stały dwie nierozłączne przyjaciółki i koleżanki: Julka Nerpalis i Hanka Czertwan.

Przyjaźń to była dawna, od dziecka, i braterstwo ducha pragnącego czynić i myśleć samodzielnie. Julka ze swą trzeźwą, żywą naturą objęła od dawna pierwszeństwo i ster tej spółki. Rok ciężkiej pracy i koleżeństwa zacieśnił węzły. Zrównały się pracą, wytrwaniem, zespoliły się prawie w jednostkę, uzupełniała jedna drugą.

Pozornie niepodobne były do siebie, chyba z ubioru. Jedna śniada, żywa, rozmowna, zawsze wesoła, o biegających oczach i mieniącej się co chwila twarzy, przedstawiała czyn i praktykę; druga blada, milcząca, z wieczną zadumą na czole i chmurą w wielkich tęsknych oczach, była obrazem myśli cichej, głębokiej a wielkiej.

Na wspomnienie zdeptanej łąki przestrach i zawstydzenie mignęło w źrenicach Hanki. Nie znała się na żartach, słowo każde było dla niej świętą prawdą, co do litery. Julka potrząsnęła wyzywająco swą kędzierzawą głową i odparła swobodnie:

– Niech pan ograbi pasterzy tej trzody, którą właśnie wypłoszyłyśmy z łąki. Nam się należy za ten czyn honorowa wzmianka!

Panna Aneta z własnego doświadczenia pojęła panikę Hanki, co rychlej więc nadeszła z pomocą, powiesiwszy uwięziony rój na wiśni.

– Nie słuchajcie, moje dziateczki. Jegomość żartuje! Chodźcie do nas! A jakież to ziółko u ciebie w ręku, Haneczko? Może na co sposobne?

– *Cynoglossum**, ciociu. Ma szerokie zastosowanie! – odparło dziewczę, całując serdecznie twardą dłoń starowiny.

– Może od reumatyzmu? – zagadnął Ragis, podchodząc.

– Ej, nie. Na reumatyzm mikstury nic nie poradzą. Potrzebny klimat, sądzę – rzekła nieśmiało i bardzo cicho.

---

* *cynoglossum* (łac.) – ostrzeń pospolity; roślina trująca, mająca zastosowanie w medycynie naturalnej

– Nie stawiaj diagnozy, Hanko! Poczekaj cztery lata. – Julka zaśmiała się i zwracając się do gospodarzy, dodała:

– Pana Marka nie ma w domu?

– Co? I pani go potrzebuje? – zawołał Ragis.

– Naturalnie, i to bardzo pilno. Stryj potrzebuje go do pomocy w sprawie jakiegoś kościelnego gruntu za rzeką, który mu dzierżawca Żyd chce odebrać. Prosi go bardzo do siebie na plebanię.

– Gdzie go nie proszą?… Ale go nie ma. W Wiłajkach na połowie siedzi już tydzień – może dziś wróci.

Hanka zawahała się nieco i wreszcie odezwała się z cicha:

– I ja bym rada go zobaczyć. Tam w domu…

– Wiem, wiem – przerwał Ragis – miałem dziś honor rozmawiać z waszym milutkim dziedzicem. No, ziółko!…

– Młodość, dobrodzieju, nierozwaga! – mitygowała, jak zwykle, staruszka.

Panienki weszły tymczasem na podwórze i usiadły na ławce pod oknem. Julka już rzuciła trzymaną książkę, Hanka pęk ziół i kwiatów, zdjęły kapelusze i zawierały znajomość z menażerią Ragisa.

Panna Aneta wchodziła, to wychodziła z domu, mocno widocznie zafrasowana.

– Moje dziatki, czymże ja was ugoszczę? – wymówiła wreszcie swą wielką troskę, załamując ręce desperacko.

Nim miały czas zaprotestować, skrzypnęła furtka i piękna żona Grala weszła na podwórze. Biała chustka z lekka okrywała jej złoty włos, słońce opaliło nieco twarz, a strój zaścianka, barwny i dostatni, podnosił jeszcze urodę.

W jednej ręce trzymała spory kosz, liśćmi pokryty, drugą dłonią przysłoniła oczy i powitała całe towarzystwo wesołym uśmiechem.

– Dobre południe. Przyniosłam pannie Anecie poziomek z dąbrowy.

Błogość niebiańska rozmarszczyła stroskane oblicze, wnet jednak skrupuł ją zamącił.

– Dziękuję wam, Martusiu, dziękuję! Ale nie godzi się odbierać jagód! Zbierać ciężko! Może staraliście się dla męża?

– Jeszcze by co? Czy on się tam zna na czymś dobrym? – odąwszy usta, odparła piękna kobieta.

Ragis zmrużył oczka filuternie i wąsiki nastroszył:

– Doprawdy? Na dobrym się nie zna? Ma się rozumieć! Cebula! Źle, pani Łukaszowo, kiedy tak człowiek bez gustu, to zupełnie fe!

Kobieta zaśmiała się, aż błysnęły wszystkie zęby w koralowej oprawie. Koszyk postawiła na ławce i dodała:

– Czyja dąbrowa, tego jagody. Zbierałam z uciechą, bo przy święcie w chacie tak nudno, że i pies nie usiedzi.

– Wojnat podobno umiera? – przerwał Ragis.

Twarz Marty zmieniła się w mgnieniu oka. Z uśmiechniętej stała się twarda i ponura. Niedbale machnęła ręką.

– A niech umiera! – syknęła przez zęby.

– Marka dziś wołał – mruknął kaleka.

– Już wołał? Spróbował panowania w pustce! No, zobaczy, czy tak łatwo sprowadzić, jak wypędzić! Marek pewnie nie poszedł?

– Nie poszedł, bo go nie ma. Ale żeby był, to by nie odmówił choremu. I wam, pani Łukaszowo, przystoi tam zajrzeć…

– Żeby konał, to nie pójdę! Jak psa wypędził i Marka, i mnie! Niech go teraz pies dogląda!

Zaiskrzyły jej się oczy, poczerwieniały policzki. Z ładnej kobiety stała się megierą. Ragis popatrzył, głową pokręcił i już milczał.

– Mnie się zdaje, że i Marek nie pójdzie – mówiła dalej – ot, żeby zawołał Łukasza, to co innego! Temu się zawsze zdaje, że on za grzechy całego świata powinien cierpieć i lamentować! Ja nie taka!

Szczęściem, że panna Aneta nie słyszała tej złości, bo by nie odważyła się przyjąć jagód od takiej impetyczki. Ale starowina, uspokoiwszy skrupuły, zabrała koszyk i znikła z nim w głębi domu. Ukazała się zaledwie po wybuchu gniewu, z pustym sprzętem, i serdecznym podziękowaniem przerwała niemiłą scenę.

– Nie ma za co – uśmiechnęła się po dawnemu Marta – ale ja stoję, a nie mówię najważniejszej rzeczy. Tam na Dewajte spotkałam państwa z Poświcia. Łódką przyjechali. Sama pani bardzo ładna i modnie ubrana, a pan, musi być mąż, to taki brzydki, że aż strach!

– Cóż oni tam porabiali? – spytał Ragis i Julka, bo Hanka od dawna zatopiona była w obserwacji białych chmur na szafirze, a panna Aneta podreptała do domu.

– Śpiewali, rozmawiali nie po naszemu, zaglądali do lochów, do studni, obchodzili trzy razy Dewajtisa, aż nareszcie zobaczyli mnie i podeszli. O coś się pytali, o dąb chyba, bo ręką pokazywali. Pani umie trochę po polsku, ale nie zrozumiałam. Potem zajrzała do jakiejś książki i pyta: „gdzie pan Marek Czertwan?". Pokazałam im ścieżkę, ukłonili się i poszli dalej. Niezawodnie przyjdą tutaj…

– Śliczna nowina! – zawołała Julka. – Będę ich wyglądać aż do północy! Bardzo jestem ciekawa tej Amerykanki. Nie widział jej nikt jeszcze?

– Nie. Pytałem Marka, czy ładna, ale naturalnie nic się nie dowiedziałem – wtrącił Ragis.

– Podobno bardzo pracowita i praktyczna. Witold u nich był zawczoraj – odezwała się Hanka – mówił, że bez zachwytu patrzeć na nią niepodobna.

– Ho, ho, ho! Może być źle z Witoldem! Dostanie harbuza!

– Skąd pewnik tak smutny? – zauważyła żartobliwie Julka.

– Ma się rozumieć! Przecież żadna pracowita i praktyczna za niego nie pójdzie! Albo ja nie wiem? Zresztą ten brzydki to jej narzeczony.

– Matko cudowna! – wykrzyknęła Marta. – A gdzież ona oczy miała?

– Ho, ho, ho! Nie wspominając, i wasze oczy musiały się zaćmić, pani Łukaszowo! – Ragis uśmiechnął się szydersko.

Kobieta okryła się szkarłatnym rumieńcem.

– Niewola nie raj! – odparła zmieszana.

– Ochota gorzej niewoli! – szydził stary bezlitośnie.

Zwróciła się do furtki, nasuwając chustkę na oczy.

– Do widzenia państwu! – rzuciła przez ramię i wyszła.

– Śliczna kobieta! – zauważyła z cicha Julka. – Podobno gust pana Marka?

– A gust! – Stary skrzywił się. – Uchowaj, Chryste, takiego gustu!

Panna Aneta ukazała się w progu z tacą pełną spodków, salaterką poziomek i dzbankiem mleka, za nią Grenis wyniósł przed ławę stół świeżo heblowany.

– Macie, moje dziatki, pożywajcie ten specjał – uśmiechnęła się łagodnie – a ja tymczasem pszczółki osadzę w ulu, żeby niedługo się męczyły w woreczku!

– Ja pomogę cioci! – ofiarowała się Hanka.

– Dziękuję, moja złota! Grenis pomoże. Ty jedz jagódki i odpoczywaj po tych okropnych lekcjach.

To mówiąc, starowina zarzuciła na plecy jakąś płachtę, na głowę włożyła sitko opięte płótnem i w towarzystwie parobka powędrowała w głąb ogrodu.

Panienki śmiały się z tego dziwacznego stroju, zajadając czerwone jagody.

Żuraw, niekiedy korzystając z roztargnienia, wyciągał szyję i zanurzał też w salaterkę długi swój dziób, reszta menażerii przyglądała się z daleka.

– A gdzie to Żywusia? – zagadnęła nagle Hanka, białą ręką gładząc pióra oswojonego ptaka.

– Żywusia! – Ragis gwizdnął, szukając czegoś po dachu i gałęziach.

Ze strzechy prosto na stół zeskoczyło czerwone swawolne zwierzątko. Usiadło na tylnych łapkach, przednie złożyło na krzyż i ruszając wąsikami, spoglądało po obecnych parą okrągłych jak paciorki oczu. Puszysty ogon, niby baldachim, chwiał mu się nad głową.

– Chcesz orzecha? – spytała Hanka z uśmiechem.

Na widok specjału wiewiórka wykonała mistrzowski skok, porwała orzech i uciekła z nim na płot. Lis zaglądał ciekawie, żuraw zaś pomaszerował ku niej może w złych zamiarach, ale nie dbała o nie wcale, gryząc zawzięcie łupinę.

– Jeszcze jednego brak z moich dawnych znajomych – ozwała się Hanka. – Może zginął poczciwy jeż, co nie kole?

– Igiełko! – zawołał Ragis rozpromieniony. – A gdzież by się, hultaj, podział? Jest birbant, nic dobrego! Dnie całe śpi, a w nocy harcuje. Z natury nieprzystojny! Ho, ho, uczę go bez ustanku, ale uparte, w zdrożnościach zakamieniałe! Skończy źle, jak każdy nicpoń!

– Przyrodę trudno zmienić! – zauważyła serio Julka. Znała już od Hanki dziwactwa starego wiarusa i słuchała z zajęciem.

A Ragis się zapalił, rozruszał. Ulubiony to był jego temat.

– Ma pani świętą rację. Zwierzęta jak ludzie, tylko tym lepsze, że gadać nie mogą i pieniędzy nie znają! A z resztą to samo! Bywa dobry i zły, łagodny i gniewliwy, skrzętny i próżniak, uczciwy i złodziej, ładny i brzydki. Tylko się przypatrzyć! Proboszcz mnie wyłajał, gdym mu rzekł, że w zwierzu każdym człowiek jakiś pokutuje. Grzech grzechem, ale ksiądz nie dał mi wyłożyć rzeczy, pewnie by sam uwierzył! Trzydzieści lat bestyjki różne hoduję i przypatrzyłem się dobrze każdej. Wszelako nie ma lepszego jak pies, a gorszego nad liszkę. Och, co ten mój Robak batogów zjadł, nim się trochę zreformował! Prawda, Robak?

Lis pokręcił ogonem i z miną niewiniątka zezem obserwował czubate kokosze panny Anety. Całe życie walczyło w nim zagadnienie: dyscyplina czy kurnik?

– Proszę mi jeża pokazać! – poprosiła Julka.

– A mnie króliki! – dodała Hanka.

– Zaraz, zaraz! Pierwej Igiełkę zbudzę, a potem całą tę hołotę zwołam. Chowają się po kątach, błazny!

Gwarząc coś dalej, pokulał do domu i po chwili wrócił, niosąc w rękach małe kolczaste zwierzątko. Birbant Igiełko, ze smacznego snu zbudzony, zwinął się w kłębuszek i sapał z niezadowolenia. Znał jednak subordynację, bo kolce złożył i nie wydzierał się na swobodę.

Ragis umieścił go na stole przed Julką i gwizdnął.

Jeż na to hasło wyścibił ryjek, wyciągnął się i stukając w takt nóżkami, podpełzał do właściciela.

– Chcesz cukru, hultaju ty jeden? – zagadnął Ragis.

Ryjek podniósł się, węsząc łakomie.

– Aha, chcesz? A brewerii po nocach zaprzestać to nie chcesz? Spokój zakłócasz w całym domu! Ma się rozumieć, jesteś potajemny łotrzyk, niby to układny, a lichem podszyty! Ho, ho! słuchaj no, słuchaj!

Podczas tej rozmowy z kieszeni kapoty ukazał się kawał cukru. Moralizując, kaleka trzymał go nad głową winowajcy. Jeż obojętnie znosił wyrzuty, węszył, podnosił ryjek, wreszcie wspiął się nieco i korzystając z krasomówczego zapału, porwał przysmak, przykucnął i począł zajadać w najlepsze.

– Zawsze z nim tak – skarżył się Rymko – ani dba! Groch o ścianę! Żeby nie jego pilność nad wytępianiem myszy i żab, powiesiłbym ladaco! Talent jest, ale charakter zły!

Widać było jednak z miny starego, że ladaco ten był jego faworytem. Pogłaskał go parę razy i patrzył z lubością.

– No, teraz werbel i popis! – zawołał, wstając znowu. Wszedł do chaty i wnet wrócił, trzymając flet stary w zielonym futerale. Przyłożył go do ust i zagrał piskliwie starodawną piosenkę:

Już miesiąc zeszedł, psy się uśpiły…[*]

Nikt by nie uwierzył, co za skutek piorunujący wywrze ta sentymentalna melodia! Na pierwszy dźwięk kilkoro dzieci, gapiących się z ulicy, pierzchło jak stadko wróbli po strzale. Grenis, zajęty osadzaniem roju, zadygotał jak w febrze, ludzie wracający z pola lub siedzący na progu sąsiednich domostw obejrzeli się trwożnie i skryli, co rychlej, zamykając szczelnie drzwi, a natomiast w Marka zagrodzie zapanował ruch nadzwyczajny. Gromadka długouchych królików wyskoczyła na podwórze do nóg starego, przymaszerował żuraw pośpiesznie, przerwał kokietowanie kur rudy Robak, rzuciła orzech czerwona Żywusia, Igiełko nawet raczył przerwać chrupanie cukru…

Wszystko skupiło się dokoła wielkiego czarodzieja i z natężeniem spoglądało mu w oczy. W dodatku szpak wołał wielkim głosem, a kos, jak umiał, naśladował, gwiżdżąc, pieśń o Filonie!

W tymże czasie Irenka Orwid i Clarke Marwitz wkraczali pieszo do zaścianka. U pierwszej zagrody przystanęli i panienka spytała kilkorga dziewcząt śpiewających w ogródku, gdzie mieszka pan Marek Czertwan.

---

[*] *Już miesiąc zeszedł…* – popularna piosenka do słów sielanki Franciszka Karpińskiego *Laura i Filon*

Zapytanie ułożone było w ozdobnym stylu polsko-nie-mieckich szablonowych rozmówek; zapewne dlatego nie zrozumiały go zaściankowe piękności. Spojrzały po sobie, po obcych miejskich panach i pierzchnęły, jak stado saren, w gęstwinę wiśniowych pędów.

Amerykanie poszli dalej, mocno zgorszeni i zawstydzeni tym przyjęciem.

Po kilku jeszcze niefortunnych próbach trafili na wy-rostka jadącego oklep na malutkim koniku z sążnistym ba-tem w ręku.

Ten spod szerokich kresów kapelusza spojrzał na biały pieniądz w dłoni Marwitza, na jasną sukienkę pięknej pani i po chwili namysłu ruszył naprzód, wzywając ich skinie-niem. Przed Markową zagrodą przystanął chwilę i wskazał batem posiadłość.

Marwitz podał mu błyszczącą monetę.

Chłopak głową potrząsnął.

– *Dekuj, pon! Ne noriu!** – odparł i ruszył dalej.

Amerykanin, zdziwiony, kręcił w ręce pieniądz, idąc za Irenką do bramy.

– Widzisz, Clarke, on mieszka jak chłop! Nie odnalazła-bym tej fermy wśród innych. Widzisz…

Chciała coś mówić jeszcze, ale urwała i stanęła jak wryta na miejscu.

Ujrzała przed sobą bieloną czysto chatę, oplecioną dzi-kim winem, a przed nią szczególny widok; gromadka dzi-kich zwierząt łasiła się do siwego człowieka, obsiadła mu ko-lana, tuliła się do nóg, igrała swobodnie, a obok pochylone dwie młode kobiety przyglądały się temu, śmiejąc się wesoło!

Irence stanęły w myśli stare podania o pustelnikach daw-nych wieków; zdawało się, że śni obrazek z owych legend

---

* Dziękuję panu! Nie chcę!

świętych; zapomniała, gdzie się znajduje. Stary grał na flecie, ptaszek w klatce powtarzał toż samo, a na podwórzu plątały się w barwnym nieładzie śnieżne gołębie, srokate króliki, lis, żuraw i psów kilka. Bez sporu i niechęci znosili się nawzajem.

– Widziałeś kiedy co podobnego, Clarke? – szepnęła wreszcie panna Orwid.

Amerykanin stał nieruchomy, z wytrzeszczonymi oczyma, ale nie na zwierzęta patrzył, lecz na ludzi.

– *Beautiful*!* – wybąknął równie cicho.

Mogli długo stać niepostrzeżeni, bo rewia podkomendnych Ragisa zajmowała zupełnie obie panienki, a panny Anety od pszczół i grom by nie odwołał, ale poczuły obcych psy Rymki i pomimo koncertu fletowego zaczęły się niespokojnie oglądać. Stary mimo woli zwrócił oczy ku bramie, instrument osunął mu się z rąk; czar prysnął.

Pierwsze zerwały się gołębie i jak biały obłoczek wzleciały nad zagrodę; króliki, ogryzające z apetytem *cynoglossum* z rąk Hanki, wpadły do sieni; wiewiórka zeskoczyła z ramienia Ragisa i pobiegła szukać orzecha pod płotem; psy rzuciły się obejrzeć przybyszów, a za nimi majestatycznie udał się żuraw, stąpając z powagą szwajcara na dworskich przyjęciach. Irenka podeszła bliżej, rzuciła wokoło okiem, jakby szukając kogoś, i powtórzyła swoje stereotypowe pytanie:

– Czy tu mieszka pan Marek Czertwan?

Ciekawa jestem, co będzie dalej, jeżeli go nie ma? – pomyślała – mój zapas polszczyzny wyczerpie się po kilku minutach!

– A słowo stało się ciałem! – zamruczał Ragis, zupełnie oszołomiony. – To pewnie Orwidówna, a Marka nie ma.

Hanka zebrała się na odwagę publicznego występu, naturalnie na mocy mrugnięcia Julki.

_____

* *beautiful* (ang.) – piękne

– Tutaj, pani! – odparła, wstając i podchodząc kilka kroków.

Co by dała za to, żeby on tu był i uwolnił ją od tej rozmowy i badawczego wzroku obcych ludzi.

– Czy jest w domu? – wydobyła resztki swego talentu i pamięci Irenka.

– Nie, pani!

Był to ciężki cios. Panienka namyślała się chwilę, ale więcej potrzebnych w tym wypadku frazesów nie mogła sobie przypomnieć. Spojrzała tedy na modną sukienkę Hanki, na jej delikatną twarz i białe ręce i zaryzykowała śmiałą próbę.

– Czy pani rozumie po francusku? – spytała w tym języku.

Mimo woli dziewczynka się uśmiechnęła.

– Rozumiem, pani! – rzekła najczystszym paryskim akcentem.

Twarz dziedziczki Poświcia zajaśniała radością.

– Ach, chwała Bogu – odetchnęła z głębi piersi – no, przecie mogę się porozumieć! Ale zaczynam od przedstawienia. Irena Orwid, do usług pani, przyszłam z Poświcia z tysiącem interesów do pana Marka Czertwana. Czy rzeczywiście nie ma go w domu?

– Nie ma, pani. Od tygodnia nieobecny, ale wróci dzisiaj niezawodnie.

– Wróci?… Wie pani co, że mam wielką ochotę poczekać tu na niego. Cały dzień pieszo zwiedzamy okolicę i mam dosyć peregrynacji.

Hanka spłonęła rumieńcem.

– Proszę pani spocząć! – wyjąkała, czując, że coraz bardziej traci rezon, i błagalnie patrząc na Julkę.

Zrozumiano ją. Wezwana do pomocy, szepnęła coś Ragisowi, a potem przyszła w sukurs energicznie:

– I my musimy zacząć od prezentacji – ozwała się wesoło. – To jest siostra pana Marka, Anna, a ja niedaleka sąsiadka. Jak pani, mamy do gospodarza tysiąc interesów, z tą różnicą, że czekamy już kilka godzin.

– Więc to pani studiuje w Paryżu? Pani otworzyła mi drogę do kraju? No, wie pani, że podobnego spotkania nie oddałabym za nic! Dziękuję po tysiąc razy... Proszę mnie mieć za swego dłużnika.

Bardzo nieśmiało położyła Hanka swoją rękę na wyciągniętej dłoni i odpowiedziała na uścisk spojrzeniem prawie żałosnym.

– Ja nic nie zrobiłam, pani! – odparła z cicha.

Nagle milczący dotąd Marwitz wydobył ręce z kieszeni płaszcza, uchylił czapki i zamanifestował swą obecność słowem.

– Proszę, Iry, a mnie przedstawić nie raczysz?

– Ach i owszem! Oto jest pan Marwitz, kawaler na wasze usługi, z tym szczegółem charakteru, że odkąd żyje, nigdy jeszcze galanterią nie zgrzeszył! Polecam go łaskawym względom!

Panienki powitały milczącym ukłonem sztywnego Amerykanina. Julka gryzła usta za pokusę śmiechu. Hanka płoniła się co chwila.

Miała rację. Od chwili wejścia swego na podwórze Clarke Marwitz nie spuścił oczu z jej twarzy. Wzrok ten uparty męczył ją jak tortury.

Irenka z wielką swobodą usiadła na ławce, zdjęła rękawiczki i kapelusz i zaczęła wesoło rozmowę z Julką.

– Wyznam pani, że to mi rozkosz sprawia móc się porozumieć z kim innym niż z Clarkiem. Myślałam, że będę skazana na wieczyste milczenie w Poświciu. Z rozpaczy jeździłam konno, z rozpaczy co dzień byłam na mszy, z rozpaczy dziś łódką popłynęłam do tego lasu. Tym razem ciekawość moja została wynagrodzona. Widziałam cudo natury: dąb chyba tysiącletni!

– Ach, Dewajtis! – Julka zaśmiała się. – Widziała pani zatem ideał pana Marka…

– Jak to ideał?

– No tak… To drzewo pan Marek kocha nad wszystko.

– Dlaczego? Może to jaka pamiątka rodzinna?

– Może… Ja nie wiem… Pan Marek nie zwykł mówić dlaczego, ale dąb ten szanuje i często go tam znaleźć można zamyślonego…

Tu rozmowę przerwał Marwitz. Hanka od pewnego czasu znikła w chacie, wezwana na migi przez Ragisa, więc Amerykanin, straciwszy cel swych spojrzeń, zwrócił je w inną stronę. Zajrzał do ogrodu i nagle dotknął ramienia Irenki.

– Iry, co to takiego? – zagadnął cicho po angielsku, coś nieznacznie wskazując.

Owe „coś" była to panna Aneta i Grenis, oboje w sitkach na głowie, otoczeni obłoczkiem dymu i wykonywający dziwne ruchy około ula.

Panienka spojrzała zaciekawiona i zwróciła się do Julki:

– Co to takiego? – powtórzyła pytanie.

– To – odparła ubawiona dziewczyna – to jest ciotka pana Marka, zajęta lokowaniem roju pszczół.

– Osobliwe! – zauważył Marwitz – pójdę bliżej obejrzeć.

– Ta ciekawość może się dla pana smutno zakończyć…

– *Oh, no!* Będę tylko obserwował.

Uchylił furtkę i ulotnił się.

Tymczasem w izbie Ragis z Hanką żywą toczyli rozmowę.

– Czego ona chce?

– Ma interes do Marka!

– Co i ona? Jeszcze jedna! Tego tylko brakowało! Cóż my z nią zrobimy?

– Trzeba ugościć! Poproszę ciotki!

– Pewnie! Aha, zaraz! Żeby nie Orwidówna, ale nawet twój nieboszczyk ojciec przyszedł, to ona od tych przeklętych pszczół nie odejdzie. Wygląda na dobrą i ładną, aż miło popatrzeć. Czego ona się tak śmieje? – przerwał, zaglądając.

Powodem śmiechu był Igiełko. Skończywszy popis, wgramolił się do kapelusza Hanki i zasnął. Potem cukier widocznie sprawił mu pragnienie, więc z wielkim trudem wydostał się z tego nowego gniazda, odnalazł mleko w spodku i łapczywie pił.

Irenkę ubawiła ta scena, przechylała mu naczynie i gładziła, dziwiąc się po swojemu. Ragis na ten widok obraził się na „nieprzyzwoitego żarłoka", podszedł więc, chcąc go zabrać.

Panna Orwidówna zatrzymała go proszącym wzrokiem. Spojrzeli na siebie i uśmiechnęli się jednocześnie. Był to niemy początek wielkiej przyjaźni.

– Niech pani poprosi tego pana, żeby zostawił poczciwe zwierzątko!… – rzekła do Julki.

Ragis, usłyszawszy żądanie, kiwnął głową na zgodę, a widząc, że ceregiele niedaleko zaprowadzą, własnoręcznie nałożył na talerz poziomek, zalał mlekiem i podał jej, prosząc gestem o spożycie.

– Dziękuję panu! Bardzom rada, bo się zgrzałam i zmęczyłam! – rzekła.

Julka przełożyła to na polski, a stary wąsa podkręcił i aż pokraśniał z zadowolenia.

– A co – szepnął Hance – może źle się sprawiłem? Ja bo całe życie umiałem kobietom dogodzić! Ot, obeszło się bez panny Anety. A gdzież ten brzydki się podział?

Odpowiedź otrzymał natychmiast. W ogrodzie rozległ się tętent – sprawił go poważny Marwitz. Biegł zapewne raz pierwszy w życiu pędem i jak szalony machał rękami. Były to owe smutne skutki pszczelniczych obserwacji.

– Iry! – krzyczał. – Jedna mnie ugryzła w oko, druga w nos, trzecia w policzek! O je! Znowu coś brzęczy!…

Zabiegł aż do stajni, gdy wrócił, poszkodowane członki już nabrzmiewały. Wyglądał strasznie.

Panienki wybuchnęły bezlitosnym śmiechem, psy, uważając te gonitwy jako zachętę, zaczęły biegać, skakać, oszczekiwać Amerykanina. Ragis znów piorunował.

– Otóż i ugościła panna Aneta! Zrobiło się z człowieka weneckie straszydło*! Leżeć, psy, hultaje! Ot, tobie i miodek! Wstyd i despekt dla domu! Panno Aneto, panno Aneto! Leżeć, hultaje!

Porwał za kij i powiększył gromadę biegających. Uciecha panienek rosła. Śmiały się do łez.

Jedna Hanka utrzymała powagę. Żal jej się zrobiło poszkodowanego. Na ból każdy, choćby z pozorem komizmu, miała pełne politowanie. Skoczyła do ogródka, przyniosła pęk liści i bez wahania teraz zastąpiła drogę opędzającemu się Marwitzowi.

– Panie, proszę zachować się spokojnie, bo ruch drażni owady. Niech pan usiądzie i na miejsce bolejące przyłoży to ziółko; za chwilę przejdzie cierpienie!…

Na dźwięk tego głosu Amerykanin stanął, spojrzał na nią jedynym okiem – drugie było jedną górą opuchlizny – i uskutecznił żądanie.

– Żądła jeszcze tkwią!… – zawołała Hanka, przyglądając się uważnie.

– Niech pani mnie ratuje! – wyjęczał. – Ja nic nie widzę, nie słyszę, jestem kaleka! O je! Jak boli!

Z całą powagą przyszłego lekarza dobyła delikatnie żądła, podała mu liście. Irenka z Julką śmiały się ciągle.

Ragis z wielką złością nałożył sitko i poszedł kłócić się z panną Anetą.

---

* weneckie straszydło – cudak, poczwara

Marwitz siedział sztywnie jak chińskie bożyszcze, po chwili zaledwie odsapnął, wstał, ujął rękę Hanki i z całą ostentacją podniósł do ust.

– Pani! – rzekł. – Nade wszystko miłuję spokój i w całym życiu nikogo nie naruszyłem! Myślałem – tu westchnął – że w tych zasadach umrę. Niestety! Rachując, zapomniałem o pszczołach. Jestem człowiek chwiejny…

Wygłosiwszy to patetycznie, siadł na powrót i zwracając się do Irenki, dodał:

– Iry, ty się śmiałaś? Ty zawsze ze mnie się śmiejesz! Daruję ci, ale o jedno proszę: nie opowiadaj w Drakecity, żeś widziała Clarke'a Marwitza biegającego. Tego nie przeżyję!

– Będziesz żył z tym, mój drogi! – odparła ze śmiechem. – Podziękuj równie szumnym słowem pannie Czertwan za ratunek, bo żeby nie ona, biegałbyś jeszcze długo!…

– Ja pannie Czertwan odwdzięczę się czymś lepszym niż słowem! – odparł zupełnie serio.

Szydercze oczy Irenki popatrzyły nań długą minutę. Zamigotały w nich iskry żartu; może zrozumiała, co chciał powiedzieć, bo zagryzła usta i zmusiła je do milczenia i powagi. Julka z równą trudnością hamowała wesołość.

W ogródku Ragis burczał, wzdychała żałośnie panna Aneta, przejęta całą grozą wypadku z takim gościem. Wracali razem do towarzystwa. Na widok tak świetnego zgromadzenia starowina straciła głowę. Z daleka obchodziła stół, dygając co krok i po staroświecku dwoma palcami unosząc spódniczkę. Myślała ze strachem, czym to grono nakarmi?

Goście skłonili się jej w milczeniu. Julka wyłożyła pannie Orwid, kto to był, Ragis na pociechę ofiarował Marwitzowi poziomek, spokój powracał powoli.

Wokoło za to robiło się coraz gwarniej: wieczór nadchodził, trzody ściągały z pastwisk, ludzie ze świątecznych wędrówek. Ulica zapełniała się bydłem, końmi, owcami, zabrzmiała gwarem ludzi i zwierząt.

I brama Markowa otworzyła się szeroko. Dobytek, rycząc, przeciągał do stajni. Niewiele tego było, ale gładkie, lśniące, wesołe i – jak menażeria Ragisa – oswojone do rąk i głosu człowieka.

Amerykanie przyglądali się ciekawie tym mizernym dostatkom człowieka, który tam, w Poświciu, obracał setkami tysięcy, a zostać nie chciał za żadną cenę i wrócił do tej zagrody na pół chłopskiej, do twardej pracy i niewygód. Spodziewali się zobaczyć wcale inną fortunę.

Potem Grenis zamknął bramę, zakrzątnął się z Ragisem na podwórzu, służąca z panną Anetą poszły ze skopkami do obory, goście zostawieni sobie rozmawiali, coraz częściej spoglądając na słońce.

– Może pan Czertwan dziś nie wróci? – zauważyła Irenka.

– Musi wrócić – szepnęła Hanka. – Już zawczoraj posyłano po niego! Tyle interesów czeka!

– Doprawdy? A ja go chcę z sobą zabrać do Poświcia.

– Nie wiem, czy to się pani uda! Potrzebuję go do rodzinnych spraw, bardzo naglących.

– Mój stryj wygląda go też niecierpliwie!

– Kazimierz pisał, wzywając gwałtownie do Kowna.

– Woda mu młyny porwała!

– Istotnie, roboty jak na jednego dosyć! – Irenka pokręciła głową.

Wtem psy podniosły głowę, nadstawiły uszu, zaczęły węszyć i ruszać się.

– Marek idzie! – oznajmił Rymko radośnie.

– Marek idzie! – powtórzyła panna Aneta. – Ach, czym ja ich nakarmię?

Wszyscy zaczęli wyglądać w ulicę i słuchać; psy wybiegły na spotkanie.

Istotnie drogą szedł Czertwan z Gralem i kilku młodzieńcami z zaścianka, co mu pomagali przy połowie ryb. Okurzeni, brudni, odziani byle jak, w skórzniach zamiast butów, wyglądali bardzo zdrożeni. Mimo to na widok rodzinnych chat fantazja wróciła w młode dusze i ktoś najweselszy zaśpiewał z całych płuc:

Wróbel warzy gościom alus*,
Dam, dam, dali dam,
Prosi ptaki na swój lamus**,
Dam, dam, dali dam – na swój lamus.

Poszedł wróbel z sową w taniec,
Dam, dam, dali dam,
Podeptał jej mały palec,
Dam, dam, dali dam – mały palec.

Sowa na sąd, wróbel na płot,
Dam, dam, dali dam,
Sowę zjadł lis, a wróbla kot,
Dam, dam, dali dam – a wróbla kot.

Ogólna wesołość zakończyła piosenkę. Jeden Marek się nie śmiał, jak i nie śpiewał. Zmęczony był i głodny, po trzech bezsennych nocach bolała go głowa, ręce i nogi po długiej pieszej wędrówce. Patrzył na swą zagrodę i rozmyślał, jak go ciotka nakarmi, napoi, jak potem legnie na posłanie i wypocznie choć godzin kilka przed kłopotliwym jutrem. Nazajutrz czekała go familijna scena w Skomontach, ale się jej nie lękał – niósł w zanadrzu gruby pugilares z zarobionymi na jeziorze pieniędzmi!

---

* alus – żywokost, dziki czosnek
** lamus – drewniany lub murowany budynek w dawnym gospodarstwie rolnym, służący do przechowywania zboża, cenniejszych przedmiotów, dokumentów

Dochodząc zaścianka, towarzysze pożegnali go i wyprzedzili. Przy wtórze radosnego skomlenia psów wszedł na podwórze, spojrzał i stanął zdziwiony. W marzeniach jego nie było nikogo z tych, co tam siedzieli pod jego chatą i powitali wesoło jednozgodnym okrzykiem:

– No, przecie! Dobry wieczór!

Chwilę nic nie odrzekł. Spod brwi zmęczone jego oczy błysnęły jakimś rzadkim wyrazem radości; w milczeniu uchylił kapelusza.

– Dobry wieczór! – odparł nareszcie, podchodząc.

Z głębi huczał bas Ragisa i piszczał dyszkancik panny Anety. Biegli oboje z powitaniem ulubieńca i powtarzali radośnie:

– No przecie, no przecie!

On wyglądał jakiś ogłuszony i roztargniony. Hankę powitał ukłonem, Julkę chciał uścisnąć, Marwitza omal nie pocałował w rękę, o Irence jakby zapomniał, a na starych wcale nie zważał.

– Już od południa czekamy na pana – zaczęła szturm Julka – stryj koniecznie potrzebuje pana choćby zaraz, najdalej jutro!

– Mój drogi – ozwała się Hanka – na miłość boską, chodź do Skomontów dziś jeszcze. Burza się tam gotuje na ciebie.

– A wiesz, że jurgijski młyn podruzgotała Dubissa? – wołał z daleka Ragis. – Koło poniosło o trzy mile! Jedź i wykup, bo pokradną!

– Mój Mareczku, moje dzieciątko – dobiła się staruszka swej kolei – pewnie nic nie jadłeś? Mam dla ciebie jagódki. Za chwilę wieczerza. Siądźże, spocznij.

– Przed wieczerzą i spoczynkiem skocz no do Wojnata. Podobno umiera i trzy razy przysyłał po ciebie.

Marek wciąż milczał. Opadnięto go ze wszech stron: Hanka trzymała jedną ręką, panna Aneta drugą, Ragis krzyczał w jedno ucho, Julka z drugiej strony prawiła o stryjowskim procesie, nawet lubiący spokój Marwitz wmieszał się do ogólnej wrzawy i czynił mu gorzkie wymówki, że go nie wziął ze sobą na połów.

Irenka tylko nie ruszała się z miejsca; odrzuciła głowę i wpół przymkniętymi oczyma patrzyła na tę grupę ludzi. Obejrzała każdą twarz, wreszcie spoczęła wzrokiem na Marku i wpatrywała się weń z natężeniem. Człowiek ten ponury, milczący, obojętny na wszystko, co nie było interesem, zajął ją od pierwszej rozmowy na kowieńskim dworcu. Słuchała chętnie, co o nim mówił Jazwigło, obserwowała go na każdym kroku. W dzień przyjazdu do Poświcia, gdy go ujrzała wśród tego obcego tłumu, zabiło jej serce jak do kogoś swojego; przez tydzień obcowania przywykła doń; gdy odjechał, zrobiło się jej nieswojo. Potem często odnajdywała przed oczyma jego olbrzymi wzrost, ostre nieruchome rysy, rzadko spoglądający na kogo stalowy wzrok i wąskie, nigdy, nigdy nieśmiejące się usta. Słyszała w uszach głuchy organ mowy jego i mimo woli myślała często o nim, czasem z gniewem, czasem z nieznaną ciekawością.

Teraz, po długim niewidzeniu, odnajdywała ten sam chłód, tę samą posępność i z przykrością prawie poczuła, że jej raz drugi złowieszczo zabiło serce.

A on, jak zwykle, nie patrzył na nią, prawie się nie przywitał; obojętny, z kamiennym spokojem słuchał tych różnorodnych próśb, nalegań, spraw, pretensji i cierpliwie czekał, aż skończą.

Gdy nareszcie umilkli, po swojemu, lakonicznie odpowiedział najpierw Hance i pannie Nerpalis.

– Powiedz matce, że jutro rano stawię się niezawodnie. Pieniądze mam, niech będą spokojni, a do księdza proboszcza wstąpię po południu.

– Na pewno? – spytały obie z naciskiem.

– Na pewno! – potwierdził i zwracając się do Marwitza, dodał: – Nic niestracone. We czwartek wracam na jezioro i zabawię tydzień. Jeśli pana ochota i wola, służę.

– Panie, to moja jedyna namiętność! Wezmę wędkę.

Czertwan widocznie trochę oprzytomniał; pocałował z uszanowaniem rękę ciotki.

– Bardzo pożądana wieczerza i wypoczynek. Od rana wędrujemy pieszo, a tam mało co się jadło. Nasze zapasy w szałasie ktoś ukradł.

– Ach, Boże! Biednyś ty, biedny, mój dzieciaku kochany! Zaraz ci, duchem, usmażę jajecznicy i zrobię zacierek z mlekiem! Biedactwo, nieboraczek!

Podreptała do domu, panienki także zaczęły nakładać kapelusze.

– Dobranoc zatem, panie Marku – rzekła Julka – czekamy jutro niecierpliwie!

– Będę, pani! – odparł z ukłonem.

Dziewczęta pożegnały Irenkę, Ragisa, zajrzały do kuchni panny Anety, a tymczasem Marwitz wziął kapelusz.

– Gdzie idziesz? – zagadnęła z cicha panna Orwidówna.

– Odprowadzę tę cudowną lekarkę! Wieczór, mogą tu być szakale, kujoty, złoczyńcy…

– Czekać cię będę pod starym dębem!

– Dziękuję, Iry.

Koleżanki szły ku wrotom. Dopędził je i ruszyli razem.

Na środku dziedzińca został chrzestny ojciec z synem. Rozmawiali już spokojnie. Urywki tylko rozumiała Irenka.

– Za późno! Kiedyś oddałbym za to całą fortunę i krew, teraz nie chcę!

– Nie pójdziesz? On może umiera!

– Pójdę, dajcie spocząć minutę, zdrożyłem się srodze, głód dokucza!

– Dobrze, dobrze! Ma się rozumieć! Spocznij! Pójdę pomóc pannie Anecie, i bestyjki moje głodne! Pogadaj z tą panną! Na biedę i ona ma jakieś interesy do ciebie. A gdzież to się podział ten pokąsany? Ho, ho! Może do panny Anety się umizga? Dam ja mu!

Po chwili na dziedzińcu został sam tylko zmęczony wędrowiec i nieśmiało podniósł oczy na siedzącą pod ścianą jego chaty poświcką dziedziczkę.

W tej samej postawie, z odchyloną głową, patrzyła nań ślicznymi oczyma, na których dnie, za iskrami ożywienia, leżała tęskna, przejmująca głąb.

Sekundę splotły się spojrzenia, po rysach jego przeszło jakby wrażenie bólu, zbliżył się, oparł o płot i tak o krok od siebie długą chwilę milczeli.

Ona jakby czekała słowa od niego, ale daremnie. Wstała, nałożyła kapelusz i powoli wciągała rękawiczki.

– Miałam i ja do pana mnóstwo interesów – ozwała się – ale posłyszawszy, jak pan jest zajęty, milczę! Do widzenia! Może kiedyś w przyszłości…

– Gdzież to pan Marwitz? – Obejrzał się.

– Nie ma! Odprowadza siostrę pańską, którą jest zachwycony! Będę na niego czekać nad rzeką, około czółna.

– To ja pójdę z panią do rzeki…

– Pan zmęczony, głodny i bardzo nieszczególnie wygląda! Nie chcę.

– Pójdę, pani. Posłucham interesów, może się zdam na co. Nie głód mi dokucza ani zmęczenie! Do rzeki niedaleko.

– Dziękuję panu! – rzekła z cicha. Był w głosie tym dźwięk, co się gwałtem przedzierał do serca. On zamilkł.

Wyszli niespostrzeżeni, tylko wierny Margas im towarzyszył.

Po kilku minutach Ragis wyjrzał na podwórze.

– Marku! Wieczerza czeka! – zawołał.

Nic! Pusto, głucho! Stary zaszedł do ogródka, obejrzał wszystkie kąty.

– Marku! – powtórzył o ton głośniej.

Żadnej odpowiedzi, tylko psy zaczęły szczekać.

– Ot, tobie masz! Znowu poszedł, aha! Z Orwidówną powędrowali. Ma się rozumieć! Ot, tobie i głód, i zmordowanie! I wierzyć tu komu? Wie co, panna Aneta? Nie ma naszego chłopca! Poprowadził się z poświcką panną! Szukaj wiatru w polu! A to łotr chytry i kłamliwy! No, no, no!

– Poszedł? – odpowiedziała poczciwa kobieta, ocierając pot z czoła. – Cóż robić, dobrodzieju? Musi być, to chodzenie milsze mu było nad jadło i nad posłanie! Za co się gniewać? Niech biedaczysko choć raz sobie dogodzi, choć chwilę się ucieszy! Szczęść mu Boże!

– Panna Aneta rada każdej rzeczy! Co to dobrego? At! Nowa zgryzota, tylko że najgorsza, bo słodka jak trutka na muchy! No, no, no, i kto by się po nim tego spodziewał? Dziewięć mil odtrzepał i znowu gotów maszerować! A Wojnat tymczasem umrze! At, głupi!

Panna Aneta miała słuszność; ani o posiłku, ani o śnie nie myślał ponury człowiek. Irenka oparła się na jego ramieniu i szli sobie bardzo powoli przez osadę, aż do figury. Tam dopiero zaczęli rozmawiać.

– Pan niesłowny. Dwa tygodnie nie odwiedził mnie, nie pomógł. Musiałam panu bardzo dokuczyć…

– Nie było czasu!

– A w Jurgiszkach pan był?

– Byłem. Zarządzam majątkiem po ojcu.

– I nie rzucił pan – jak Poświcia…

– Tam nie ma komu zostawić.

– Jak to? Jest panienka w moim wieku.

– Słabowita i bardzo delikatna. Babki ślepej dogląda.

– Czy to pańska narzeczona?

– Nie, pani!

– Ale ją pan kocha?

– Pannę Janiszewską?…

– No przecież nie babkę? Pan umyślnie pyta, żeby uwolnić się od odpowiedzi, ale się to nie uda! Kocha ją pan?

Ruszył ramionami.

– Dobra panienka – odparł obojętnie.

– Nie pytam o jej cnoty, ale czy ją pan kocha? – rzuciła niecierpliwie.

Zdziwił go ten ton, zwrócił ku niej oczy i odparł spokojnie:

– Nie kocham!… Ale tym dwom sierotom rad bym nieba przychylić. Same one, jak palec, na świecie! Często tam bywam, gdy czas się znajdzie.

– To pan nigdzie nie bywa dla własnej przyjemności?

– Nie, pani, nigdzie! Nie ma takiego miejsca.

– A pod dębem, tym starym, w lesie?

Zdumiał, ramię mu drgnęło.

– Kto pani mówił o dębie? – zagadnął.

– Mniejsza kto, dość, że wiem! Pójdziemy tam teraz razem i pan mi opowie, jaka pamiątka wiąże pana z tym drzewem! Opowie pan?

– Nie ma co opowiadać.

Zapanowała chwila milczenia. Panienka niecierpliwie gryzła usta, on spoglądał przed siebie na bór ciemny i słuchał znanego szumu. Weszli w gąszcz; mrok już leżał wśród olbrzymów.

– Nie zbłądzi pan? – spytała.

– Ja? W Dewajte? Wychowałem się tutaj! Każdy krzak mam w pamięci! Nad rzekę pani chce zejść?

– Nie, na tę polanę. Obiecałam Clarke'owi, że mnie tam znajdzie, jeśli trafi.

Z widoczną niechęcią zmienił kierunek drogi i prowadził ją manowcami, ociągając się.

Po chwili weszli na polanę. Wysunęła rękę spod jego ramienia i rozejrzała się wokoło.

– Musi to być ciekawa karta z naszych starych dziejów. Był tu zamek zapewne – to ruiny?

– Był.

– Czemuż nie został?

– Nie stało obrońców. Ot, tam kurhan po nich! – Wskazał ręką.

– Tradycja pewnie żyje w okolicy. Niech mi pan opowie…

– Co tu opowiadać? Oni strzegli tego samego, co my teraz: ziemi i świątyni. Padli wszyscy. Wróg zajął ziemię, spalił zamek, zburzył świątynię. Ot i koniec!

– Praojcowie nasi pewnie tam leżą – szepnęła, ogarniając kurhan wzrokiem. Oblicze jej powlekła powaga i żałość głęboka; jakieś wspomnienie zamąciło jej oczy. Usiadła na głazie Aleksoty i po chwili zadumy ozwała się smutna:

– Dziwna rzecz, jak mi ta polana przypomina dziecinne lata. Gdym pierwszy raz wyjrzała z kołyski, widziałam wokoło takiż czarny las i na trzebieży niewielką naszą chatę z bierwion skleconą. Matka zawieszała kołyskę na gałęzi i pomagała ojcu przy karczunku. Musiała to być ciężka praca, bo postępowała nadzwyczaj powoli. Stan był dziki, pełen Indian i zwierza; żyliśmy suszonym mięsem i korzeniami; wokoło nigdzie nie było osad, miast ani białego człowieka. Bydło nasze pożarły pantery i co nocy wokoło chaty słychać było okropne wycia i krzyki. Bardzo mi straszno było i często płakałam; wtedy ojciec brał mnie do siebie i zasypiałam w jego objęciu. Matka była wątła i kaszlała ciągle, ojciec często zapadał z trudu, głód nierzadko dokuczał, mimo to nigdy oni nie skarżyli się i nie gniewali na siebie. Musieli kochać się nad wszystkie nieszczęścia – nad całą nędzę żywota! Mimo wszystko byli szczęśliwi! Kto wie? Po kilkunastu latach takiej pracy mieliby może miliony jak Marwitzowie, osada byłaby podwaliną pięknego miasta, wrócilibyśmy do kraju! Inaczej się stało – jak i tu na tej polanie został tylko kurhan.

Umilkła. Dewajtis szemrał łagodnie, a od rzeki dolatywał plusk fali monotonny, tęskny. W ustroniu tym żyły tylko wspomnienia.

Marek zrazu słuchał dość obojętnie, potem zbliżył się, usiadł obok niej i ukradkiem spoglądał w uroczą twarzyczkę opowiadającej. Po ostrych jego rysach snuły się jakby smugi światła i głębokiego wrażenia.

– Pani była wtedy bardzo malutka? – rzekł z cicha.

– Miałam cztery lata zaledwie, ale takie chwile dziecku nawet ryją się w duszy. Pewnej nocy Indianie nas zaskoczyli; przez chwilę bronił się ojciec, strzelał, matka broń nabijała; potem wdarli się do środka, jeden matce tomahawkiem pierś rozszczepił, dwóch rzuciło się na ojca, reszta, jak stado szatanów, rozbiegła się za rabunkiem. Boże!… pan się dziwi, że taką noc można zapamiętać? Dziecko by nowo narodzone zapamiętało… Ciemność, wrzask, wycia, pisk, trzask łamanych sprzętów, w ciasnych ścianach natłoczenie tygrysów wściekłych – i trupy charczące agonią… Wypełzłam z posłania, dygocąc jak w febrze, szukałam rodziców, opieki, wołałam z cicha: „mamo!", „mamo!". Nikt mi nie odpowiedział, bo nie było żywego ducha w matczynym ciele, co obok leżało na ziemi – i stygło już!…

Nie mogła mówić dalej. Zbladła aż do ust, a z oczu, jak perły, padały łzy na splecione kurczowo dłonie; członki drżały okropnym wrażeniem.

Czertwan już teraz śmiało na nią patrzył. Cała ta ohydna scena mordu odbiła mu się w duszy, jakby ją wspólnie widział i razem cierpiał.

I pomyślał ze wstydem, że wszystkie jego smutki, niedole, troski niczym były przy rozpaczy i żalu tego dziecka czteroletniego, szukającego darmo ratunku u piersi zmarłej matki – w tę noc straszną.

Zapomniał, kim ona była, co stało między nimi, że nie miał prawa odezwać się z pociechą, on, obcy biedak, do tej magnatki; w duszy jego coś nieznanego bolało, rwało się, ciągnęło do niej, aż wybuchnęło na zewnątrz.

Pochylił się, ręce jej zimne a drżące wziął w swoje i do ust podniósł. Wargi mu drgały, spazm dławił w krtani, żal rozdzierał serce.

– To panią boli, proszę nie mówić! – rzekł z cicha dziwnie serdecznie.

Na to słowo przyjazne załkała w głębi duszy i długo płakała w milczeniu. Potem opanowała się trochę, otarła oczy, odrzuciła włosy z czoła i spokojnym już, smutnym wzrokiem spojrzała na niego.

– To nic, panie… Mówić nie gorzej boli, jak śnić o tym i ciągle tę chwilę mieć przed oczyma!… Tyle lat minęło, czas zahartować się… Od czasu, jak tu jestem, cięzej mi, bo wśród obcych, dlatego dziś gorzej płaczę!… Tam, w Ameryce, miałam tyle życzliwych serc, strzegli mnie przed tym wspomnieniem, a teraz ciągle myślę… W ojczystym domu rodzice zawsze na myśl przychodzą. A moi daleko!… I tak marnie zginęli… Panu się zdaje, że już koniec to, com mówiła? Nie, widziałam gorsze chwile! Matka nie słyszała mojego płaczu, ale ojciec usłyszał. Miał na sobie ran kilkanaście, broczył krwią, porzucono go jako trupa, a jednak on posłyszał i znalazł siłę powstać, wziąć mnie na ręce i wypełznąć z chaty… Noc była czarna jak piekło; na kolanach, bo nogi miał pokaleczone, zaczołgał się w gąszcz, tam mnie ukrył, a sam legł… Myślałam, że umarł, strasznie mi było; przytuliłam się do niego i nie śmiałam odetchnąć ani płakać…

Wrzawa w naszej chacie wciąż trwała; musiały powstać bójki o nędzną zdobycz, krzyki triumfu... Potem coś błysnęło w tej stronie, potem w drugim miejscu i w trzecim. Wycie wzmagało się ciągle... Aż nagle buchnęła jasność pod niebo, rozświeciła polanę i drzewa lasu. Nasza chata stała w płomieniach. Indianie otoczyli kołem pożar i miotając się w bojowym tańcu, zaintonowali jakiś śpiew dziki i przejmujący... Przerażona, zaczęłam skubać ojca za ręce i odzież, wołając: „mama tam", „mama pali się!" – ale on omdlał z upływu krwi i nie ocucił się. A łuna rosła, pożerała trud tyloletni, cały nasz skarb i – zwłoki matki... Zgliszcza i ruiny zostały na polanie – jak tutaj!... Wróg wszystko zabrał!...

– A ojciec pani? – szepnął słuchający.

– Ojciec po to tylko ocalał, by dowlec się do pierwszych osad. Trafił szczęśliwie na pana Marwitza; chciał wracać do kraju, ale, jak wszystko, i to go zawiodło... Teraz coraz częściej myślę: „I mnie lepiej było tam pozostać. Po co ja wróciłam? Tak mi tu źle i ciężko, i pusto...".

Wstała przy tych słowach i obejrzała się po polance. Nie spostrzegli, że wieczór zapadł zupełny. Kilka bladych gwiazdek zarysowało się na ciemnym szafirze, rosa pokryła mchy i trawy.

– Zatrzymałam pana tak długo. Przepraszam!... Clarke widocznie wracać nie myśli. Popłynę już sama z powrotem i odeślę mu czółno.

– Pewnie go zatrzymano w Skomontach na noc.

– Należy mu się nagroda za poświckie nudy, które znosi dla mnie. Żegnam pana i dziękuję za towarzystwo. Czy pan nigdy nie przypomni sobie Poświcia?...

– Jeśli pani sobie życzy, mogę dziś tam być!

– Czy to przez litość, panie Czertwan? – zagadnęła dziwnym tonem.

– Dlaczego?...

– Bo przecież nie dla własnej przyjemności, sądzę!...

Nic nie odrzekł.

Może dla własnej zgryzoty – pomyślał z goryczą, ale się nie cofnął.

Pierwszy raz w życiu Marek Czertwan opuścił obowiązek. Czekał go na próżno Ragis i Juchno, i Wojnat chory, czekano go daremnie w Skomontach i na probostwie, w Żwirblach i Ejnikach. On pozostał w Poświciu.

Gdyby przewidział nieszczęścia, co nań spaść miały za ten jeden dzień zwłoki, może by nie został. A zresztą – kto wie?

VIII

Nad jeziorem w Wiłajkach zapadła noc, przerwała robotę. Dwa obozy biwakowały nad wodą, pod szałasami, wypoczywając po dziennych trudach. Z jednej strony kupcy z podwodami, z drugiej rybacy.

Od biwaku Żydów rozlegał się hałaśliwy gwar i sprzeczki, przy ognisku Żmujdzinów zmęczeni ludzie pokładli się do snu, inni śpiewali nabożne pieśni lub odmawiali wieczorne pacierze, kilku czuwało pod szałasami, paląc fajki i podsycając ogień. Siedział tam Marek, Gral, młody Downar i Ejnacki z Sandwilów, a wśród nich drzemał w pled owinięty Clarke Marwitz, wyczerpany całodziennym rybołówstwem i ruchem.

Wieczerzę dawno spożyli, a teraz otoczyli wieńcem Łukasza Grala, który smutnym, jękliwym tonem opowiadał starą bajkę:

– Była piękna Egle sama u rodziców bogatych i chodziła co ranka po kwiaty nad jezioro w głąb puszczy, śpiewając cudnie. I razu pewnego otworzyła się woda, i wąż zielony wstał z głębi, i pozdrowił ją ludzkim głosem: „Witam cię, piękna dziewico! Królewiczem byłem młodym i bogowie za karę krasy zmienili mą postać! Żaltis mi na imię, ale tam w wodzie mam pałac z bursztynu i ogrody z pereł, i postawę mą dawną odzyskuję. Nic mi nie brak, tylko smutek mnie toczy, bom sam wśród tych skarbów i pałaców. Dni mi płyną w smutku i tęsknocie, bo nikt nie chce mnie poślubić! Zstąp piękna Egle, bądź królową mych ziem, żoną moją!".

Egle strwożona uciekła, ale nazajutrz znów ją coś zawiodło nad rzekę i Żaltis znów wypłynął i błagał, i zaklinał! Aż za trzecim razem usłuchała go i poszła za królewiczem w głąb jeziora! A tam na dnie opadły go łuski wężowe i stał się piękny jak zorze, i dał jej sznury bursztynu i pereł, wprowadził w komnaty koralem wykładane i była z nim Egle bardzo szczęśliwa lat kilka. Dwóch synów i córkę wypiastowała mężowi i miłowali się jak słońce z kwiatem, i nic im nie brakowało w szczęśliwości. Aż po kilku latach przypomniała sobie rodziców starych i braci dorodnych i jęła prosić męża, by ją tam do nich puścił w odwiedziny. Długo się opierał i ociągał, i przystał z wielką żałością: „Idź – rzekł wreszcie – ale wracaj rychło i wołaj mnie po imieniu. Jeśli żyw będę, wypłynę, ale jeśli zobaczysz na wodzie czerwoną pianę, to znak, żem zginął".

Poszła tedy Egle, zabrawszy dzieci. Przyniosła w dom piękne dary, ale skąd szła, nie chciała powiedzieć i dzieciom zakazała. Więc bracia na pierwszą noc na stróżowanie koni poszli i wzięli z sobą najstarszego chłopca. Bili go i męczyli, ale on nic nie wyznał. A na drugą noc wzięli młodszego, ale i ten milczał jak skała pomimo katowania. A na trzecią poprowadzili dziewczynkę, a ta ze strachu i bólu wyznała prawdę. Wzięli tedy bracia ostre miecze, poszli nad jezioro i wołali: „Żaltis! Żaltis! Wyjdź do mnie!". A gdy uradowany wąż wypłynął, rozsiekli go mieczem i wrócili do domu, nic nie mówiąc siostrze!

A po tygodniu gościny zatęskniła Egle za mężem i pożegnała rodzinę, przyszła nad wodę i wołała wedle umowy – ale tylko piana czerwona wystąpiła na wierzch i nikt jej nie odpowiedział.

Zapłakała Egle, że go opuściła, i w żałości nie dała się utulić ani ojcu, ani matce. Więc bogowie zmienili ją w ciemną jedlinę, starszego syna w dąb, młodszego w jesion, a dziewczynkę w drżącą, podłą osikę.

I długie lata widzieli ludzie te drzewa cztery pochylone nad jeziorem, a jedlina gałęziami obejmowała wodę i wciąż szumiała: „Żaltis! Żaltis! Żaltis!".

Umilkł Łukasz, ciężko westchnąwszy. Słuchający drzemali, ukołysani monotonną opowieścią. Znali ją wszyscy zapewne. Jeden Marek nie drzemał, ale też i nie słuchał. Duch jego daleko był, sądząc po oczach, po całej twarzy. Wpatrywał się uparcie w toń wodną, migotliwą i ruchu pełną, to znów w głownię ogniska oczy wlepiał, to po niebie gwiaździstym błądził wzrokiem bez blasku, takim, co skupiony w jakiś obraz myśli nie widzi przedmiotów wokoło. Śnił z otwartymi oczyma, on, dziki Marek Czertwan!…

Roiły mu się po głowie także pałace i skarby, ale nie z bajki, lecz rzeczywiste, otoczone łanami zbóż, gęstwinami lasów. Marzyły mu się piękne cugi i liberia, srebra, kobierce i kryształy, zbytek magnacki! Już go teraz nie zajmowała ani zagroda, ani młyny, ani Żwirble, ani złotodajne jezioro, które dawało mu setki; on chciał tysięcy; mogła go ta praca mrówcza uczynić bogatym za lat dziesięć, on chciał mieć dzisiaj miliony.

Ogarnęło go jakieś męczące uczucie niepokoju, gorączki i rozstroju. Chwilami rzeźwiał nieco, ruszał się żywo, to znów siadywał jak martwy, nie słysząc i nie widząc nic, co się działo wkoło. Nie był to już jego spokój i chłód niczym niewzruszony; był to stan chorobliwy, cierpienie całego organizmu.

Towarzysze posnęli, on tylko czuwał i Gral. Mąż Marty, pomimo ślubu, śpiewał, jak przedtem, półgłosem żałosną pieśń o złej doli. Skarga nie schodziła nigdy z ust jego i teraz, spostrzegłszy, że Marek nie śpi, zaczął opowiadać swe troski:

– Sądzenia boskie grzech krzyżować – ozwał się, głową kiwając – doli nijakiej to nie da i życie zatruje! Nie z Boga to, ale z szatana takie zaślepienia bywają! Trza mi było iść precz; jeśli oczy pamiętały, oczy wydrzeć; jeśli serce pamiętało, serce podeptać! Grzech takie miłowanie okrutne, a jam na grzech nie patrzył. Za to mnie Bóg pokarał! Co mi przyszło? Żonę mam i nie mam! Dom mam i nie mam! Zawiniłem, musi być, ciężko!

– Cudze winy bierzesz na siebie – odparł Marek – miłowanie nie grzech, tylko to gorzkie szczęście mało komu spokój da i uciechę, zawsze frasunek.

– Czyś ty kiedy mocno miłował? – zaryzykował Łukasz dziwne pytanie względem nieufnego i skrytego człowieka – po Marcie toś nie tęsknił ani desperował!

– Kto wie, co za zębami się kryje? – odparł Marek przysłowiem.

– Za zębami ciężko kryć – westchnął Grał – człowiekowi lżej stanie, jak się wygada, poskarży. Żeby ciebie wielkie kochanie ogarnęło, tobyś nie mógł milczeć! Boga mi! Powiedziałbyś...

– Nie! – rzekł Czertwan stanowczo, po krótkim namyśle.

W tej chwili na drodze, daleko jeszcze, rozległ się tętent konia cwałem puszczonego. Obydwaj podnieśli głowy. Marek, jakby go coś tknęło, powstał i wytężył w tamtą stronę wzrok i słuch. Bez żadnej racji serce mu bić poczęło gwałtownie. Kto mógł jechać o tej porze konno? Nie szedł tu trakt, nie było nigdzie miasteczek.

Galop nie ustawał, zbliżał się co minuta; noc była bez księżyca, ale bardzo pogodna, tam gdzie kończyły się zarośla, jeździec się ukazał; zamiast jechać drogą, skręcił na wygon, pędził prosto na blask ogniska.

– Kto to być może? – szepnął Łukasz, również zajęty. Marek, zamiast odpowiedzi, skoczył naprzód; poznał z daleka swoją Białkę ze źrebakiem. Ktoś jechał do niego w nocy, cwałem…

Przeczucie jakiegoś nieszczęścia dodawało mu sił, przez grząską łąkę biegł naprzeciw wysłańca. O sto kroków stanął.

– Kto to? – krzyknął.

– Asz esu, pane – odparł zdyszany głos Grenisa.

– Czego ty tu?

– Pan kapral przysłał, żeby pan prędziusieńko wracał!

– Co się stało? Chory kto? Pożar?

– Panie! Źle się dzieje. Przyszli Żydzi z młodym panem i rąbią nasze Dewajte!

Marek zachwiał się; chciał krzyknąć – nie mógł, chciał o coś spytać – nie dobył głosu. Jak człowiek tknięty gromem poczerwieniał, oczy mu krwią zaszły, dygotały mu wszystkie członki.

– Dziś po południu przyszli – mówił Grenis, ocierając pot z twarzy – pan kapral zaraz poszedł. Słyszę, młody pan go złymi słowy zwymyślał! Stanie mu się za to nieszczęście, bo pan kapral…

Nie dokończył Grenis. Żelazna dłoń Marka podniosła go z siodła i zrzuciła na ziemię, potem bez słowa i namysłu młody człowiek skoczył sam na siodło, zgarnął cugle, zwrócił klacz na powrót i poleciał jak strzała.

Dziewięć mil miał przed sobą; spojrzał na niebo: było jednolite ciemne, bez śladu brzasku. Trzy lub cztery godziny dzieliły go od rana, kurs był bardzo mozolny i trudny dla sędziwej Białki.

Klacz to była wysokiej ceny i wartości, ale zniszczona poniewierką w Skomontach. Teraz pod opieką Ragisa poprawiła się znacznie; pomimo długiej odbytej drogi szła raźno, niekiedy tylko niespokojnie wzywając rżeniem źrebaka.

Cała myśl Marka była zajęta pośpiechem. Znał krótszą drogę o połowę, ale rzadko kto jej używał, bo szła pustkowiem i przerzynały ją dwa grząskie strumienie płynące do Dubissy. Dla pieszych były wprawdzie kładki, a dla jezdnych brodów kilka, ale w nocy nikt się tamtędy nie puszczał, bo wśród manowców można było zabłądzić, a lud opowiadał, że po moczarach zbierały się duchy topielców.

Co znaczyły w tej chwili dla pędzącego manowce i duchy? Około jakiegoś krzaku jodłowca skręcił na lewo, przeżegnał się i ruszył na los szczęścia.

O północy wiatr się zerwał, snuł się nisko, wstrząsając zaroślami i kręcąc piaskiem, klacz strzygła uszami, lelaki* i sowy przelatywały nad głową jeźdźca, okolica stawała się coraz dziksza.

Pochylony nad grzywą, cały we wzrok się zamienił; po piaskach tych dzikich wynajdywał instynktem szlak jakiś, czasem ślad kopyt, czasem gałąź złamaną – innych znaków nie było. Mrok szary wielkimi płatami mamił go i mylił co chwila; zaczął żałować, że wybrał ten kierunek, zdjął go strach przed zbłądzeniem w pustce. W takim razie jeździłby do rana, nie mogąc się zorientować.

Przypomniał sobie bajkę matczyną o upiorach, co czatują na ludzi w takich rozdrożach i wodzą w krąg błędny, nasyłają złudzenia, męczą do świtania. Machinalnie podniósł rękę do czoła i piersi; zaklęć, których go matka uczyła, dawno zapomniał, natomiast pacierz zaczął mruczeć.

Wtem klacz zaczęła zapadać w grząską ziemię; byli w sąsiedztwie pierwszego strumienia. Obejrzał się; nie pamiętał, by tędy szedł kiedykolwiek, zapewne zjechał w bok ze ścieżki, co wiodła do brodu.

---

* lelak – nietoperz; puszczyk

Nie było czasu się cofnąć, gwizdnął, poczciwe zwierzę rzuciło się odważnie naprzód, wprost, bez drogi!

Rzeczka płynęła w torfiastym gruncie, czarna i złowieszcza. Białka, wzdrygając się, skoczyła w wodę, muł sięgał jej kolan, chrapała dziko… Wybrnęła przecie, na stałym lądzie zatrzymała się minutę, zhasana, spieniona, drżąc z natężenia. Zwróciła głowę i wołała źrebaka. Odpowiedział jej słabo, jakby się skarżył. Marek trącił cugle niecierpliwie, klacz zastękała jak człowiek stroskany i posłuszna już szła kłusem, dobywając reszty sił. O wiorstę za rzeką potknęła się pierwszy raz i jakby zawstydzona, podwoiła kroku. Chód jej był gorączkowy, nierówny. Marek czuł, że dygotała jak w febrze. Ujechali mil parę; na wschodzie rozjaśniało się zaledwie.

– Hej, Białka! Hej! – zawołał, spojrzawszy w tę stronę. Pędzili, bez drogi już, na tę jasność; tam oto, na wschodzie, wróg był, co chciał wziąć biednemu pracownikowi jego otuchę, jego własność, jego skarb…

Gdy mu ta myśl przemykała pod czaszką, zgrzytał zębami, perły potu występowały na skronie, za piersi chwytała rozpacz. Pochylał się jeszcze niżej do łęku i podniecał klacz nieprzytomny. Byle prędzej! Byle dzień choć raz się spóźnił, dał mu pospieszyć na porę; by ratować starego protoplastę dąbrowy, co wieków tyle szumiał nad kochaną Żmujdzią!

Drugi strumyk zaczerniał w wieńcu łozy. Białka zawahała się sekundę i skoczyła w wodę. Dzielne zwierzę! Sieć żył wybiła się na skórę, z boków dymiła para; na brzeg wydobyła się z widocznym mozołem i znów zarżała.

„Daj mi odetchnąć, panie! – zdawała się prosić – daj spocząć! Służyłam ci, ile mocy, tyle mil".

Ale Marek na nic nie zważał. Na wschodzie jaśniało z każdą chwilą. Klacz potknęła się ciężko i upadła na kolana. Zerwał ją, uderzył cuglami; porwawszy się, rzuciła się na oślep, plątała nogami, biegła jeszcze pięć minut i znowu upadła, jęcząc ciężko. Podniósł ją wędzidłem, chciała iść, zachwiała się, spuściła głowę, daremnie szukała równowagi; siły ją opuściły, zwaliła się na ziemię, przygniatając jeźdźca.

Wówczas dopiero oprzytomniał; zrozumiał, że pastwił się nad niemą ofiarą, żal go ogarnął. Zerwał się, wydobył spod konia, rozluźnił popręgi, pomagał powstać. Ale Białka skończyła już swą służbę uczciwie, do ostatniego tchu. Ciężko jęcząc, dogorywała na tym pustkowiu, o milę od domu; nie nęciła jej już ani woda, ani obrok, ani wygodna stajnia. Oczy jej zaciągały się bielmem, z nozdrzy płynęła krew, zmęczone nogi drgały w przedśmiertnych kurczach. Dobiegła mety.

Marek rozsiodłał ją i chwilę patrzył z żalem na mękę szlachetnego zwierzęcia, potem ogarnęła go wściekłość straszna, cicha a nieubłagana, znana tylko milczącym i skrytym duszom. Zatrząsł się cały, zęby zaciął, czapkę nacisnął na oczy i poszedł wielkim krokiem na jasność ową, zwiastującą bliski poranek.

Koguty piały i dalekie szczekanie psów słyszeć się dawało. Tam on dążył coraz prędzej. Gdy odnalazł drogę, jasność na wschodzie pokraśniała jutrzenką, dzień wstawał czysty i pogodny, jak szczęście.

Zaścianek ledwie się budził, gdy on go mijał, sczerniały przez tę jedną noc i straszny jak potępienie. Nikt go nie widział, tylko Margas poznał i pobiegł w ślad. Czuby dąbrowy ozłocił wschód, stała jeszcze i szumiała jak zwykle, witając właściciela. Zwolnił nieco kroku, odetchnął, gdy wtem w chór głuchy i poważny ciemnych konarów wmieszał się odgłos, jakiś obcy, urywany, odgłos, na którego dźwięk cała krew rzuciła się falą do twarzy idącego, aż od krwi tej zabarwiły się białka i skronie.

Poskoczył jak lew w obronie legowiska, kilkoma skokami znalazł się na polanie, o parę kroków od swego starego druha.

Spojrzał i jak lew zaryczał…

Na głazie Aleksoty, tam gdzie przed laty stała Julka, deklamując, gdzie przed tygodniem Irenka Orwidówna opowiadała mu swoje dzieje, gdzie tyle razy sam dumał, stał teraz Żyd rudy, ogromny, w brudnym kaftanie, z roztarganą, wielką brodą. Głowę miał podniesioną, w dłoni trzymał siekierę i uderzał nią w pień starego dębu, próbując, czy zdatny na klepki.

Za każdym razem garść drzazg odlatywała na ziemię i jęk się rozlegał głuchy, i dreszcz szedł po gałęziach aż do szczytu, gdzie spłoszony siwy orzeł krążył nad gniazdem i krakał żałośnie.

Markowe usta oniemiały. Zdało mu się, że żywe członki ktoś rąbie, że drzewo skarży się na ból owym drżeniem i jękiem.

Na chwilę stracił pamięć. Co to było? Huragan! Żyd nagle zachrapał, znalazł się w powietrzu. Żelazne dłonie podniosły go, wstrząsnęły jak płachtą. Ciśnięty jak kamień z procy, zatoczył krąg i padł ogłuszony o dziesięć kroków dalej, omdlały, bez ruchu.

Siekiera wypadła mu z dłoni. Marek ją chwycił, podskoczył do Żyda…

Co chciał robić, sam nie wiedział. Szał ćmił mu oczy, myśli i rozum, działał pod wrażeniem instynktu obrony, żalu i zemsty. Nie pamiętał nic!

Ten złodziej, oszust leżał u jego stóp i charczał; niech ma ból za ból, krzywdę za krzywdę!

Podniósł siekierę… Bóg wie, co by się stało, gdyby w tej chwili ktoś go nie porwał za ramię. Było to tak niespodziane, że spuścił siekierę i obejrzał się, pewny, że drugi Żyd przybywa z pomocą.

Oczy jego krwią zabiegłe, błyskające dziko spod zsuniętych brwi, spotkały bystre, przejmujące źrenice Irenki. Stała tuż i ściskała go mocno za ramię, blada, zdyszana, przerażona okropnie!

– Co panu? – zawołała zmienionym głosem.

Milczał. Pierś mu pracowała jak miech w kuźnicy, zęby błyskały zza warg; na czoło, potem zlane, wystąpiły żyły jak sznury.

– Rzuć pan topór! Co się tu stało? Co panu zrobili ludzie? – pytała prędko, odciągając go na bok. Siekierę wyjęła mu sama z ręki.

Jeszcze milczał, ale przytomność wracała do oczu.

– Za co pan chciał mordować tego człowieka? Opamiętaj się pan! – mówiła, drżąc cała.

Wzrokiem wskazał jej Dewajtisa, ślady żelaza na korze jak świeże rany.

– Dąb pański rąbano? Kto pozwolił?

Mozolnie otworzył usta.

– Brat! – rzekł jedno słowo.

– Pan Witold? Bezprawnie? To broń się pan, ale nie w ten sposób. Tam moja łódka stoi u brzegu. Jedź pan do Poświcia, wezwij policji i prawa. Są tam dla pana moje konie i służba. Jedź pan co najrychlej!

Oprzytomniał zupełnie. Krew ustąpiła z twarzy, ale się nie ruszał.

Zwiesił głowę, jakby zawstydzony, i po chwili wyrzekł:

– Dziękuję pani. Troska mieściła się w duszy aż dotąd. Ale dziś miejsca jej nie stało. Gdyby nie pani, krew by tu pociekła.

Rzucił okiem na Żyda, otarł rękawem pot z czoła.

– Od północy pędziłem tu, aż mi koń padł, potem szedłem jak wariat. Rozpacz rosła z każdym krokiem, a jak tego zobaczyłem, tom oślepł od szału. Bóg łaskaw! Zdążyłem na czas jeszcze!

Odetchnął głęboko i już uspokojony postąpił parę kroków od drzewa.

– Tyle wieków on stał i wszystko przetrwał! Dziesiątki pokoleń go strzegło, broniło, aż Bóg za karę takich zesłał, co ni pamięci, ni ducha ojców w piersiach nie mają. Najcięższy to dopust i próba! Co my warci bez pamięci starej sławy i cnoty? Skąd my ją odbudujemy i utrzymamy!

Może nigdy tyle słów na raz nie wyszło z zaciętych ust tego odludka.

Jak zza chmur wyjrzało słońce, tak w tej chwili wybił się na wierzch z głębi duszy odblask świetny tego, co tam na dnie w ciszy wiecznej żyło, pragnęło i bolało. Przeistoczony wyglądał i potężny, aż od tych promieni roziskrzyły mu się zapadłe oczy i cisnęły skry wielkiego gorąca.

Nigdy przed nikim takim nie bywał. Skąd wobec tej obcej prawie cisnęły mu się do ust słowa, krew do serca i skroni? Dlaczego jej tak ufał i wierzył? Skąd brał pewnik, że go zrozumie?

Odgadł może bratnią duszę i uczucie w jej oczach złotawych, utkwionych poważnie w jego oblicze.

– Nie budują trutnie, lecz pszczoły – odparła. – Ci, co tak myślą i czują jak pan, nie dadzą temu, co dobre, upaść. Nie trwóż się pan – dodała – obronimy ten dąb i to, co on przedstawia.

Uśmiechnęła się doń z otuchą. Wyprostował się, podniósł wyzywająco głowę.

– Obronimy! – powtórzył z mocą. – Póki ja żyję, Dewajtisa mego nie weźmie topór. Dziękuję pani raz jeszcze.

Teraz sam, pierwszy wyciągnął do niej rękę.

– Idź pan po sąd i policję, ja tu zostanę na straży. Dąb wasz będzie bezpieczny. Nie dam go tknąć nikomu.

– Za chwilę przyślę pani pomoc, a i ode mnie z zaścianka niebawem ktoś przybędzie. Mój chrzestny będzie mnie szukał. Pani będzie tak dobra i objaśni, gdzie poszedłem.

Za chwilę nie było go na polance. Psu kazał pozostać, więc wierny Margas ułożył się u nóg Irenki i czuwał.

Irenka usiadła na głazie i parę minut pozostała zamyślona, patrząc w głąb, gdzie go jej z oczu zabrały wypukłości lochów i gąszcz jeżynowy; potem porwała się żywo i przystąpiła do leżącego Żyda.

Powoli budził się z omdlenia i przestrachu. Począł jęczeć i stękać.

Żebym ja się spóźniła o minutę – pomyślała z mimowolną zgrozą – gdzie byś ty był jutro, bohaterze? Bóg łaskaw!

Tymczasem w dąbrowie działy się szczególne rzeczy. Słychać było gdzieś w dali razy siekier i nawoływania, potem rozległa się wrzawa i ruch. Głosy ludzkie mieszały się z ujadaniem psów i tupotem koni, przez polankę przemknęło kilka strwożonych wiewiórek, ptactwo świergotało na alarm.

Irenka obejrzała się z zajęciem. Byli to napastnicy czy pomoc?

Nagle z gęstwiny ukazali się sprawcy hałasu. Był to Rymko Ragis ze swą czworonożną komendą, za nim pieszo i konno młodzież z zaścianka. Na widok poświckiej dziedziczki stary się zdumiał, eskorta poczęła wołać, zobaczywszy leżącego Żyda. Rzucono się ku niemu.

– To sam herszt, ten, co kupił! Ach, łotr! Zabiło go coś. Widzicie!

Owe „coś" wyszeptali tajemniczo, żegnając się trwożnie. Rymko pokulał w tę stronę.

– At, umarł! Gadacie, Bóg wie co! Żyje i żyć będzie, na zgubę każdego uczciwego. Jak go coś i przydusiło, to słusznie. Ho, ho, ho!

Ukośnie spojrzał na Irenkę. Zrozumiał, czyja ręka działała w tym wypadku i że to w tajemnicy powinno pozostać.

Bał się jej świadectwa, badał wzrokiem.

– Chłopcy! – zawołał – teraz do roboty! Rozdzielcie się na dwie partie i biegajcie żywo do tych drwali, cośmy ich rozpędzili! Uchowaj Boże, bez gwałtu. Siądźcie sobie blisko i tylko pilnujcie. Jakby wzięli w ręce siekiery, wtedy sobie grzeczniutko wstańcie i siekiery w garści. Nic więcej. Rozumiecie?

– Rozumiemy! – zawołali chórem parobczaki i nawykli słuchać czarodzieja, rozbiegli się na wsze strony.

Tego tylko chciał Ragis. Szybko zbliżył się do Irenki, zamrugał oczkiem, zniżył głos i szeptem zapytał:

– Marek był?

– Był – odparła.

– A widziała panienka to? – Nieznacznie wskazał Żyda.

– Widziałam. – Skinęła głową.

Kaleka złożył ręce jak do modlitwy.

– Nie mówcież nikomu, panieneczko! – prosił usilnie. – Chłopca mego życie całe krzywdzą. Krwawy ma żywot od kołyski. Jak ten dzik, co go psiarnia opadnie, broni się i rzuca. Nie ze złości to zrobił, ale z desperacji. Najlichsze zwierzę swego broni, a jemu ostatki chcą wydrzeć. Sąd nie pyta o duszę, ale z czynów sądzi. Nie świadczcie przeciw niemu!

Na tę przemowę, którą ledwie w części zrozumiała, obraziła się prawie.

Potrząsnęła żywo głową i po chwili szukania wyrazów odparła:

– Pan Czertwan poszedł po policję, a ja tego pilnuję. Ratujcie Żyda.

Stary się rozpromienił, troska znikła z pomarszczonej twarzy, z uznaniem i dumą spojrzał w jej oczy.

– Szlachetność w panience mieszka. I rozum! Ho, ho, ho! Rada mądra. Ma się rozumieć. Trzeba go ratować.

Po chwili starań Żyd się ocucił, siadł na ziemi, błędnym wzrokiem wodząc dokoła.

– A co to, pan kupiec konwulsji dostał? – zagadnął naiwnie Ragis.

– Aj, gwałt! Co to było? Gdzie ten rozbójnik? Zabili mnie! Gwałt! Ja na sąd podam! U mnie głowa pęknięta, u mnie serce odskoczyło! Ja zabity! Ja trup! Ajej! Ajej!

– Pan kupiec chyba za gniazdami łaził, z dębu spadł i pokaleczył się?

– Co to gniazdo? Co to spadł? Ja las kupił! Mnie zabili, ja podam na sąd!

– To kogóż, bo jak my tu przyszli, to nie zastali żywej duszy?

– Co to duszy? Co to przyszli? Ja tego starego dęba próbował. Mnie ktoś złapał i zabił! U mnie głowa odpada, u mnie, w piersi boli! Ja zabity!

– Kupiec musi być pijany, jak do lasu szedł, i pijany, jak ten ktoś złapał. Nie trzeba było starego dęba ruszać, w jego pniu licho siedzi, dlatego nikt go nie tyka, bo byle szpara w korze, złe wychodzi i dusi. Kupiec poty stukał, aż wylazło.

Żyd rozejrzał się okrągłymi oczyma. Zmierzył kalekę i młodą osobę.

To nie mogli być jego napastnicy.

Przypomniał sobie robotników, pośpiech nakazany przez sprzedającego i stękając, stanął na nogi.

– Och! – jęczał. – Całe zdrowie mnie wyjęli! Och! Och!

Zgarbiony, kulejąc, powlókł się w las; za nim Ragis pogroził ręką.

– Idź, idź! – zamruczał. – Bogu dziękuj, że jeszcze dyszysz.

Zostało tedy na polanie tych dwoje, wiernych prześladowanemu. Irenka rada by pogawędzić ze starym, ale nie miała ze sobą rozmówek. Pozostało jej tylko słuchać i odpowiadać na migi.

Ragis nie hołdował zwyczajom Marka. Usta mu się nigdy nie zamykały. Umiał gadać z jeżem i z żurawiem, z panem i chłopem. Nie troszczył się, czy go rozumieją i słuchają.

Więc zaraz wgramolił się na głaz i obejrzał uważnie kalectwo dęba.

– Nic mu nie będzie! – zawyrokował. – Jeszcze sto pokoleń przestoi! Żylasty starowina! Ho, ho! Takie rany to fraszka! Nawet i bez biedrzeńca panny Anety się wygoją!

Zszedł na ziemię, spostrzegł Margasa.

– I ty tu, błaźnie? Odstąpiłeś pana, białogłowy pilnujesz? Dobrze, dobrze! A nie wiesz ty, gdzie to Białka? Marek musiał ją szpetnie zmordować, a może z tego pośpiechu i w Dubissę wpław zagnał! Biedna Białka! Taki wyrostek ten Witold; a starych ludzi dziś spędza, że i tchu nie złapią. Będzie mu łaźnia, jak Marek z policją wróci! Oj warto! Skąd to się bierze taki chwast w rodzinie? Tfu! Pieścili, cackali, bo gładki! Ot, i wyhodowali pociechę! Oj bić, bić, tylko słuchać, czy dysze!

Usiadł niedaleko Irenki i fajeczkę zapalił, parę razy zerknął na nią bokiem i zagadnął wreszcie:

– Może paniuńci tytoń szkodzi?

– Nie, nie! – zaprzeczyła z przyjaznym uśmiechem.

– To dziękuję! Fajeczka żołnierzowi bywała często za jadło i napój, a potem to zastąpiła i zabawę, i towarzystwo, i rodzinę! I Marka tak nauczyłem: ty, synku, po wieczorynkach nie biegaj, a masz wolną chwilę, to sobie lulkę zapal i na dym spoglądaj.

Irenka zaśmiała się wesoło. Były to szczególne rady dla młodego chłopca, ale widocznie bardzo skuteczne. Marek wobec niej nie palił nigdy, ale parę razy zeszła go, jak siedział zgarbiony i ścigał obłoczek dymu. Co on widział w nim? Co mu zastępowało rozmowę i zabawę?

Ragis, zarażony jej wesołością, także się uśmiechał.

– Nic gorszego, paniusiu, jak próżna gadanina i wieczorna bieganina! Co mu z tego przyszło, że biegał do Wojnatów? Serce w błoto utopił i siecią wiatr myślał złapać. Nie posłuchał mnie raz i pożałował. Nie lepiej by fajkę wypalił w domu ze mną?

– Co to: „Wojnatów"? – zagadnęła.

– To wuj jego tak się zowie. O płot mieszkamy w zaścianku! Wychowanicę miał, ot, młodą i nieszpetną! Ziela musi być jemu podsunęli, bo nie było czego tyle zadawać sobie fatygi. Rozmiłował się: żenić i żenić! Aha! prawda: złap wiatr w sieć! Ho, ho, ho!

– Ożeni się? – spytała z widocznym zajęciem.

Ragis się roześmiał z triumfem.

– Ho, ho! A widziała panienka wiatr w siatce? Także i tego nikt nie zobaczy! Zaraz po kolędzie za mąż sobie poszła! Chłopiec aż sczerniał z tej troski, a jam taki temu rad, jakbym derkacza ręką złapał. Lepsza jego troska, jak takie wesele! Ma się rozumieć sprawimy jemu gody, ale insze!

– A jakie? – badała ciekawie, ale już z całą powagą.

– Za lat parę, jak w pierze porośnie! – prawił swobodnie, jakby mówił do kuma czy panny Anety. – Z roboty wybrnie, ziemię spłaci i opatrzy, dom sobie założy. Wtedy w swaty pojedziemy. Stary Rymwid ma jedynaczkę jak łanię, gospodarną jak pszczoła, u Olechnowiczów są dwie – córki, w Jurgiszkach on często przesiaduje: panienka dobra i bogobojna! Bogatej on nie chce, sam mi to mówił onegdaj, to weźmiemy biedną, ale rozumną i dobrą! Ho, ho! Byle biedę odbyć i to nasłanie Witolda!

Zamilkł na chwilę; w dymie fajki widział zapewne te gody wymarzone.

Irenka spuściła nisko głowę i gryzła w białych ząbkach źdźbło trawy.

Przez chwilę twarz jej spochmurniała, ale wnet wpół wyzywający, wpół rzewny uśmiech prześlizną się po delikatnych rysach.

Spojrzała na Ragisa lekko drwiącymi oczyma i wstała.

Słońce już zaszło wysoko. Z pogodnego rana dzień się zmienił na pochmurny. Wiatr dął silny od Dubissy, hucząc jak pobudka do burzy. Marka nie było.

– Może panience co trzeba? – zagadnął stary, także się podnosząc. – Deszcz za minutkę będzie i coś na grzmoty się zabiera! Dobrze, żem wczoraj siano zebrał! Niech panienka śpieszy do domu przed ulewą!

Potrząsnęła głową przecząco. Obchodziła powoli polanę, za nią Ragis dreptał, gawędząc do drzew, chmur i swej psiarni.

– Co to? – zagadnęła, nagle zatrzymując się w miejscu. Pod stopami miała jakby otwór zasypanej studni, bujnie zielskiem obrosły.

– A to lochy – objaśnił – podziemne drogi zamczyska! Mówią, że pod całą dąbrową ich pełno. Ale teraz całkiem zasypane! Takich dziur jest kilka! Głębokie tam są korytarze i aż do rzeki się ciągną!

– Chodził pan tam?

– Czy mi życie niemiłe? I czego? Na skarby się nie łakomię i nikt ich tam nie znajdzie! Marek kiedyś, wyrostkiem będąc, łaził niecnota. Chciałem siec za to głupstwo. Nie znalazł ani złota, ani wina, o którym plotą, tylko gdzieś w załamie czaszkę ludzką i zardzewiałe toporzysko! Ledwie żyw się wydobył, tak tam duszno, i drugi raz nie chodził. Z naszych nikt by się na taką wyprawę nie naraził, chyba on jeden. Niech panienka nie zagląda! Fe! Jeszcze nietoperz wyleci, a ziemia może się osunąć…

W powietrzu robiło się coraz niespokojniej. W oddali huczały grzmoty.

Nagle psy Ragisa podniosły hałas i rzuciły się naprzód na dziwaczną postać, która się ukazała z gęstwiny. Był to Marwitz w gumowym płaszczu i ceratowym kapeluszu, dźwigający w ręku parasol, szal i jakieś zawiniątko.

Spostrzegłszy Irenkę, zaczął machać rękoma jak majak staroświeckiego telegrafu.

– Skądeś się wziął? Domyśliłeś się, gdzie jestem? – zawołała.

– Czertwan powiedział! – odparł zasapany. – Konie wziął i poleciał jak wariat! Nic a nic nie rozumiem, co się tu dzieje?

– Sprzedano mu bezprawnie las! Żyd rąbie!

– Zlinczować go! – zdecydował z całym przejęciem.

– Tu nie doszli do tej amerykańskiej sprawiedliwości. Co ty niesiesz?

– Okrycie dla ciebie i śniadanie.

Usiedli pod dębem. Ragis przypatrywał się z daleka. O ile czuł sympatię do dzielnie wyglądającej dziewczyny, o tyle nie znosił chuderlawego Amerykanina.

– Strach w konopie! – mruczał do siebie.

Irenka otworzyła białe zawiniątko. Ukazała się butelka wina, kawał pasztetu i cukierki. Było to śniadanie pomysłu Clarke'a!

Sięgnęła żywo po flaszkę i kieliszek, poskoczyła do starego, nalała pełną czarkę i podała mu ją z serdecznym spojrzeniem.

Wypił, wąsy otarł i aż się oblizał.

– Orwidowski maślacz stuletni. Ot, mi trunek. Dziękuję panience! Aż mnie po kościach mniej łamie! Oho, ho!

Zaprosiła go wdzięcznym ruchem do zaimprowizowanego stołu na głazie.

Zasiedli we troje do śniadania. Jedli spiesznie, bo deszcz zaczynał padać.

– Zmoknie panienka! – frasował się stary, a Marwitz dodawał:

– Wracaj, Iry! Jeśli chcesz, ja cię tu zastąpię, choć słowo daję, nie wiem, czego tu siedzimy.

– Dla rozmaitości, *my dear!* – odpowiedziała ze śmiechem, nie troszcząc się o burzę. Nakarmiła pasztetem Margasa, otuliła się w szal i spokojnie wyglądała ulewy.

– Gdzie ten Marek marudzi? – burczał Ragis.

Deszcz począł padać strumieniem. Gromy biły coraz częściej, wicher giął szczyty dębów. Schronili się wszyscy pod opiekuńcze konary Dewajtisa, chmury zbiły się w czarną oponę. Co chwila rozdzierał je wąż błyskawic.

– Zmokniesz, Iry! – wołał Marwitz, daremnie starając się utrzymać parasol.

– Już zmokłam! – uspokajała go wesoło. – Patrz, co za wspaniały widok…

– Ja miłuję nade wszystko spokój – skarżył się żałośnie.

– Może choć Żyda ubije! – pocieszał się Ragis po każdym piorunie. – Ale gdzież ten Marek?

Marek dopiął swego. Poświcki koń doniósł go do miasteczka. Pieniądz zelektryzował potrzebną mu pomoc. Wracał pocztą z urzędnikami policyjnymi ile koń wyskoczy. Przedstawiciele porządku zmokli trochę, pokrzepili się w jurgijskiej gospodzie i cali przejęci ważnością swej roli stanęli na miejscu. Tam, na skraju dąbrowy, leżało dziesięć ściętych drzew, siedziała gromadka drwali, opodal młodzież zaścianka – w środku Żyd przedsiębiorca, rwąc włosy, złorzecząc i zachęcając swoich robotników.

Widział, że interes przegrał. Wściekał się w bezsilnym gniewie…

Burza już przeszła. Nad dąbrową rozpoczęła się inna, wśród ludzi.

Urzędnicy położyli areszt na lesie – na mocy oświadczenia Marka. Sprzedający nie był jedynym dziedzicem, nie miał prawa rozporządzać wspólną własnością.

Spisano protokół, zabroniono dalszego wyrębu, rozpędzono robotników.

Na placu boju został Żyd, Marek i policja kończąca raport.

– Nu, co to będzie? – zagadnął kupiec ponuro i wyzywająco. – Tu był gwałt, mnie pobili, ja skargę wnoszę! Ja dał pieniądze, oddajcie pieniądze!

– Ja nie brałem – odparł Marek.

– Nu, wasz brat brał! Co to będzie? To gwałt! Rozbój! Awantura!

Urzędnicy zakończyli swe czynności. Półgłosem na uboczu porozumieli się z Czertwanem i odjechali, gwiżdżąc, widocznie radzi ze spełnienia obowiązków. Marek podziękował szlachcie za odsiecz, spytał się o Ragisa i ruszył ku polance. Żyd szedł za nim.

– Ja swoich pieniędzy nie daruję! Albo las, albo kapitał oddajcie! Ja wam mówię, oddajcie! Przeczytajcie kontrakt; zapłaciłem dziesięć tysięcy gotówką. Ja ich nie daruję.

Marek milczał jak głaz. Może nie słuchał.

– Nu, panie, po co swary? Ja panu dopłacę jeszcze dziesięć! Oddajcie las; więcej daję, jak warto! Po co proces, i awantura? – kusił ryży, zmieniając ton z zuchwałego na pokorny.

Długie milczenie. Żyd dyszał jak w ciężkiej walce. Spróbował najdzielniejszego sposobu.

– Panie, u mnie jest na piętnaście tysięcy weksli waszego brata; ja wam oddam wszystkie za ten las. Płacę na wagę złota. Róbcie zgodę.

Przez gałęzie świeciło słońce z polany. Marek oczy tam utkwił i kroku przyspieszył. Żyd wpadał w szał. Cera mu sczerniała, oczy zaszły złowieszczym wyrazem – zaszedł mu drogę.

– Nie chce pan? – wymówił ponuro. – Będzie proces! Nu, wasza wola, ale pamiętajcie, żebyście nie pożałowali! Ja więcej prosić nie będę!

Młody człowiek zmarszczył brwi, ruchem ręki usunął go ze ścieżki.

– Z drogi, gadzino! – zamruczał. – Idź, kąsaj, gryź, ale lasu tego nie dostaniesz za miliony. On mój był, jest i będzie! Zapamiętaj!

– Nu, zapamiętam! – odparł Żyd, zatrzymując się w miejscu.

Na polance już dostrzeżono wracającego. Powstali wszyscy troje i tym razem Irenka pierwsza doń podeszła.

– A co? – zawołała. – Gdzież policja?

– Już odjechała. A pani tutaj burzę przebyła? Czy się godziło? Zmoknąć, zziębnąć i po co? – rzekł z cicha.

– Nie gorzej jak pan zmokłam, a po co? Ot, tak mi się podobało. Już nie rąbią?

– Nie, wszystko spokojnie. Och, chrzestny tutaj, pan Marwitz!

– Strzegliśmy wspólnie pańskiego drzewa. Cóż pan robi dalej?

– Natychmiast jadę do Kowna.

Ragis podszedł i z daleka już wołał:

– Gdzie Białka?

Marek ręką machnął.

– Nie troszcz się o nią – rzekł posępnie. – Za lejką mi padła dziś w nocy.

– Żywot z niej wyparłeś? Ach, szkoda, szkoda! A źrebak?

– Nie wiem, co się z nim stało. Może też padł.

– Czyś oszalał? Cała nasza chudoba zmarniała przez jedną noc, a ty się nawet nie zafrasujesz?

– Nie ma czasu. Trzeba większe ratować. Do Kowna jadę.

Stary poczerwieniał z żalu i złości na tę obojętność, splunął, psy zawołał i bez pożegnania szybko się oddalił. Szedł szukać klaczy i źrebaka; nie spytał nawet o sprawę leśną. Żal mu było Białki faworytki i pieszczocha małego, który miał być tak rozumny jak człowiek.

Długo szukał po pustkowiu! Do chaty nie zaszedł, choć przemoknięty był do kości, błąkał się, złorzecząc i stękając. Psy wreszcie wpadły na trop i zaprowadziły go na miejsce.

Białka leżała nieżywa, skostniała, okryta cała błotem rzeczułki, z krwią skrzepłą u nozdrzy. Siodło leżało obok, a nad nią z głową zwieszoną, chwiejąc się z głodu i chłodu, stał źrebak, sierota, trącał ją i rżał ochryple. Wokoło z daleka jeszcze krążyły czarne kruki i śpiewały poczciwej klaczy na stypę. Wrony zuchwalsze opadły niżej i zaglądały w jej szklane oczy. Gdzieś w gąszczach, zapewne, czatowały lisy i wilki.

Ragis oparł się na kiju i miał ochotę zapłakać, potem żal w złość przeszedł.

– Bodaj was piekło! Złodzieje i szachraje! Jak te kruki za krzywdą latacie, bierzecie pot, siły, zdrowie, grosz krwawy! Biedna starucho, warta byłaś lepszego końca! Nie dam cię wilkom i krukom, zakopię głęboko. Lepsza byłaś od wielu ludzi. Już nie wstaniesz, nie usłyszysz! No, chodźże ty ze mną, sieroto! Nie nakarmi cię już matka i nie ogrzeje. Ale ja ci zmarnieć nie dam! Chodź do pustej stajenki, nie płacz!

Pociągnął je za sobą, a biedactwo szło posłusznie, skarżąc się żałośnie.

Kruki krakały coraz przeciąglej, spuszczały się niżej i niżej na ucztę.

Nad pustkowiem zapadała noc i głusza. Skargę źrebaka niósł wiatr i oddalenie…

IX

Późnym wieczorem dzwonek pocztowy kołatał monotonnie na pustym trakcie.

Zbliżał się ku rzece na prom jurgijski i wreszcie umilkł. Podróżny zatrzymał woźnicę, opłacił go i odprawił.

Zamiast jednak udać się za rzekę, skręcił w bok i boczną drogą ruszył w stronę Poświcia. Księżyc w pełni wypłynął na pogodne niebo i ciekawie w twarz mu zaglądał. Wędrowiec, jakby się wstydził światła, nasunął na oczy czapkę i krył się w cień drzew i krzaków otaczających drożynę. Na szelest każdy nadstawiał ucha nieufnie; szedł jak złodziej. Im bliżej dworu, tym krok jego stawał się żywszy, ruch każdy ostrożniejszy, kilka razy stanął i jakby zwrócić się miał, jednakże po chwili namysłu dążył dalej. Silniejsza snadź nad zastanowienie była to chęć, co go niosła w tę stronę – nie do domu, w noc głuchą.

U parkanu ogrodowego zatrzymał się znowu. Cień drzew okrył go zupełnie. Uchylił czapki i otarł pot z czoła. Przez tę sekundę księżyc zaspokoił swą ciekawość, bo zajrzał w posępne oczy Marka Czertwana i musnął srebrną jasnością jego ciemne, ostre rysy.

Czego on tu chciał, w tym znienawidzonym przez się Poświciu? Nie potrzebował tu wracać jak niegdyś, miał swą zagrodę, był wolny.

Łukasz Gral, gdyby go spotkał z tym wyrazem niepokoju i tęsknoty, z jakim szedł, mógłby powtórzyć to, co on mu mówił na utyskiwania: „Masz, czego chciałeś". Ale Łukasza nie było, a słabość i cierpienie cichego Żmujdzina widziała tylko noc, jak on milcząca, i słyszał chyba Bóg wielki w cichej modlitwie o ratunek.

Los człowieczy nieubłagany jest i mściwy. Pokarał Marka tym Poświciem właśnie, gdzie tak często narzekał, skąd się tak wydzierał. Zawracał go tam teraz nie mus i nie niewola, ale jakaś gorzka nieprzeparta chęć. Los się naigrawał z oporu, z dumy, z zaciętości; jak zmora prześladował go – dniem i nocą, gnał osłabłego z powrotem na miejsce dawnego wygnania.

„Jak pokutę przyjąłeś ojcowską spuściznę i narzekałeś. Idźże teraz sam, bo bez pokuty tej żyć już nie potrafisz".

Stojący u parkanu słyszał to ciągle. Myśl ta rozpaliła mu gorączką zimne oczy, przeciągnęła kurczem bezustannej walki usta i czoło. Cierpiał jak potępieniec, z dnia na dzień tracąc dawne pragnienia i cele, opuszczając obowiązki.

Dziś w powrocie z Kowna, o milę od domu, gdzie tydzień był nieobecny, nie pokonał pokusy. Poszedł, niepomny, że za rzeką praca go czeka i tysiące zaległych interesów. On, co się nikogo nie bał i nie wstydził, krył się – jak złodziej. On, co błogosławił niebu, gdy otworzyła mu się raz ostatni poświcka brama, wracał nocą, przez parkan.

Okropna zemsta losu!

Znowu zbuntowały się w nim reszki dumy i siły woli – na próżno!

Zamiast się oglądać, przesadził sztachety, znalazł się w parku.

Brytany, posłyszawszy szelest, nadbiegły; stróż gdzieś gwizdał, spiesząc im z pomocą. Co będzie – gdy go zobaczy o tej porze? Krew oblała mu skronie żarem wstydu i upokorzenia, pomimo to szedł ku domowi, kryjąc się w najtajniejszą gęstwinę.

Szczęściem psy go poznały i powitawszy odeszły; stróż, może lękając się czarnej gąszczy, zawrócił też w przeciwną stronę.

Odetchnął.

Przecie on nie szedł tu kraść i krzywdzić, czegóż się lękał i wstydził?…

W domu ciemno już było. Na górze tylko świeciło się w mieszkaniu Marwitza i na dole w sypialni.

Okno było otwarte, wiatr letni uchylał firankę, pod oknem stała lipa rosochata.

Można było łatwo zajrzeć do pokoju. Ale Marek nie szedł krzywdzić i kraść. Z daleka stanął, ręce założył na piersi, głowę oparł o drzewo i patrzył na to światło, ciężko oddychając. Los zaprowadził go, gdzie chciał, i rzucił na mękę i gorycz. A męka to musiała być ciężka, bo aż zbladł, a gorycz musiała być straszna, bo aż się ugiął i oczy przymknął, a wargi mu się poruszały słowami, o których nigdy ludzie się nie dowiedzą.

Ciemny smukły cień przesuwał się w świetle. Irenka Orwidówna rozbierała się spokojna o to okno i samotność swą sierocą.

On stał ciągle i patrzył. Nic więcej nie pragnął, tylko tu pozostać z bólem swym i rozkoszą. Dwa te uczucia splotły się w jedno; nie wiedział, w czym było gorsze nieszczęście i troska.

Nagle światło zgasło. Wzdrygnął się, rozplótł ręce, zwiesił głowę i zawrócił z powrotem powoli. Róże tu pachniały piękniej, księżyc jaśniej świecił, nie chciało mu się odchodzić. Nad Dubissą zaledwie oprzytomniał, bo tu już zaczynała się myśl o ukryciu tego wybryku. Należało zniknąć bez śladu. Wziął tedy łódkę najgorszą, kawał deski za wiosło i cicho odpłynął. Rzeka zacierała ślad wszelki, głuszyła szelest czółna. Na drugim brzegu wyskoczył, deskę z łodzią puścił na fale, sam zniknął.

Teraz, oprzytomniawszy, biegł kłusem, układając bajkę na zapytanie Ragisa, skąd przychodzi pieszo – o tej porze. Raz pierwszy w życiu nie powitał Dewajtisa, nadłożył parę wiorst drogi na szlak od promu i już na tym legalnym miejscu zwolnił kroku. Tu mógł go każdy spotkać.

Ale noc zapadła i nikt się nie ruszał. Drugie kury śpiewały w Sandwilach, gdy wkroczył w ulicę. Obojętnie wiódł wzrokiem po zagrodach; ciemne były, tylko w chacie Grala przez szybki czerwieniał ogień na kominie.

Nie zdziwiło to Marka. Smutny człek może także w nocy już wrócił z połowu.

Chciał wejść i spytać o rezultat, ale obecność Marty wstrzymała go. Zobaczą się jutro. Nic pilnego.

Rzeczywiście od pewnego czasu Marek lekceważył w ten sposób każdy interes, nie cieszyła go pomyślność, nie martwiło niepowodzenie.

Szedł dalej. Dziwna rzecz, jak zaścianek, pomimo nocy, dymem był otoczony. Skąd ten zaduch? Obejrzał się. Wszędzie cisza i spokój.

At! Pastuszki może ogień gdzie niecą z mokrych gałęzi; stąd dym się ciągnie.

Wtem coś mu wpadło pod nogi. Był to Margas. Marek się schylił, by pogłaskać psa, i spostrzegł przerażony, że zwierzę było osmolone, bez sierści, z kilku okropnymi ranami.

– Co ci się stało, Margas? – zawołał.

Pies zaskomlał żałośnie i pobiegł naprzód, oglądając się za panem.

Jeszcze kilkanaście kroków i zrozumiał wszystko; rany psa i zaduch dymu. Nie od pola one smugi szły gryzące, ale, ot, stąd, dokąd dążył na nocleg. Spojrzał i stanął, a Margas popatrzył mu w oczy, zawył raz i drugi. Potem nikt już się nie odezwał.

Jak czarna, szeroka rana leżała przed Markiem jego posiadłość. Zamiast budowli, domu, ogrodu, płotów kupa dymiących zgliszcz i pustka!

Komin chaty sterczał jak widmo, szkielety opalonych drzewek odcinały się na tle jasnej nocy, z rumowisk bezkształtnych wiatr podnosił dym i duszące wyziewy spalenizny. Nie zostało nic: ani węgla, ani kołka, ani znaku, na którym by oko można zatrzymać.

Kwadrans, pół godziny gospodarz tego pogorzeliska stał i patrzył. Przetarł dłonią oczy, myślał, że majaczy, że śni, że zmora go trapi. Nie: przytomny był, i to, co miał przed sobą, nie zniknie, ale zostanie i w blaskach ognia, i w obliczu słońca. Rozpacz jak ćwiek powoli wbijała się w mózg. Osuwały się zmęczone nogi. Usiadł ciężko na kamieniu, który znowu, jak przed rokiem, stanowił płot, głowę wziął w dłonie i jęknął:

– Boże, Boże! Com ja Ci zawinił?

Margas, jakby zrozumiał ból, podszedł do niego i skomląc, lizał po rękach. Marek podniósł oczy, wstał.

– A gdzież moi są, Margas? – spytał. – Przecie żyją?

Pies w odpowiedzi zawrócił do zaścianka. Prowadził pana. Idąc za nim, Marek doszedł do chaty Grala i już bez namysłu otworzył furtkę. Na skrzyp wrót w chacie się zaruszano, ktoś wyszedł naprzeciw niego.

– Kto tam? – spytał cicho głos Ragisa, dziwnie zmieniony.

– Ja – odparł już po swojemu, spokojnie.

– Skąd idziesz?

– Z pogorzeli. Zdrowi jesteście wszyscy?

– Nie, synku, Gral umiera – szepnął stary przez łzy.

– Umiera? Co mu takiego?

– Ratował chatę, wpadł pod belki, potłukł się i poparzył. Trzeci dzień dogorywa, tylko co pleban odjechał. Chodź!

Weszli. W izdebce pod świętym obrazkiem smutny chłopak leżał, cały w ranach, zmieniony do niepoznania. Nad nim we łzach siedziała Marta z panną Anetą, dalej kilku kolegów z zaścianka.

Dziwna rzecz! Przez całe życie Łukasz skarżył się i smucił, teraz, wobec śmierci tak bliskiej, pomimo cierpienia leżał cichy i uśmiechał się.

Marta klęczała obok posłania, rękę wsunęła mu pod głowę, łkanie rozdzierało jej piersi. A on się uśmiechał przez swe rany i trud przedśmiertny, jakby go dopiero teraz nic nie bolało i nie smuciło.

Panna Aneta zgarbiona, znękana, nie szukała już w ziołach i maściach ratunku, a Gral o nic nie prosił; ani o lek, ani o wodę, w twarz Marty patrzył z jasnością w oczach niebywałą i uśmiechał się pogodnie. Na widok Marka ręką poruszył: wzywał go bliżej.

Olbrzym pochylił się nad nim.

– Miłosierdzia nad samym sobą nie miałeś, Łukaszu – rzekł wzruszony.

Umierający potrząsnął głową.

– Nie, nie – zaprzeczył – Bóg chciał. Twoje pieniądze u chrzestnego, oddałem. Dziękuję ci za wszystko, coś zrobił. Jam rad, och, rad!

Znowu na Martę oczy zwrócił i dodał ciszej, jakby do siebie:

– Żebyś wiedział, jak mi dobrze, jak dobrze… dobrze!

Zasunęły się powieki. Uśmiech został i na zawsze już zastygł na rysach.

Ragis odmówił pacierz, westchnął i wywołał Marka na podwórze.

– Żyd w więzieniu! – rzekł. – Złapał go Grenis z twoim psem!

– Kiedyż się to stało?

– Pożar? We czwartek, na drugi dzień po tej awanturze. Ja byłem w Żwirblach, panna Aneta na plebanii, odwoziła kościelną bieliznę z prania, Grenis grabił siano za ogrodem i – jak się pokazało – zasnął. Margasa zostawiłem na straży w stancji i sam poszedłem do roboty. Raptem dym buchnął, potem płomienie. Rzuciliśmy się wszyscy, zaściankowi za mną; sądny dzień! O włos nie zajęła się zagroda Wojnata, ale wiatr gnał w pole, uratowali. Gral właśnie od jeziora wracał; jak ćma lazł w ogień, wyrzucił kuferek panny Anety i obrazek święty, potem go belki przywaliły; dobyliśmy zduszonego! Ledwie ocucili i ot, na nic!

Pochylili głowy żałośnie.

– I bydło zgorzało? – zagadnął Marek.

– Tylko cielęta; woły i konie na paszy były, a źrebaka to własnoręcznie uratowała poświcka panienka z Julką.

– Była panna Orwid? – wyjąkał Marek.

– Był kto żyw – i Hanka nawet, choć jej matka nie puszczała, i Sawgard z parobkami, i chłopi ze Skomontów. Było komu ratować i woda o krok, cóż kiedy zbrodniarz podpalił w czterech miejscach, a tu co? Słoma i smolne drzewo! Cztery godziny czasu i po wszystkim!

Marek otworzył usta, zająknął się i zamilkł.

Z chaty wyszła panna Aneta i zbliżyła się do nich.

– Odstąpiłam tej biednej, żeby cię przywitać, moje dziecko kochane! – rzekła, obejmując schyloną głowę młodego. – Nie upadaj na duchu! Gorzej temu, co podpalał. Nie minie go sąd ludzki i boski, a ty znowu odbudujesz! Kogo Bóg chce koronować, tego wpierw biczuje. Zobaczysz, rychło ci koniec trosk nastanie! Byle zdzierżyć w milczeniu i w spokoju. A dziękuj Bogu, żeś nie stracił nikogo drogiego, jak ta oto kobieta!

– Ja, ciotko, niczyim kochaniem nie poniewierałem jak ona! Słusznie płacze, tylko się opamiętała za późno! Gral szczęśliwy szedł jak na gody! Gorzej żyć!

Złożyła ręce jak do modlitwy.

– Mój chłopcze kochany, moje ty dziecko biedne, tylko tę niedolę jeszcze znieś, tylko ten raz jeszcze wytrzymaj! To już ostatnia Boża próba. Rychło odpoczniesz.

– Daj Boże, jak Gral! – zamruczał ponuro.

– Milcz, chłopcze, nie bluźnij – wtrącił Ragis. – Nie takie klęski my z twoim ojcem przeżyliśmy, a wytrwali! Poczekaj ranka, opamiętaj się!

– Jam spokojny, tylko już widzę, że niczego się nie dokołaczę… Poczekam ranka i pójdę do pracy. Ciocia mówi, że to ostatnia troska? Oj nie! Słyszałem w Kownie, że mnie Witold pozwał na sąd obywatelski. Wręczyli mi papier. Za tydzień mam się stawić na plebanii. Macocha zebrała swoją familię; wiem ja, jak osądzą!

Starzy umilkli zafrasowani, po chwili zaledwie ozwał się Ragis:

– Możesz nie pójść…

– Cóż z tego? Dziś zagrodę, jutro spalą Żwirble, pojutrze Ejniki, potem jurgijskie młyny. Trzeba kończyć! Czy tak, czy owak zewsząd zguba.

Machnął ręką i usiadł na przyzbie.

– Żyd pójdzie w katorgi! – rzekł Rymko.

– Co mi z tego? Ja je już mam tutaj, te katorgi! – zamruczał, wskazując na piersi.

Panna Aneta usiadła obok niego.

– Nie sam jesteś na świecie, Marku! Jak się paliło, tom patrzyła spokojnie, ale łzy mnie wzięły, gdy zobaczyłam, że oto w nieszczęściu policzysz przyjaciół… Są dobrzy ludzie, oj, są! Sam byś tak nie ratował, jak chłopi ze Skomontów i Poświcia, i nie płakałbyś tyle, co stary Dowgird i Hanka poczciwa… a panienka z Poświcia…

– To cały zuch – przerwał Ragis. – Konno przyjechała z tym cudakiem!

– Nie cudak, dobrodzieju, nie cudak – przerwała panna Aneta – a któż klatkę z ptakami z okna odczepił? Hanka powiada: najgorzej mi szkoda tych śpiewaków w niewoli! Skoczył młody Downar, nie wytrzymał żaru; skoczył Wawer Ejnacki, wrócił poparzony, a ten cudzy poszedł sobie powoli, włosy osmalił, ręce popiekł i przyniósł jej klatkę. Jeszcze żywe były ptaszęta…

– Tylkoż one się zostały. Nie ma Igiełka i Żywusi, i Żurasia, i Robak spał w izbie, i flet się spalił; nie zagram już, bo i nie ma dla kogo!

Marek znowu chciał coś rzec i usta zagryzł.

– Oj, dużo, dużo dobrych ludzi na ziemi – pokiwała głową staruszka – lżej cierpieć, gdy się o nich pomyśli. Nazajutrz znieśli nam krup i słoniny, kto co miał. Rok głodu nie będzie.

– A najmilszy dar przyniósł Pan Bóg z nimi, bo jakąś wielką otuchę i cierpliwość – dodał stary – a i czasu na myślenie długie nie było, bo ratowaliśmy tego biedaka. Siedziała nad nim czarna Julka, dwóch felczerów, ksiądz, panna Aneta… Nie dali rady! Ot, go i pochowamy teraz! Powiedz co, Marku, czyś oniemiał?

– Albom co kiedy gadał? – zamruczał Czertwan.

– Nieboszczyk twój ojciec taki był. Nie gadał, a żywot cały cicho pracował. Naturę ci swoją dał. Nie ustaniesz ty w trudzie, jak i on, i nad wszystko wyrośniesz! Oj, znam ja cię, znam, mój ty chłopaku kochany! – szepnęła łagodnie panna Aneta, wstając.

Raz jeszcze objęła głowę Marka i przycisnęła do piersi swej poczciwej, potem otarła oczy i rzekła:

– O biedzie swej zamilczmy, bo mniejsza niż ta, w tej chacie. Idźcie, dobrodzieju, z Markiem, ubierzcie tego biedaka w świąteczne szatki, a ja mu w sieni uścielę posłanie; chłopaki mi pomogą.

Skinieniem wywołała młodzież z izby. Wysunięto tapczan, nakryto go kilimkiem, jeden ruszył po światło, drugi po deski na trumnę.

Marta leżała osłabła, jęcząc głucho, na ziemi. Tak im ta noc zeszła.

Pierwsze promienie słońca weszły do sieni Grala i cicho objęły jasnością katafalk. Ubrany odświętnie, prosty, wyciągnięty, młody, leżał i uśmiechał się wciąż. Popalona jego twarz wypiękniała tym wyrazem, w złożonych rękach trzymał drewniany krzyżyk, a z dala, po rosie, wołały go dzwony kościółka, te same, co mu biły na chrzest i wesele, stare znajome, i na cmentarzyku czekał nań grób w żółtym piasku i krzyżyk sosnowy! A on się uśmiechał.

Przed progiem Marek z Downarem heblowali białe deski na domowinę* ostatnią. Ragis na wieku już gotowym wyrzynał niekształtne litery, panna Aneta szyła mu poduszkę do tej pościeli z wiórów. Marta płakała bezustannie.

Na głos dzwonów schodzili się sąsiedzi. Z uszanowaniem, z głową odkrytą odwiedzali go. Był dnia tego najstarszym w zaścianku. Doczekał się chwili, że po nim płakała żona, żałowali znajomi, chwalili najobojętniejsi, a Czertwan sam na niego pracował jak wyrobnik. Nie dziw, że się tak błogo uśmiechał!

Ludzie, wychodząc, otaczali Marka, ciekawi, czy też się zmienił choć trochę, ale on od smutnej swej roboty oczu nie podnosił i ledwie odpowiadał na przyjazne słowa. Może, wedle swego zwyczaju, nie słuchał, zajęty czymś innym? Pochylony, z włosami zakrywającymi pół twarzy, heblował deski.

– Pan już wrócił? – zabrzmiał mu nagle znajomy głos. Zatrzymał się. Do Julki Nerpalis wyciągnął spracowaną dłoń.

– Dziękuję pani za ratunek! – rzekł.

---

* domowina (gwar.) – trumna

– Nie na wiele się przydał! Szkoda mi pana serdecznie! Hanka aż zapuchła od płaczu. Pani Czertwan zamknęła ją w domu za karę, że biega jak ulicznik na widowiska! Naturalnie, cytuję nie swoje słowa. Ładne widowisko, nie ma co mówić! Kupa rumowisk z takiej pracy, a tu z człowieka w sile wieku garść próchna! Widowisko istotne!

Aż pokraśniała poczciwa dziewczyna i mówiła po chwili dalej.

– Panna Orwid mówiła mi, że zasnąć nie może. Szlachetna to dusza! Choć nie płacze, ale znać, że dotknięta mocno pańską niedolą. Nawet pan Marwitz chodzi osowiały. Stracił w pożarze faworyty i skórę na rękach. Ratował dla Hanki szpaka i kosa!

– I pani uratowała źrebaka! – wtrącił, nie przestając roboty.

– Nie ja sama. Panna Irena posłyszała rżenie w stajence. Zapomniano o nim. Otworzyłyśmy drzwi, nie chciał wychodzić; poszłyśmy tedy do środka i siłą go wydostałyśmy. Potem zaraz budynek się zawalił. Najlepiej sprawił się ten ospowaty parobek. Żyda złapał, jak się przekradał ogrodami. Znaleziono przy nim butelkę nafty, zapałki i gałgany. Wyznał ze strachu, że mu kupiec leśny dał za tę robotę dziesięć rubli. Wtedy to, panie, nastała okropna scena. Nie widziałam nigdy takiego przeistoczenia w jednej chwili, jak na twarzy pana Marwitza i owego parobka. Jeden zzieleniał i ochrypłym głosem wołał: „lincz, lincz!", a chłop się tak rozwścieklił, że wlókł Żyda prosto w ogień. Zęby wyszczerzył, oczy mu zaszły krwią i krew, zdawało się, wytryśnie mu z każdej blizny po ospie! Żeby nie Hanka, wymierzono by doraźnie sprawiedliwość, ale ona zaczęła błagać pana Marwitza i wołać pana Ragisa! Czterech ludzi ledwie wydarło ofiarę z rąk parobka. Potem już nic robić nie chciał: siadł i płakał jak bóbr!

– Czemu tego nie powstrzymali? – zauważył z goryczą, wskazując głową umarłego.

Julka obejrzała się ostrożnie i zniżyła głos:

– Mnie się zdaje, że on sam śmierci szukał, bo można było jeszcze wyskoczyć, gdy belki zaczęły trzeszczeć. Powiadają, że on od dawna czekał okazji. Kto wie?

– Kto wie? – powtórzył Marek, biorąc w rękę piłę.

Przypasowali deski, zaczęli je zbijać. Młoty stukały monotonnie, z cicha.

– Pan i stolarz? – zauważyła Julka.

– Za młodu z ochoty się poduczyłem i dobrze, bo to stary zwyczaj, żeby umarłemu nie obcy, a najbliżsi klecili trumnę. On rodziny nie ma.

– Swój lepiej zrobi, wygodniej pościele! – zauważył Downar.

– A gdzież żona?

– Płacze – rzekł lakonicznie Marek.

Młody szlachcic znowu wmieszał się do rozmowy.

– Za życia on płakał, a ona się śmiała, a śmierć to wszystko obraca na opak.

Wtem turkot się rozległ na ulicy. Spojrzeli wszyscy. Z malutkiego powoziku założonego parą ślicznych koni wysiadła Irenka Orwidówna, sama, bez Clarke'a. Czarno była ubrana i dużo bledsza niż zwykle. Julka, Ragis i panna Aneta rzucili się żywo na jej spotkanie; jeden Marek się nie ruszył i tylko gdy przechodziła, ukłonił się głęboko. Weszli za nią wszyscy do zwłok i w tejże chwili Downar rzekł:

– A gdzie to, Czertwanie, bijecie ten ćwiek? Toż tam już dwa wbite?

Po dość długiej modlitwie wyszli wszyscy i otoczyli kołem Marka. Irenka popatrzyła na trumnę i rzekła:

– Wstyd panu, panie Czertwan! Ten, co tam leży, uśmiechnięty jakiś, wesół, daleko pogodniejszy od pana!

– Uśmiecha się! – Panna Aneta pokiwała głową. – Jest racja, moja śliczna panienko! Duszę jego anielską Bóg za pokutę włożył w nędzne ciało, więc ciągle się skarżyła i płakała… A wychodząc na swobodę, z radości musnęła po licach skrzydłem i ot, po niej znak taki jasny pozostał…

Na to określenie Julka uśmiechnęła się mimo woli, Downar otworzył szeroko usta i oczy, Ragis ramionami ruszył, tylko Marek niczym nie objawił wrażenia, a Irenka zauważyła:

– Ja bym rada zobaczyć to u pana Czertwana przed śmiercią jeszcze… Ejże! Mnie się zdaje, że pan powinien się weselić i róść po każdej biedzie…

– Tak to i będzie! – potwierdziła ciotka. – Jeszcze on urośnie, nad wszystkich wyrośnie! Będzie możny pan i wielki, i szczęśliwy! Dola buduje się na klęskach!

Coraz więcej ludu napływało. Kobiety zaczęły zawodzić wedle obyczaju; ścisk się robił na podwórzu.

– Chodźmy stąd – rzekła Julka – trumna prawie gotowa. Zabiorę pana Marka, stryj mnie z tym przysłał. Może pan tymczasem przyjmie na plebanii gościnę. To, co ocalało w pożarze, już tam zwieziono. Chodźmy!

Ostatnie ćwieki wbito w deski; ukończyli cieśle swe dzieło i ustawili pod ścianą.

– Dziękuję pani! – rzekł Marek. – Nie czas gościć. Pogorzelisko trzeba uprzątnąć, za drzewem się obejrzeć, na jezioro wieczorem pojechać. Chrzestny niech idzie do proboszcza o pogrzeb się umówić i wypocząć nieco. Mnie się nie chce ani wczasu, ani jadła! I cioci warto odetchnąć…

– Ja się tu zostanę, Mareczku; jeśli ci nie jestem potrzebna, z niebogą tą posiedzę. Tyle tu roboty i troski, a ona jedna!

– Chodźmy tedy na pogorzelisko, panie Czertwan! – zawołała Irenka. – Mamy dzięki Bogu lasy pełne drzewa! Odbuduje pan rychło!

Za co? – pomyślał, idąc za nią. Ostatnimi czasy robota polowa, reperacja młynów, wypłaty Kazimierzowi, Hance, macosze, proces o dąbrowę wyczerpały jego zasób. Miał zaledwie marną sumę.

Ragis z Julką szli opodal. Obejrzała się na nich i zniżając głos, rzekła prosząco:

– Czy pan się nie obrazi na mnie, gdy go o coś poproszę? Mnie się zdaje, że połowa natury pana składa się z monstrualnej dumy i hardości, a druga połowa z zaciętości strasznej, żeby milczeć i niczego nie okazać! Ja wiem wiele o panu i czasem mi okropnie żal pana, a czasem gniewam się istotnie! Po co się męczyć bez racji, bez potrzeby? Och, warto pańską duszę w ogień włożyć, a potem kuć na inną formę, bo ta stara jest nieludzką w swej zaciekłości.

Nic nie odrzekł, błądząc wzrokiem po ziemi.

– Czemu pan milczy i wobec mnie? Ja jestem panu tak życzliwa, z całego serca! Mnie pan swym spokojem nie oszuka! Ja wiem, że za nim w duszy pana wre męka i piekło!

Zadrżało mu ramię. Nieufnie oczyma przez sekundę spoczął na jej oczach i po chwili niewyraźnie odparł:

– Piekło – nie! Męka nie jedno z potępieniem!

W źrenicach rozsypały się złotawe skierki.

– Po co się męczyć na próżno? Nie pomoże panu milczenie! Kto zechce zrozumieć, zrozumie! Nie zwalczy pan jednej rzeczy – nigdy!

Poczerwieniał i kurcz bólu drgnął mu na licach, jakby dotknęła ciężkiej rany.

– Uchowa mnie przed nikczemnością Bóg miłosierny i ojciec nieboszczyk w niebie! Jeszczem ja przed niczym nie uległ, co grzeszne!

Brwi jej zbiegły się groźnie.

– Nie rozumiemy się, panie! To, co ja myślę, nie jest ani grzechem, ani nikczemnością, i dlatego właśnie złamie pana, bo wielkie i dobre!

– Nie stoimy na równi i rzecz każda inne ma lica dla mnie i dla pani – odezwał się po chwili namysłu.

Ragis z Julką dopędzili ich: stali nad zgliszczami. Stary wszedł między rumowiska i zwrócił się do Marka:

– Bocianięta z gniazdem spadły w płomienie; widzisz, jak stare krążą nad nami? A w tym popiele Igiełko mój się upiekł! Nic nie zostało!

Marek postąpił parę kroków i butem rozrzucał zwęglone resztki chaty. Nagle coś mu zadźwięczało pod nogą, schylił się i z żużli tych podniósł osmalony przedmiot.

– Zostałeś ty jeden. I cały! – zawołał półgłosem, z wybuchem głębokiego wrażenia.

Był to rycerz czarny z blachy rżnięty. Płomień go odstąpił – nie tknął najmniejszego rysu. Niezmieniony – pędził na swym czarnym rumaku z mieczem w prawicy, z tarczą u ramienia. Julka podskoczyła naprzód.

– Nasz rycerz! – krzyknęła z błyszczącymi oczyma, spoglądając dumnie ku niemu. – Skąd go pan ma?

– Zawsze mi nad posłaniem był i został! – wymówił młody człowiek, cały przejęty.

– O! Ten się klęsk nie boi!… Zahartowany od dawna!… – rzekła siostra Olechny z uśmiechem dumy.

– Co to jest? – zapytała ciekawie Irenka, podchodząc.

– Nasz rycerz! – powtórzył Marek, ocierając troskliwie znak z prochu.

Zrozumiała. Wyciągnęła po niego rękę i długo się przyglądała w milczeniu.

– Potężny! – szepnęła jakby do siebie.

Ragis podszedł i także radośnie uderzył w dłonie.

– Oho, jest Wejdawutas! No to i chwała Bogu! Znowu my wszyscy!

– Co to Wejdawutas? – spytała Irenka.

Ragis oparł się na kiju i rad, że go ktoś obcy słucha, prawił:

– „Bohater to był wielki – nasz pierwszy! Bohater, choć świtę nosił i krowy pasał u sługi królewskiego… A gdy smok kraj trwożył, z morza wyszedłszy, król posłał generała, ale Wejdawut go uprzedził i ubił smoka…

Chwałę wziął generał, a on milczał i po staremu krowy pasał…

I przyszedł gorszy smok, a on go też ubił, a generał tylko z nieżywego głowę ściął i sławę posiadał. A Wejdawutas milczał i sławy nie dochodził, bo mu jeno o bój szło i ziemi dobro chciał zrobić…

A trzeci smok taki był straszny, że król obiecał córkę temu, co go pokona. I Wejdawutas znów poszedł samotrzeć i w milczeniu do zarania walczył, krwią spłynął i ubił potwora. Ale jako zwykle po nagrodę nie poszedł, tylko do krów wrócił i służył w cichości…

A generał znalazł nieżywego smoka, głowę mu ściął i na zamek wrócił…

Zgotowano gody, ale Wejdawutas nie pił, nie weselił się – kazano mu łaźnie palić. A gdy napalił, siadł rany swe obwiązywać, co mu krwią ciekły, a tak go zeszła królewna…

Pyta się: «kto cię pokaleczył?», a on milczy; «ktoś ty?», a on milczy, tylko wpatrzył się w nią i oniemiał z zachwytu…

Doniosła tedy ojcu. Wzięto go na spytki, a on milczał. Więc ona znowu jęła go prosić – i wyznał…

Tedy poszła wieść – generałowie się zapierali, chcieli go zgubić…

A on wtedy powstał i rzekł: «A gdzie zęby smocze z tych głów, coście królowi przynieśli?». Nie było zębów, bo on je pierwej wydarł, schował...

Przyniesiono więc zęby i urósł Wejdawut jako orzeł i jak dąb nad lud cały. I dał mu król córkę za żonę i uczynił synem i wodzem, a generałów potracił!...".

Umilkł Ragis. Irenka słuchała go mocno zajęta. Zrozumiała wszystko... Język ojczysty co dzień jej się stawał jaśniejszy.

Podczas opowieści podniosła oczy na Marka – iskrzyły się jej zapałem. Triumfowała z czegoś, co on rozumiał widocznie, bo gdy Ragis skończył, poruszył się żywo, poczerwieniał i rzekł:

– Nie dokończyliście, chrzestny, jako starzy kończą: „I rzekła królewna do Wejdawuta: «Czemuś milczał?», a on jej odparł: «Bom ja niegodzien był chodzić w takiej jasności ani słońce za żonę brać, bom ja pastucha krowi i nędzarz!...»".

– Ot, wymyśliłeś! – oburzył się stary. – Będziesz mnie bajek uczył? Nie wiedzieć co! Jeszcze nigdy nie słyszałem, żeby w bajce było, co kto z żoną po ślubie gada!

Julka parsknęła śmiechem na tę admonicję, Marek zawstydzony krwią się oblał.

– Matka mnie tak uczyła... – zamruczał.

– Chyba, bo to babskie gadanie, co sensu za grosz nie ma!

Julka spojrzała na Irenkę, potem na Czertwana i znowu na Irenkę. Coś kombinowała w swej bystrej kędzierzawej głowie.

– A ja nawet słyszałam, co Wejdawutowi odpowiedziała żona! – zawołała, śmiejąc się.

– At, durzycie mi na złość głowę! – zakrzyczał Ragis, odchodząc, ale Irenka zawołała:

– Co powiedziała, panno Julko? Słuchamy.

Julka zrobiła minę serio i głosem Ragisa rzekła:

– „Tedy królewna rzekła: «Nie pastuchem jesteś, ale bohaterem, i większa jasność z twego czynu i miecza niż z mojej korony!»". Skończyłam.

– Źle powiedziała królewna! – zadecydowała panna Orwid, wstając i potrząsając wyzywająco głową. – Powinna była rzec: równiśmy sobie, bo ja cię kocham, a ty mnie. Tyś mi nie pastuch, ale mąż, a ja nie królewna, ale żona! Bądźmy szczęśliwi!... Nieprawdaż, panie Czertwan?

Marek oczy wbił w ziemię i długo milczał. Julka zaśmiała się i odeszła do Ragisa w stronę okopconych ulów.

– Nieprawdaż, panie Czertwan? – powtórzyła panienka.

– Wejdawut powinien był do końca cierpieć i zęby ściskać! – zamruczał.

– Tedy by zmarniał i zginął! Największy rozum do czasu milczeć i do czasu mówić. Dlatego on bohaterem i pan go za pierwowzór ma. Proszę tej bajki nie zapominać i nie zmieniać wedle fantazji! Daruje mi pan swego czarnego praojca? To jakbym miała pana portret!... Mogę go sobie wziąć do Poświcia?

– Proszę, pani!

– Dziękuję, Wejdawucie!... – rzuciła z uśmiechem. Obejrzała się po ruinie i spoważniała natychmiast.

– Wracając do naszej rozmowy, czy pan się nie obrazi na mnie, gdy go o coś bardzo, bardzo poproszę?

– Jak trzeba coś dla pani zrobić, gotowym.

– Niech pan przyjmie ode mnie drzew na budowlę. Niech pan mi zrobi tę łaskę...

– Dziękuję pani!

– Zgoda zatem?

– Nie, pani! Za dobre słowo wdzięczny będę, ale nic mi nie trzeba!

– Nie cierpię pana! – zawołała z gniewem w głosie i ruchu. – Nie ma pan serca i delikatności! Myśli pan, że to lekko i przyjemnie znosić tę całą górę obowiązków, jakie się wam zebrały u mnie przez ćwierć wieku?!...

Zwróciła się szybko i odeszła. Powóz na nią czekał w ulicy; chciała wsiąść, ale sobie coś przypomniała i stanęła.

– Panno Julio – zawołała – czy pani ma chwilę czasu?! Chciałabym poprosić panią ze sobą dla walnej narady.

– Służę pani, i owszem! – odparła studentka.

Ragis je przeprowadził. Wsiadły obie.

– Do zobaczenia, panie Marku! – pożegnała pozostałego opodal Julka.

Irenka odwróciła oczy w przeciwną stronę i nic się nie odezwała.

Konie ruszyły, za osadą, około kapliczki z figurą świętego, stał tłum wieśniaków, który coraz się zwiększał; widać było stroje ze Skomontów i Poświcia zmieszane w barwną mozaikę jak na kiermaszu. Odświętnie ubrani, sama snadź starszyzna, zbierali się w gromadki i radzili żywo. Przez całą drogę spotykali co krok opóźnionych, dążyli jak na wiec jaki pod figurę.

– Co się stało? *Meeting?* – zauważyła Amerykanka.

– Pewnie do stryja ze sporem o granicę – odparła Julka – jest to ich najwyższy trybunał. Słuchają lepiej niż wyroków senatu. O, dobry to lud i na wskroś zdrowy jeszcze. Tu socjalizmu nie zaszczepią!... I ja z tego rodu pochodzę. Dziad miał chatę w Sandwilach i grunt i mój brat marzył wrócić do niej, skończywszy nauki. Gdy umarł, stryj z ojcem oddali ziemię na szkółkę. Została chata i ogród. Jak wrócę z patentem, zamiast brata, to w niej osiedlę!... Ale ja baję, a pani ma interes do mnie...

– Nawet ważny! Cóż panie zrobią z Marwitzem? Człowiek oszalał za panną Anną! Jestem udręczona jego wzdychaniami; jest to całe morze sentymentu! Jakże to się skończy? Ulokuje nareszcie ten legendarny pierścionek i poczciwe serce?...

– Pierścionek, który pani odrzuciła, jak nam z całą szczerością opowiedział.

– Żebym zdołała wykrzesać z siebie choć odrobinę uczucia dla niego, niezawodnie bym przyjęła, bo człowiek to nieposzlakowanej prawości, dobroci, inteligencji i pracy pomimo koszlawego pozoru. Ale ja tam w Ameryce zostać nie chciałam przez pamięć ojcowskiej woli i nie kochałam go.

– A Hanka do Ameryki za nim nie pojedzie, choć sądzę, że go trochę zaczyna lubić...

– Zaczyna? Chwała Bogu! To już wiele!

– Po drugie, nie zerwie studiów raz rozpoczętych; po trzecie, nie pójdzie za innowiercę! Żeby pan Marwitz czekał trzy lata i zmienił wyznanie, to może by się zgodziła przyjąć ów niefortunny pierścień!

– Istotnie, dużo przeszkód! Muszę go wyprawić za ocean i napisać do ojca. Skarb ten polecał mi pan Marwitz tak usilnie, jakby to był pakunek szkła! Ładnie się wykierował! Wróci okiereszowany i nadtłuczony, ale to chyba nie moja wina...

– Zapewne i nie Hanki!...

– Temu wszystkiemu winne tylko pszczoły panny Anety! Pamięta pani?

Obydwie zaśmiały się na wspomnienie zabawnej sceny.

– Kiedy panie wracają do Paryża? – zagadnęła Irenka.

– Wyjeżdżamy pojutrze! Za tydzień otwarcie kursów.

– Szkoda mi pań bardzo. Stracę jedyne towarzystwo!

– Bywa pani w Skomontach?

– Tylko dla Clarke'a zrobiłam to ustępstwo, a on razem z wyjazdem pań straci interes odwiedzin. Nie mogę tam bywać, bo nie cierpię dwulicowej roli!

– Poznała pani Janiszewskie?

– Smutna perspektywa. Babka stęka, a wnuczka coraz posępniejsza i chudsza.

– Czy pani nie ma innej pociechy? Ma pani pana Czertwana.

– Mam go dosyć! Wolę nie widzieć i nie irytować się!

Julka poruszyła głową zdziwiona.

– I pani na niego, jak wszyscy! Dziwny los! Cały świat albo się go boi, albo nie lubi i obchodzi z daleka.

– A pani?

– Ja jedna mu wierna zostanę. Stara to przyjaźń i nigdy niezawiedziona! Jest to człowiek bez skazy i słabości.

– Właśnie dlatego nieznośny. Brak mu kilku skaz i choć jednej słabości. Byłby trochę pokorniejszy i dostępny.

Julka zaśmiała się wesoło.

– Czego się pani śmieje? – spytała Irenka.

– Bo z tego pani określenia wnoszę, że pani tę kwestię traktuje nie obiektywnie, jak ja, ale subiektywnie. Dlatego w sądzie o panu Czertwanie nigdy się nie zgodzimy.

Irenka pokraśniała nieco.

– Ma pani słuszność! – potwierdziła z całą szczerością. – Najgorzej to mnie gniewa, że i on wszystko traktuje obiektywnie.

– Oj, coś mi się zdaje, że pani się myli! Ja w nim widzę wielką zmianę od pewnego czasu. Bardzo to podobne do owej słabości, której brak zarzuca mu pani. Ja mam oczy przyszłego doktora i prorokuję, że z tej skazy urośnie mu śmiertelna choroba i ciężka wada serca!

– Tego bym tylko chciała! – rzekła wesoło Irena.

Powóz stanął przed poświckim gankiem. Naprzeciw nich wyszedł Marwitz skrzywiony, żując w ustach resztki cygara. Na widok Julki poszukał kogoś jeszcze i westchnął jak wieloryb.

– Cóż porabiałeś, Clarke?

– Złowiłem cztery rybki! – wymówił smutnym tonem.

– My tymczasem rozprawiałyśmy o twych losach. Wiesz, że te panie pojutrze wyjeżdżają?

– Wiem, jestem spakowany.

– Ty? Po co? Wracasz do Ameryki?

– Jadę do Paryża.

– Zwariowałeś!

– Iry! Ty zawsze ze swoją prędką decyzją! – upomniał żałośnie. – Jadę do Paryża, najmuję sobie pokój w pobliżu i czekam.

– Ciekawa jestem czego?

– Skończenia kursów panny Czertwan.

– Trzy lata? Człowieku, opamiętaj się! A ojciec? A fabryka? A rodzina?

– Mogą na mnie czekać!

– Ależ panna Czertwan nie pojedzie z tobą za morze.

– To ja zostanę!

– Ależ ona nie zechce twej wiary!

– To ja ją zmienię! Przysiągłem sobie, że się z nią ożenię, i ożenię!

– Ha, to rób, jak chcesz! Ja piszę do twego ojca i umywam ręce!

– Przy znanym braku stanowczości Hanki taka stanowczość pewnie jej zaimponuje! – dorzuciła wesoło Julka. – Może pan uważać swój pierścionek za ulokowany!

– Noszę go zawsze w kieszeni! – Westchnął patetycznie przy wtórze śmiechu obu panienek.

*

Tymczasem pod figurą na rozdrożu tłum chłopów rósł. Znalazły się i kobiety, obładowane jakimiś węzełkami, i młodzież, i dzieci.

Naradzili się z sobą i ruszyli hurmem nie na plebanię jednak, ale wprost do zaścianka. Na czele wójtowie obu gromad, ławnicy i starszyzna, dalej długim szeregiem prości żołnierze tej wielkiej szarej armii rolnej. Kroczyli uroczyście ulicą aż do Markowej zagrody.

Pogorzelec z Ragisem i parobkiem rozrzucali zgliszcza, uprzątali popalone resztki i kupy popiołu. Gromada włoczyła się na podwórze i stanęła.

– Pochwalony Jezus Chrystus! – pozdrowili wójtowie, a za nimi chór cały.

– Na wieki! – odparł Marek, uchylając czapki.

Stary chłop, patriarcha Skomontów, wystąpił naprzód i ozwał się:

– Przyszli my panicza poszkodować! Ale szkodowanie sercu miłe, a ani wróci chaty, ani nowej odbuduje. Słowami węgłów nie wzniesiemy i chudoby nie ożywim. Więc my się zebrali z braćmi zarzecznymi i niesiem paniczowi żal nasz i ręce. Nie ma u nas pieniędzy, by wam w tej biedzie pomóc, ale zdrowych rąk siła, moc. Więc wy, paniczyku nasz, nie frasujcie się o robotnika i sprzężaj… tylko o materiały się postarajcie, a my przyjdziemy jak teraz, gromadą, kto tylko siłę ma, i odbudujemy tę zagrodę waszą…

Marek spojrzał w twarz mówcy, potem, po tłumie tych głów odkrytych i nagle rzucił czapkę o ziemię i zapłakał.

Hart jego nie wytrzymał wrażenia tych słów i tego widoku.

Łzy mu biegły z gorejących oczu jak rosa. Machinalnie otarł je rękawem i z trudem wyjąkał:

– Za co wy tacy dobrzy dla mnie, bracia? Czym ja wam się zasłużyłem?

Wszyscy zaczęli coś krzyczeć i dowodzić, kobiety poczęły łkać.

Stary mówca nakazał milczenie i znów się odezwał:

– Oni gadają każdy swoje. Jeden o polu, drugi o chorobie, trzeci o dzieciach, czwarty o pomorze bydła. W każdej chacie wy, paniczu, zapisali się dobrodziejem i ojcowie wasi. A ja za wszystkich odpowiem. Żyli wy z nami jak brat z bratem, szanowali siebie i nas, ratowaliście nas w chorobie i w głodzie i w pożarze radzili dobrze. My milczeli, ale pamiętali; teraz nasza kolej wam zapłacić, to my i przyszli. Nikt w chatach nie został, wszyscy tu. Dziękuję wam, paniczu, żeście nas przyjęli i zrozumieli.

– Dziękujem, dziękujem! – zahuczało w tłumie.

Kobiety teraz wysunęły się naprzód i zaczęły składać u nóg Marka przyniesione tobołki.

Były tam grzyby i len, krupy, okrasa, jaja, suszone ryby, bochenki świeżego chleba, wszystko, co miały w komorach.

– I my paniczowi ze swego coś przynieśli! – mówiły, płacząc. – A pamięta panicz, jak mego chłopca od rekrutów uwolnił? A pamięta panicz mego starego, co go w chorobie do Kowna z dworu wozili? A moją dziewuchę panicz z rzeki wyratował, a jak mi bydło zaraza wzięła, to panicz przysłał jałówkę, co i dotąd jest. A pamięta pan to i tamto?

Tymczasem parobczaki młodzi poszeptali między sobą i dotarli przez tłum kobiet do Ragisa.

– Panońku! – zawołał najśmielszy. – A my nic nie przynieśli i nic nie powiedzieli! Za to my wam zaraz co zrobim. Hej! chłopcy! Zrzućcie świty, taj do roboty! Co ma to leżeć i oczy ranić, niech przepada do reszty na drodze: oczyścić plac pod folwark.

Jak jeden rzucili się do dzieła. Rozerwali migiem szczątki, znieśli opalone drzewo, żużle, węgle, garściami zgarniali popioły.

Znikały smutne ostatki pod setką rąk, grunt się równał, nie zostało śladu pożaru, tylko plac czysty, biały i kupy cegieł ułożone symetrycznie, jakby wiatr powiał i zniósł to wspomnienie klęski.

Skończyli i otarli uznojone czoła. Ragis coś im prawił, otoczyli go wokoło, a opodal starszyzna wzięła w środek Marka i radziła nad każdym kawałkiem drzewa jak nad gromadną sprawą.

Potem ruszyli do odwrotu.

– Panicz da wiedzieć, gdzie rąbać i kiedy – rzekli razem.

– Niech wam Bóg zapłaci, bo ja nie potrafię – wyjąkał.

– My już zapłaceni, kiedy nas panicz przyjął! Daj Boże pociechę paniczowi. Chodźmy, bracia!

Wyszli. Z ulicy już pożegnali chórem:

– Pochwalony Jezus Chrystus!

– Na wieki!

Marek otarł łzy, a Ragis popatrzył na niego i rzekł:

– A co, synku? Nie żal ci, że żyjesz teraz? Gral już takimi łzami nie zapłacze. Lepsze one jak jego śmiech, oj, lepsze!…

– Chodźmy do niego! – szepnął Marek, wstając.

– Idź, synku. Ja podarki zbiorę i schowam! Bogatsi my, jak byli! Grenis, czyś w ziemię wrósł? A to pokuta! Zgłupiał od dymu. Zabieraj na wóz tobołki i marsz na plebanię; zrobili już chłopaki naszą robotę.

*

Nazajutrz po południu parą czarnych wołów wywieźli cichego chłopca.

Wołał go dzwon na ostatnią uroczystość, chwiały się nad nim chorągwie i żegnał go dzień letni, cichy, wonny, pogodny.

Żegnały go zboża i łąki zielone, żegnały go skowronki i pola rodzinne.

Już on z tej drogi nie wróci!…

Czertwan z Ragisem i Downarem spuścili go w grób świeży, usypali mogiłę. Marta zwaliła się na ten kopiec i jęczała okropnie.

Poniewczasie przyszło jej opamiętanie, poniewczasie miłość!

Wszyscy się rozeszli, tylko panna Aneta usiadła nad mogiłą brata i dumała smutno. Nagle z kąta cmentarza, na kuli wsparty, wyszedł stary Wojnat, obejrzał się nieufnie i podszedł do leżącej.

Modlił się chwilę, potem dotknął jej ramienia.

– Marto! – zawołał z cicha.

Podniosła zmienioną twarz i usunęła się od niego.

– Chodź do mnie! – rzekł.

– Dajcie mi pokój… dajcie umrzeć! – załkała.

– Wróć do chaty mojej – powtórzył.

– Nie chcę! Wygnaliście! Wolę żebrać!…

– Nie wygonię, bo mi ciebie szkoda! Wróć się!

Tu panna Aneta podeszła bliżej i wmieszała się do rozmowy.

– Wróć, niebogo, wróć, kiedy cię stary wzywa! Snadź go sumienie ruszyło! Zapomnij krzywdy, gdy pierwszy przychodzi.

– Zapomnij! – potwierdził z cicha Wojnat. – Już ja nie taki, jak byłem! Sieroctwo na starość to ciężka Boża kara!

Brzozy cmentarne szumiały głucho nad tym pojednaniem. Marek z Ragisem, zabawiwszy chwilę u księdza, wracali do zaścianka.

– Cóż my teraz zrobimy? – zagadnął stary, skubiąc swe wąsiki i filuternie spoglądając na towarzysza.

– Pójdę na jezioro! Może za tydzień zbiorę nieco pieniędzy na drzewo…

– A ileż ci trzeba?

Czertwan ręką machnął.

– Ani myśleć wszystkiego odbudować. Może chatę sklecimy do zimy.

– Ileż ci trzeba na wszystko?

– At, co tam i mówić! Dwóch tysięcy nie wystarczy! Może zimą co zbierzemy z młynów i zboża.

– A przez zimę?

– Przebiedujemy jakoś!

– Ja bo nie lubię biedować! – zamruczał stary.

Marek umilkł. Szedł za Rymkiem z głową spuszczoną i nie uważał w zamyśleniu, że kaleka opuścił drogę i wszedł między ogrody, bez śladu, wiodąc go w stronę łąk nad Ejnią. Zaścianek został na uboczu, wieczór nadchodził, Ragis szedł zygzakiem, wymijając pasące się trzody i bystro przyglądając się okolicy.

Przed nimi ukazały się wreszcie brzegi potoku, gęsto obrosłe łozą i dzikimi malinami. Nad samym nurtem stała wierzba koszlawa, krzywa, na pół uschła.

Ragis, ujrzawszy ją, przestał wędrować zygzakiem i prosto tam dążył.

– Musić ty siebie karzesz w duszy, że sobie nazbierałeś niedołęgów takich, jak my z panną Anetą! Zawalidroga tobie z nas teraz!

Marek obruszył się; aż zbladł.

– Wyście mnie dotąd jeszcze nigdy nie skrzywdzili! A ot, i tego się doczekało! – zamruczał ponuro.

– Nie to, synku! Choć i pomyślałeś, to nie grzech. Ma się rozumieć, słuszne słowo. Szpitalnikami nazywa nas pan Witold! Tak bo i jest. Natłukły nas przez tyle lat i choroby, i praca, i wojny ciężkie. Czerepy, i koniec! Ho, ho! Ja to pamiętał, jakeś mnie przy konającym ojcu sobie zabrał! Jam pamiętał i mówiłem sobie: słuchaj, stary, drewnianą masz nogę, bacz, by głowa nie była z kapusty! Ho, ho! Jam pamiętał!

Czertwan zdziwiony tą szczególną przemową i tonem oczy podniósł i zdumiał się.

– A myśmy gdzie zaszli? – spytał, oglądając się.

– A gdzież mieli iść, kiedy zagrody nie ma? Na spacer ciebie wywiodłem! – odpowiedział stary, ze wszech stron uważnie oglądając pień wierzbowy. Potem z trudnością zdrową swą nogę postawił na niskiej odrośli i dźwignął się w górę.

– Co wy robicie? – zawołał Marek, otwierając szeroko oczy.

– Nic, synku, nic! Gniazd nie wydzieram! Coś tu schowałem w dziuplę, to chcę dostać!

To mówiąc, postukał kijem o pień, oddarł kawał kory, wsunął rękę w szczelinę pełną próchna i wydobył niewielką blaszaną puszkę od tytoniu okręconą w gałganek.

– O, i jest! – odsapnął, schodząc mozolnie.

Marek poskoczył, wziął go w ramiona i postawił na ziemi.

– Czy wam się chce drugą nogę stracić? – upominał.

Stary zsunął czapkę na ucho, wąsa pokręcił i mrugając oczkami, rzekł:

– Darzyli cię szlachta i pany, i chłopi przyszli z pomocą. Ho, ho, ma się rozumieć! A stary kuternoga co gorszego? Hę? Albo to Rymko dla chrzestniaka i dobrodzieja daru nie ma? Pomóc nie potrafi? Ot, masz!

Podał mu wydobytą z dziupli blaszankę, a sam za boki się wziął i patrzył rozpromieniony.

Marek otworzył i krzyknął; pudełko wypadło mu z rąk i po ziemi, jak deszcz tęczowy, rozsypały się sturublówki.

– Chryste! A to co takiego? – zawołał młody człowiek, oczom nie wierząc.

Ragis nastroszył wąsy i śmiał się, aż mu drgała twarz.

– A to, synku nie czary! Nie lękaj się! To te pieniądze, coś mi dał na gospodarkę, pamiętasz, odchodząc do

Poświcia? Chciałem nie ruszyć i grosza, ale nie zmogłem. Sto rubli poszło, a dwa tysiące i czterysta ci oddaję. Pozbieraj, taj idź za drzewem! Będzie do zimy i chata, i stodoła! Co ty robisz? Zostaw!

Marek jak długi padł mu do nóg i obejmując kolana, coś mówił zdławionym głosem, czego nikt by nie zrozumiał. Rymko objął go za szyję i ściskał.

– Daj pokój, synku, daj pokój! – powtarzał ciągle. – Toż wiesz, że ja czarownik, to mi pieniądze zbytek! A dobrze, żem w chacie nie chował! Ho, ho, ma się rozumieć! To się wie! W starej wierzbie bezpieczne były! Daj pokój, pozbieraj lepiej i czasu nie trać! Taki bo i stary grat na coś się przyda! A gdzie kupisz drzewo?

Marek wstał, ręce jego ucałował, z oczu mu patrzyła wdzięczność bezbrzeżna i spokój. Ani śladu przygnębienia i troski…

Zebrał pieniądze, schował je na piersi i rzekł głucho:

– W Poświciu kupię!

– Czy ci tam gospodarze radzili? – zagadnął stary filuternie, zawracając na powrót do zaścianka.

Marek milczał, nie umiał kłamliwie potakiwać.

– Coś się zaciąłeś! Szydło schowałeś do worka? Ho, ho, ma się rozumieć! I to pewne schowanie!… No, no, idźże do Poświcia i szczęść ci Boże!

Młody głowę zwiesił, usta ściął, machinalnie ręką przeszedł po czole.

– Nie mówcie mi, ojcze, „szczęść Boże", bo tylko tam idę z pieniędzmi za kupnem, i nic więcej…

– Dobre słowo nie zaszkodzi! Nie zawsze z tym się wraca, po co się idzie… Ho, ho! Ja sobie na plebanię pokulam. Dziewczęta podobno jutro wyjeżdżają, to pogawędzę na rozstanie i sierotę szpasia odwiedzę… Nie ma mojej hołoty, a szkoda trochę…

Westchnął i po chwili, jakby dla rezonu, zaśpiewał:

A teraz się dzielmy, dzielmy, towarzyszu mój!
Tobie rożek z tabaką, a mnie konik z kulbaką,
Towarzyszu mój! Towarzyszu mój!

Rozeszli się i Marek wielkimi krokami oddalił się w stronę dąbrowy.

Tego dnia pierwszy raz minął dąb stary bez powitania; nie słuchał poważnego szumu! Coś innego gadało mu w duszy…

X

Dziwnie wyglądała plebania księdza Michała Nerpalisa tydzień po opisanych wyżej wypadkach.

Od rana panował w niej ruch gorączkowy. Organista i zakrystian zamiatali ścieżki ogródka, stroili odświętnie ubogą bawialnię. Proboszcz chodził niespokojny, zafrasowany, mrucząc pod nosem i wypędzając zajadle muchy.

Od południa pod furtkę ogrodu zaczęły zajeżdżać bryczki i powozy, jak na odpust, rozlegały się obce głosy, trzaskanie z bata, parskanie koni. Ten cichy domek, obrośnięty do dachu bujnymi splotami purpurowej fasoli i powojów, nigdy nie widział tylu razem świetnych gości.

Pierwsza przyjechała pani Czertwanowa z marszałkiem powiatu, a bratem swoim ciotecznym; towarzyszył im Witold konno i syn marszałka. Potem staroświecką landarą przybył nestor powiatu, Jerzy Rymwid, za nim dwóch braci Olechnowiczów, Illinicz, sąsiad Poświcia, a na koniec Leon Radwiłłowicz, sędzia honorowy i sławny mówca w okolicy. Całe grono obsiadło kanapy i krzesła, ukazał się na stole miodek roboty proboszcza. Rozmowa toczyła się ożywiona, wśród której przodował cichutki, słodko-kwaśny głos pani Czertwanowej. Po paru godzinach pobytu panowie zaczęli ziewać i wyglądać oknami; radzi by byli skończyć ten akt obywatelskiej sprawiedliwości, a brakło do rozpoczęcia pierwszej osoby – podsądnego.

– Gotów zrobić skandal i nie przyjechać – ozwał się z uśmiechem Witold.

– Nie może być. To do niego niepodobne! – ujął się żywo Illinicz.

– Panowie go nie znają! – Macocha westchnęła.

– Trudno znać, moja dobrodziejko, kiedy on albo w drodze, albo zamknięty siedzi. Całe życie medytuje i milczy! – zauważył Jerzy Rymwid, gładząc ogromne, na pierś spadające, siwe wąsiska.

– Ach, co to za człowiek straszny i zły! – zawołała, ręce składając.

– W operetkach tak wyglądają kaci i zazdrośni starzy mężowie – odrzekł półgłosem Witold do młodego kuzyna, traktując go cygarem.

– Bardzom go ciekaw zobaczyć. Lubię wybitnych ludzi, choćby w złości – odparł mu syn marszałka, mizerny młodzieniec w mundurze technika, z widocznymi śladami umysłowego natężenia w zmęczonych oczach.

– Może by posłać po delikwenta gońca? – poradził retorycznym tonem Radwiłłowicz.

– Wicieczku! – zapiszczała pani Czertwan – bądź tak dobry i zobacz, czy nie jedzie.

Student opieszale podniósł się z kanapy, na której prawie leżał, i skrzypiąc botfortami*, wyszedł na ganek.

Przy drzwiach już bez żadnej ceremonii gwizdał kuplety wodewilu.

Na ganku stał ksiądz z miną pożałowania godną. Szeroka jego, zawsze łagodna i dobrotliwa twarz była skrzywiona, wzrok niepewny. Ocierał fularem pot i coś szeptał do siebie. Od wielu lat słuchał spowiedzi Marka, wiedział jego czyn

---

* botforty – buty z cholewami wyższymi z przodu, używane do konnej jazdy

każdy, znał od dziecka historię jego życia. Dla księdza człowiek ten był niewinny, choć wedle słów oskarżenia fakty miał przeciw sobie. Czy się potrafi uniewinnić, a właściwie zechce przemówić? Z niepewności tej ksiądz miejsca nie mógł znaleźć; chciał go spotkać, pierwszy poradzić, namówić do obrony, poprosić za nim samym u niego.

On, zapytany, powie, co myśli i wie, ale czyż go zapytają i czy usłuchają tego jedynego głosu życzliwości?

Więc proboszcz potniał, wachlując się fularem, na drogę wyglądał i aż skoczył, ujrzawszy przed sobą niespodziewanie Witolda.

Dziedzic Skomontów włożył ręce w kieszenie, a przechylając się w takt gwizdanego walca, przypatrywał mu się impertynencko.

– Czy proboszcz tańczył kiedy? – zagadnął wreszcie, skubiąc projekt na wąsiki.

– Alboż księża tańczą moje dziecko? – odparł dobrotliwie.

– Oho, i jak! Sam widziałem! Taki sobie świątobliwy kanonik brał z gracją poły sutanny, fik, fik, i śpiewał:

Anna, zu dir mein liebster Gang! mein bester Gang! mein letzter Gang!
Anna, dir dien' ich mein Leben lang – mein Leben, Leben lang!

Tu Witold podniósł poły swego żakietu i wykonał przed księdzem taniec mocno wątpliwej dystynkcji. Śmiał się przy tym jak szalony.

– Dobrze to wyglądało! – rzekł, skończywszy. – Biliśmy brawo, aż się teatr trząsł!

Proboszcz brwi zmarszczył i ramionami ruszył.

– Niegodne to uczciwego człowieka patrzeć na takie bezceństwa i słuchać. Ludźmi jesteśmy i wiele złego się dzieje, ale to nie racja publikować występki. To jakby ktoś ranami i nagością świecił. Nie honor to, moje dziecko, i niezdrowa zabawa.

Witold wykręcił się na pięcie i dalej gwiżdżąc, ruszył ku bramie.

Wzrok miał krótki, więc daremnie szukał po drodze.

– Nie widać tam nikogo? Bryczki jakiej? – zagadnął furmanów.

– Nie widno! – odparli. – Tylko ot tam pod figurą idzie panicz z zaścianka piechotą.

– Idzie? Radosna wieść! Może nas wypuszczą nareszcie z tej spelunki przed wieczorem. Dmuchnę sobie do Poświcia zawracać kontramarkę* tej samotnej turkawce! Warta grubych pieniędzy! No, no! Zbliż się, robaczku! Damy ci tu za wszystkie czasy.

Pomimo pogróżki nie czekał zbliżenia się brata. Wycofał się ostrożnie poza linię pierwszych strzałów. Pociągnął za sobą księdza.

– Proboszcz gości zostawił nad pustą butelką, to ładnie! – rzekł.

– Ach, prawda! Zaraz świeżą przyniosę! Coś się Marek opóźnia, ale mówił mi wczoraj, że przyjdzie.

– Bardzo to chwalebna z jego strony odwaga! – odparł młodzik głośno, a w duchu dodał: idź, klecho, po miód, nie pokumacie się przynajmniej za naszymi plecami!

– Idzie już, mamo! – objaśnił, sadowiąc się na kanapie.

Wszyscy się wyprostowali, odchrząknęli, marszałek rozłożył przed sobą plik papierów podanych mu przez panią Czertwan. Wszystkie oczy utkwiły w drzwiach: zapanowało uroczyste milczenie.

Po chwili drzwi te rozwarły się szeroko i – schylając swą wysoką postać – wszedł Marek.

_____
* kontramarkę zawracać – zawracać głowę

Jakby dla kontrastu z tym eleganckim gronem sędziów miał na sobie samodziałową ciemną kurtę, ściśniętą skórzanym paskiem, na nogach buty długie, zakurzone wędrówką, w ręku wypłowiałą czapkę.

Wszedłszy, wyprostował się hardo, oczyma przeszedł zgromadzenie i nieznacznie się ukłonił.

Powitanie to chłodne i lekceważące zasępiło na wstępie już wszystkie twarze; odpowiedziano niedbałym kiwnięciem głowy.

Młody człowiek znów obszedł pokój wzrokiem, szukając krzesła, ale były zajęte, a proboszcz gdzieś miód wygrzebywał z piasku, więc Marek przystąpił do otwartego okna, oparł się ramieniem o futrynę i tak, profilem zwrócony do towarzystwa, czekał zaczepki.

– Już trzy godziny czekamy na pana! – zaczął marszałek. – Zwątpiliśmy, czy pan się stawi na wezwanie.

– Jestem! – padł od okna jeden wyraz.

– Czy ma pan jakie wytłumaczenie na swe karygodne zachowanie się względem młodszej i uboższej rodziny? Co pan ma na obronę?

– Nie słyszałem oskarżenia jeszcze! – rozległo się lakonicznie.

– Krzywdził ich pan i wyzyskiwał swe położenie. Wedle podanych mi tu do przejrzenia rachunków stracił pan podczas zarządu Skomontami dziesięć tysięcy rubli ze wspólnego funduszu jeszcze za życia nieodżałowanej pamięci ojca pańskiego...

Tu ksiądz przerwał mowę marszałka. Wpadł zasapany, uścisnął serdecznie dłonie Marka, przyniósł mu z drugiego pokoju fotel, nalał ogromną szklanicę miodu. Ani dbał o uroczystość chwili.

Młody człowiek zgiął kark, ucałował rękę starca, ale miodu nie tknął i nie usiadł. W tej samej pozie, ze skrzyżowanymi ramionami, błądząc okiem ponad głowami zebranych, stał w blasku letniego południa i pytał spokojnie:

– Co dalej, panie marszałku?

– Dalej, przez ten rok od śmierci ojca pan intrygowałeś potajemnie, podburzałeś kupców, żeby odmawiali kredytu pani Czertwan, twierdząc, że nie ma prawa rządzić majątkami, że pieniądze ich przepadną. Paraliżowałeś pan każdy jej krok i korzystając z koniecznej potrzeby, wydzierałeś za bezcen po kawałku gruntu spod stóp słabej wdowy i niedoświadczonego młodzieńca. Nie synem pan byłeś i przyjacielem, ale lichwiarzem. Wobec prawa miałeś pan słuszność, ale nigdy wobec opinii obywatelskiej. Czy takie jest i wasze zdanie, szanowni sąsiedzi?

– Zapewne, zapewne! – rozległo się chórem.

Pod tym publicznym zarzutem Marek głowy nie ugiął, oczu nie spuścił. Parę razy, słuchając z brwią ściągniętą, zadrżała mu twarz, poruszył ustami, jakby coś rzec miał, ale się pohamował.

– Czy to już koniec, panie marszałku? – zagadnął po chwili milczenia, bez żadnej zmiany tonu i postawy.

Syn marszałka oczu z niego nie spuszczał. Kto był winien, nie rozumiał, nie słyszał prawie zarzutów, sprawa była mu obca i nieznana, ale ten człowiek, tak olimpijsko spokojny, działał upajająco na jego nowożytny, zdenerwowany charakter. Winowajca czy ofiara, był olbrzymem w panowaniu nad sobą. O nieba całe wydawał się wyższy od tej wdowy pożałowania godnej, za którą stała opinia, i od młodzieńca, bronionego głosem ogółu, który rozwalony na kanapie uśmiechał się złośliwie.

– Daleko do końca – odpowiedział marszałek. – Pozostają dwa najcięższe zarzuty. Przez ten rok, pomimo próśb i nalegań, nie zgodziłeś się pan na prawomocne ulegalizowanie działu, jaki ustnie zostawił nieboszczyk pan Paweł

Czertwan. Wymaganie było słuszne, a opór pański wyda się każdemu karygodny jako nieposzanowanie woli rodzica i wyzysk swego położenia i praw. Równie niskim był postępek pański przyswojenia sobie planów majątkowych, o których wydanie daremnie się upominał brat i matka. Tak, panie, nie postępuje szanujący się szlachcic i obywatel…

Krew uderzyła do skroni Marka, ale nie poruszyły go te ciężkie zarzuty, bo zamiast się bronić, obrócił tylko głowę do okna i nieznacznie, smutno się uśmiechnął.

Za oknem, w czasie przemowy marszałka, poruszyły się lekko powoje i tak cicho, że dźwięk zginął przy świergocie jaskółek pod strzechą, zabrzmiał serdeczny głos jednym wyrazem:

– Wejdawutas!

Nikt nie słyszał i nikt nie dojrzał niewidzialnego gościa wśród powojów i fasoli, tylko ten odosobniony pod pręgierzem surowej krytyki zadrżał, jak trafiony strzałą, i spojrzał ostrożnie, nieśmiało.

Spomiędzy purpurowych kwiatów spotkało jego wzrok zgnębiony dwoje źrenic ciemnych, płomiennych rozdrażnieniem, a tak serdecznie przejętych grozą tej chwili, i równie cicho, ale z naciskiem wyszeptał głos:

– Czy panu nie żal swej duszy, sumienia, pracy, że pan na nie plwać pozwala i milczy? Ja słucham od kilku minut zaledwie, a drżę cała oburzeniem! Pan chyba nie z kamienia, ale z drzewa, z próchna!

Na to on się gorzko uśmiechnął, a zwracając do zgromadzenia w pokoju, spytał zmienionym głosem, na którego dnie poczynały h-uczeć akcenty namiętności, dławionej do czasu żelazną wolą:

– A jakiż ostatni zarzut posłyszę jeszcze, panie marszałku?

Zapytany odchrząknął, zajrzał w papiery, pokręcił się na krześle i spojrzał na obecnych.

Wszyscy patrzyli w ziemię, zasępieni i bardzo uroczyści; pani Czertwan wystąpiły na twarz gorączkowe wypieki, ksiądz dygotał z niepokoju.

– Ostatni zarzut drażliwej jest natury, bo dotyczy tego, co człowiekowi jest najdroższe: czystości noszonego nazwiska. Przez ten rok, rządząc się sam bezprawiem i nadużyciem, dałeś pan zły przykład, doprowadziłeś pan sam poniekąd młodszego brata do lekkomyślnego postępku! Przyciśnięty potrzebą, nie mając przed sobą żadnej drogi wyjścia, sprzedał on las, będący wspólną własnością. Zapewne tłumaczy go tylko młodość, rozdrażnienie i nieznajomość prawa. Zbłądził, ale to bynajmniej nie usprawiedliwia tego, że pan zamiast mu dopomóc, oświecić, w domu polubownie skończyć interes, podałeś go na sąd, zmieszałeś ze zgrają Żydów, szalbierzy i rzuciłeś bez wahania uczciwe nazwisko na łup adwokackich języków i wstrętnych ścian sądowych! To było już niegodziwe!

Zdyszany, drgający oburzeniem szept wpadł w uszy Markowe zaraz po ukończeniu mówcy:

– I pan milczy? I pan znosi? Co panu? To ohydne! Tego wytrzymać nie można! Mów pan teraz, choć raz w życiu! Pan wie, że ja pana szanuję, i pan pozwala spokojnie, że ja tego słuchać muszę? To nie do zniesienia, to boli, szarpie, rani, zabija! Mów pan, bo ja sama wystąpię i po amerykańsku odpowiem za pana!

Zza fasoli i powojów strzeliły jak ogień gorące oczy i brwi ściągnięte kurczowo, i usta rozchylone wzruszeniem, zza których błyskały białe ząbki, ostre, jakby kąsać chciały i bronić tego skrzywdzonego.

Zaraźliwe było to spojrzenie i namiętne słowa młodych ust. Powoli jak pożar obejmowały rys po rysie nieruchomą twarz stojącego. Wypędzały mu z serca całą krew do czoła, rozpalały dzikim żarem mroczną powierzchnię siwych oczu, wydzierały gwałtem z duszy na usta potok gwałtownych słów, podnosiły wzburzoną falą spokojną pierś. Zatrząsł się, odstąpił o krok, machinalnie sięgnął w zanadrze kurty, myślał, że mu pęknie klatka piersiowa od tego, co tam zahuczało nagle oceanem zranionych uczuć, sponiewieranej pracy, potarganych myśli i pragnień!

– A zatem to koniec, panie marszałku? Nie znajdziecie nic więcej? Powiedzieliście wszystko? Panowie ci, sędziowie, słyszeli dosyć. Słyszeli, żem złodziej, intrygant, szalbierz, bezprawnik i nikczemnik nareszcie! To dosyć! Nie ma więcej win na świecie i nie ma człowieka, co by je wszystkie z sobą nosił. Tylko ja! Tylko ja!…

Ale nikt nie słyszał mego głosu i nikt nie wie, skąd, jaką drogą doszedłem aż tu, na ten najwyższy sąd szlachecki, co mi teraz zabiera sławę i cześć, i nazwisko uczciwego człowieka.

Z daleka ja tu przyszedłem i z dawna! Lat siedemnaście miałem, gdy ze szkół wziął mnie obowiązek – nie pytano, czy chęć mam i siły, kazano pracować głową, dłonią – wszystkim. Ot, tu, na tym papierze mam ręką ojcowską spis tego, co mi zdano na ręce, i ot, tu, na drugim takiż spis sporządzony po śmierci ojca, podpisany przez matkę i księdza proboszcza!

Nie dziesięć tysięcy ukradłem, ale więcej, o więcej! Kradłem ziemię tę szarą na nauki siostry i brata, na podróże matki i wydzierałem przemocą grosz krwawy do kutej szkatułki na posagi im!

Kradłem – ha! był czas! Dnie letnie w polu, jak rok długie, a noce zimowe nad rachunkami wieki się ciągną. Kradłem!

Słyszeliście, panowie, żem kradł – ale nie słyszeliście, ilem spoczął przez te dziesięć lat młodości, i nie słyszeliście, czym kiedy się zabawił, zahulał, odstąpił – i nie widzieliście, ilem potu wlał w tę ziemię, ile goryczy i zawodów!

Nie słyszał nikt mojej skargi! Boża moc potężna i we wszelkiej nędzy daje siłę nad nędzą większą. I mnie dał taką siłę, żem ziemię tę moją ukochał nad świat cały i nad młodość, i nad rozrywkę, i nad rodzinę, i dom! Ile duszy starczyło, takem ją umiłował! Od łanu do łanu schodziłem ją stopami; przez dziesięć lat z nikim nie żyłem, tylko z tą rodzoną – rozumieli my siebie, mówiła mi do serca zbożami złotymi, zieloną łąką, ciemnym borem! I zaprzysiągłem jej wówczas, że mi jej nikt nie weźmie, chyba z życiem!…

Umilkł sekundę, ale potok, raz zerwawszy skorupę, gnał go teraz bez pamięci, coraz gwałtowniej… Całe życie składało się na tę mowę.

– A gdy ojciec zmarł, stałem się intrygantem i wyzyskiwaczem, i lichwiarzem. Słyszeli panowie? Ale nikt nie słyszał, jakem płakał krwawymi łzami, schodząc z mej ziemi, i jak ona po mnie płakała, żegnając. I nie widział nikt, jakom wziął z domu na swój dział sześć głów bydła, troje koni i garść odzieży; i nie widział nikt, jaki był ów dział; ruina zagrody, matczyna spuścizna! A jam się wtedy nie skarżył, tylko sobie raz drugi poprzysiągłem, że ziemi zmarnieć nie dam, chyba zginę!…

I znowu Bóg moc mi dał wielką pracy i takiego wytrzymania, żem i snu nie znał prawie i czasu na jadło nie potrzebował. W dzień służbę sprawowałem ojcowską, a w nocy pracowałem… Prawda, jak lichwiarz, jak Żyd, wydzierając, gdzie się dało, zarobek!…

I oto powiedziano mi, że matka z Witoldem dług chcą zaciągnąć na majątek. I tak; wedle słów pana marszałka zabroniłem Żydom pożyczać, zabroniłem procesem. Tak było, to prawda; ale choć to nazywacie intrygą, podkopaniem kredytu, oszustwem, klnę się na Boga, że na to nigdy nie pozwolę i zawsze stanę oporem! Zabijcie mnie, w sztuki porąbcie, ziemi swojej wziąć nie dam, marnego zagonu sprzedać nie dopuszczę! Na tom całe życie poświęcił! Powiadają oni, żem ich wyzyskiwał, wydzierał majątek za bezcen...

Są na to cyfry i dowody; oskarżenie ich nie daje, ale ja je mam i oto je przedstawiam...

Drżącymi dłońmi rozpiął kurtę, dobył wytarty pugilares i położył przed zebranymi na stole kilka arkuszy papieru.

– Piętnastego września zeszłego roku kupiłem u matki 40 morgów gruntu zwanego Żwirble za 2400 rubli, oto kwit i akt sprzedaży. Dwudziestego siódmego października sprzedała mi powtórnie 30 morgów za 1300 rubli, zapłaciłem należny siostrze posag 5000 rubli, dałem trzy razy po 500 rubli pożyczki, oddałem wedle umowy z folwarku siostrzanego, który dzierżawię, 500 rubli; ogólnie wypłaciłem przez ten rok 10 700 rubli gotówką. Oto moi świadkowie!

Spracowaną swą ciemną dłoń położył na dokumentach owych i odetchnął głęboko. Smutek bezbrzeżny i boleść objęły mu lica. Pokiwał głową, patrząc, jak sędziowie z zajęciem jęli przeglądać te dowody kolosalnej pracy i coś szeptać między sobą.

Witold i pani Czertwan pobledli. Ksiądz szeptał hymn dziękczynny; syn marszałka, nie wiedzieć dlaczego, uśmiechał się z triumfem. Milczeli teraz wszyscy. I znowu Marek podniósł głos i mówił:

– Więc ja złodziej i szalbierz, więc ja intrygant? Może dziwią się panowie, skąd wziąłem te tysiące? Spytajcie tego młodzieńca – on wie, on mówił, że poświckim złotem płacę! Nie obcy to rzekł i nie wróg, ale on – brat; uczciwe nazwisko rzucił na poniewierkę i opluwał; nie badał, nie pytał, nie ujął się, ale pierwszy błotem rzucił! Zapewne, skąd on wiedzieć może, jak się uczciwie pieniądz zdobywa? On pracy nie zna, brał gotowe i używał, a gdy zdobył grosz, to w karty tylko!... I jam miał go uczyć, objaśniać, pomagać?… Jakim sposobem, panowie?… Nie pójdzie on ze mną ani z pieńką Niemnem, ani z opasami do Prus, ani do Wiłajek na jezioro, nie zniesie szarugi zimowej ani słot jesiennych na dworze, chyba dla fantazji tylko chwilowej… Nie zechce cierpieć niewczasu i niedostatku dla tych pieniędzy, których tyle potrzebuje… Dlatego on miły i wesół, każdemu dogodzi i zabawi. Troska go nie zgryzła, trud nie zdziczył, cierpienie nie wzięło humoru i myśli swobodnej. Dlatego on dobry, a ja zły i ponury, i niedostępny!… I oto stoję przed wami, a tyle sromu rzucono mi w twarz, żem zza niego nie powinien i spojrzeć nawet w oczy wam wszystkim, tylko uchylić czoła i wstydzić się…

Odstąpił kilka kroków od okna, nieznacznie spojrzał w stronę powojów i znów krew łuną ciemną oblała mu policzki.

– Cześć ci, bohaterze!… – zabrzmiało szeptem zza okna.

– Nie, panowie! Znam ja męki wszystkie, ale wstydu nie znałem i nie poznam! Schylam ja kark przed wami, boście starzy i szanowani, ale się nie sromam, wzroku waszego się nie boję!…

Czego oni chcą ode mnie? Mówią, żem kradł – leżą przed wami dokumenty; żem wyzyskiwał – macie cyfry, rachunki; dowodzą, żem plany przywłaszczył – na co mi one? Ja swoją ziemię tak znam jak duszę własną, a plany złożyłem w kancelarii ojcowskiej, w Skomontach, tylko oni szukać nie chcieli. Niech kto pójdzie tam, w szafie ściennej je znajdzie i tu przyniesie…

Działu żądają – spytajcie, dlaczego?… Czy ja im granice zajeżdżam, czy w gospodarstwie przeszkadzam, czy bronię zmian i ulepszeń?… Ani czynem, ani słowem, ani myślą nawet nie wszedłem im w drogę… Nie zgwałciłem na piędź ojcowskiego działu. Strzegłem tylko całości tej spuścizny! Strzegłem, bo wiedzą moje ręce i głowa, jak to drogie i jaka siła tkwi w tej ziemi rodzinnej! I to jest mój grzech i cały występek!…

Przeto się nie wstydzę!… Panowie obywatele! Wyście sami nad tą rolą osiwieli, zgarbieli! Pobruździł wam ten mozół czoła, zrósł z duszą! A ja na was patrzyłem i na praojców pamięć, i tak czyniłem i czynić nie przestanę, gdyż zhańbiłbym się i spodlił!…

Domy macie i mienia, i rodziny! I może wam we śnie kiedy stanęło, że domy piorun zburzył, a mienie, jak proch marny, poszło w rozsypkę! Jeśli ta zmora was kiedy trapiła, to spójrzcie na mnie: oto ja zmorę tę na jawie bezustannie w piersi noszę – i cierpię, ach, jak cierpię! Nie żal mi lat młodych, choć mówią, że jak szczęście piękne, i nie żal życia! Poświęciłem dla tej idei mojej i nauki, swobodę i nie wziąłem dla siebie nic z tego, co synowie wasi mają, czym są bogaci! Wiek przeszedł – i wy myślicie, że rzucę teraz mój trud, odstąpię tego, com zdobył?

Chcą działów oni – panowie! Weźcie krew mych żył lepiej, rozedrzyjcie mnie w sztuki, w loch rzućcie na wieki – bo ja wiem, dlaczego oni działu tego chcą – i nie dam go!…

Urwał i czekał. Żaden trud i żadna męka nie wyczerpała go tak, jak ta spowiedź pierwsza, jak ta mowa jedyna – do ludzi.

Po zgromadzeniu od kilku chwil powiał jakiś szmer zmieszany – marszałek w ziemię wbił oczy, Illinicz chustką ocierał czoło i powieki, stary Rymwid w twarzy oskarżonego utkwił przenikliwe oczy i wąsy kręcił, poważny i zamyślony; Olechnowicz i Radwiłłowicz zetknęli głowy i coś szeptali, gestykulując, a syn marszałka wstał z kanapy od boku Witolda i zaczerwieniony, przejęty postąpił wahająco w stronę Marka. A on zmęczony, dysząc prędko, gryzł do krwi drgające usta i mienił się cały. Za okienkiem szept cichy biegł doń z akcentem gorącego wrażenia:

– Teraz pan bez cienia i skazy! Teraz pan może milczeć. Żaden sąd winy nie znajdzie! Chodź pan prędzej – ja czekam na pana!

W milczeniu skinął głową i wnet zwrócił oczy do pokoju, bo w tejże chwili pani Czertwan płaczliwym, desperackim tonem zawołała:

– Szanowni sąsiedzi! Dlaczegóż syn mój, Witold, ma być wiecznie pod kuratelą, bez swobody działania i tytułu własności? Przecież to jego, a on rozporządzać się ma prawo – już pełnoletni! Co komu do tego, co on z majątkiem swoim zrobić chce? To przymus i gwałt, to wyzysk! My nie potrzebujemy rad i kierownictwa i sami wiemy, co słuszne. Potrafimy zarządzić i utrzymać ziemię!

Rymwid ciężko wstał z miejsca i chmurny, uderzył po wekslach rozsypanych na stole i lakonicznie rzekł:

– A to co? Takiż to rząd i utrzymanie? Jeden rok – i tyle już!

– On gwałtem dawał pieniądze, kusił, namawiał!

Marek nie potrzebował zaprzeczać, bo za Rymwidem podniósł się Illinicz i żywo zawołał:

– Przepraszam, dobrodziko, ale ja sam byłem świadkiem, jak pani przyjeżdżała zimą do Poświcia i prosiła o radę i pomoc. Byłem u niego w interesie sprzedaży kartofli do gorzelni i siedziałem w sąsiednim pokoju.

– Jemu ojciec zabronił wtrącać się do nas, pod błogosławieństwem zabronił! Ojciec go znał i bał się tego okropnego charakteru!

Ksiądz nie wytrzymał, skoczył z miejsca.

– Pani dobrodziko! – zawołał. – Nie wspominajcie tak nieboszczyka! On go cenił i znał; dał dowód, powierzając Poświcie, i błogosławił za jego szlachetne posłuszeństwo. Ja byłem przy konaniu i pamiętam. Witolda przestrzegał, by nie hulał i długów nie robił, bo go błogosławieństwo odstąpi. I słusznie mówił! Ja Marka Czertwana znam, panowie; pod moimi oczyma rósł i pracował. Grzeszny on, jak my wszyscy, ale tego, o co go oskarżają, nie popełnił, bo fałszu w nim nie ma ani podstępu, ani podłości! Skryty on, dziki, nieufny, ale szlachetny i obowiązku żadnego nigdy nie opuścił! Pozory mylą, ale wy sądźcie głębiej; słuchajcie duszy i tego, co wam mówił! On nie kłamie!

– Ziemię sprzedawać ciężki grzech! – zamruczał młodszy Olechnowicz.

– A próżniactwem i zbytkiem jej nie utrzymać, wstyd! – dodał starszy.

Tu marszałek podniósł oczy i rzucił pani Czertwan piorunujące spojrzenie, zebrał jej papiery i odsunął niechętnie.

Zapanowało przygnębiające milczenie, przerywane popłakiwaniem wdowy i sapaniem księdza. Sędziowie nie wiedzieli, co dalej robić. Woleliby znaleźć się pod ziemią jak wobec hardej, a spokojnej postawy młodego olbrzyma, którego głos zabrzmiał po dawnemu już głucho i posępnie:

– Proszę o wyrok, panie marszałku!

Spojrzeli po sobie pytająco; nareszcie stary Rymwid przybliżył się do niego i kładąc mu rękę na ramieniu, rzekł z lekkim uśmiechem:

– Młody człowieku! Wnuki mam takie, jak ty, i jechałem z silnym postanowieniem zmycia ci głowy po ojcowsku! No, tymczasem wynik taki, że przyjdzie nam ciebie przeprosić. Trudna rada, przepraszam, ale doprawdy sam sobie tej biedy napytałeś. Grzech było ludzi unikać i nie dać się wcześniej poznać. Siwej głowie wstyd przepraszać młodego, ale mimo to rad jestem, że ciebie poznałem! No, daj swą spracowaną rękę i nie patrz tak dziko. Przyślę do ciebie mych chłopców na naukę, a mnie starego sam pamiętaj odwiedzić! No, zgoda!

Marek w milczeniu głęboko się skłonił przed starcem.

– Ja swej czarnej gałki nie rzucałem! – dodał Illinicz. – Ma pan we mnie zawsze szczerego przyjaciela.

– My jechaliśmy, nie wiedząc, o co chodzi! – zawołali jednym głosem Olechnowicze.

Marszałek siedział jak na węglach. On jeden nie miał nic na swe wytłumaczenie, bo on oskarżał surowo, bezwzględnie. Nigdy przodowanie obywatelstwu nie wydało mu się bardziej opłakaną rolą, jak w tej chwili.

Rozejrzał raz jeszcze papiery, pomyślał i ozwał się, zwracając do całego grona:

– Szanowni sąsiedzi! Nie przeczę, że fałszywie przedstawiono mi sprawę, a nie znałem zupełnie strony obwinionej. Bardzo mi przykro. Ale przez ciąg długiego życia stokrotnie się przekonałem, że nie ma na świecie człowieka kompletnie winnego i kompletnie niewinnego. Usterki być muszą w najszlachetniejszym charakterze i dobre strony w najlichszym. Przeto proponuję, aby w sprawie tej rodzinnej wydać następujący wyrok: dział się odkłada na rok od dzisiejszej daty. Przez ten czas pan Marek zostawi bratu zupełną swobodę działania i pożyczać mu pieniędzy, kupować ziemi ani uzyskiwać swego kapitału nie będzie. Po roku zrobi się bilans stanu majątków i albo pan Witold spłaci brata, wówczas tenże praw swych ustąpi, albo, w razie niefortunnego obrotu i chęci lub potrzeby sprzedaży ziemi, pan Marek Czertwan może wymagać sprzedania mu jej, nikomu innemu. Warunki określi wspólna zgoda. Czy zgadzają się wszyscy na mój projekt?

– Zapewne, nic złego… Pan Witold młody, może się ustatkować – rzekł Rymwid, spoglądając na studenta.

Cyniczny, lekceważący uśmiech skrzywił twarz Witolda; złożył usta do gwizdania, ale się w czas pohamował i ziewnął tylko.

Pani Czertwan, bliska spazmów, milczała.

– Niech tak będzie – potwierdzili wszyscy, otaczając stół do podpisu.

– I pan się zgadza? – zagadnął marszałek, zwracając oczy i mowę do okna.

Ale mu nikt nie odpowiedział.

Gdy wszyscy, uścisnąwszy dłonie Marka, wrócili na miejsca wezwani głosem przewodniczącego, nagle zza okna, spomiędzy wijących się roślin przechyliła się smukła postać Irenki Orwid. Zajrzała do wnętrza i podała stojącemu samotnikowi obie swe ręce. Młoda jej, śliczna twarzyczka uśmiechnęła się doń cała promienna i serdeczny głos zawołał wesoło:

– A oto pan ma moją białą gałkę olbrzymią, żeby wszystkie tamte zakryła…

Marek się zarumienił, pochylił ku niej w ukłonie, rączki znalazły się w jego dłoniach, i tak odosobnieni stali minutę wpatrzeni sobie w oczy, nie mówiąc słowa.

Marszałek darmo pytał, Czertwan nie słyszał, nie uważał i nic go w tej chwili nie obchodziło.

Zdziwieni milczeniem, obejrzeli się obecni i ruch się zrobił wokoło.

Ksiądz rzucił się pierwszy z powitaniem panienki; Witold, zapominając o całej sprawie, poskoczył, gnąc się w prawidłowym ukłonie, pani Czertwan otarła łzy, uciszyła swój lament. Panowie inni, znający milionową dziedziczkę z widzenia tylko, ukłonili się z daleka, obrzucając ją gradem krytycznych spojrzeń.

Zwróciła na siebie ogólną uwagę, odciągnęła na siebie zajęcie całego grona. Nie zmieszała się wcale; z całą swobodą uchyliła główkę z powitaniem, tylko blask znikł z rysów i rozradowanie cofnęło się w głąb oczu.

– Dziękuję, księże proboszczu – odparła na jego za proszenie, by spoczęła w pokoju. – Wstąpiłam za interesem na chwilę.

Tu zwróciła się do Marka, który nieco się odsunął, i spytała:

– Czy zastałam pana Ragisa?

– Nie, pani! W zaścianku od rana drzewo przyjmuje!

– Ach, szkoda, że go nie ma! Przyniosłam mu prezent.

Sięgnęła za siebie, na ławkę, i położyła na oknie przedmiot jakiś okrągły w batystowej chusteczce.

– Czy wolno zobaczyć, co to takiego? – zagadnął Witold z umizgiem.

– I owszem, tylko ostrożnie, bo kole!

– Jeż! – krzyknął student, zaglądając.

– A to się stary ucieszy! – Ksiądz się zaśmiał.

– Szczególne amatorstwo! – zauważyła lekceważąco pani Czertwan, otrzepując ręce.

A Irenka mówiła wesoło, wciąż zwrócona tylko do milczącego Marka.

– Wybrałam się na spacer dzisiaj, pieszo i łódką, bo na promie taki ścisk z pana drzewem, że ani marzyć o przedostaniu się tamtędy. W trawie na Dewajte znalazłam to zwierzątko i zabrałam uradowana, że zastąpi może spalonego faworyta.

– Dziękuję pani. Odniosę go zaraz chrzestnemu – rzekł, sięgając po jeża.

– A! Broń Boże! Zostawimy go łaskawym względom księdza proboszcza, a pan mnie przeprowadzi. Wszak może pan już odejść? Sąd skończony?

A zatem była tam, za ścianą, i słyszała wszystko! Pod panią Czertwan zachwiały się nogi, Witold zbladł, stracił cały swój rezon. Nie dla uszu pięknej panny i bogatej dziedziczki była ta sprawa i takie zakończenie. Teraz dopiero zawstydził się i okropnie spokorniał.

– Za chwilę służę pani! – odparł Marek, zbliżając się do marszałka.

Pozostali u okna, zakłopotani widocznie, nie wiedzieli, co mówić, a Irenka nie raczyła zacząć rozmowy. Pani Czertwan odzyskała pierwsza przytomność.

– Pan Marwitz wyjechał? – zagadnęła, siłą woli zdobywając się na uprzejmy uśmiech.

– Tak, pani, wyjechał – odparła panienka, schylając się do Margasa, który czekając na pana, leżał pod oknem.

– Pani się zapewne czuje strasznie osamotniona w naszych stronach? – zaczął Witold.

– Nie, panie. Mam dużo zajęcia w domu, nie mam czasu na nudy – rzekła chłodno, nie patrząc na niego.

– Ach, cóż to za wstrętny pies! – zawołał – i pokaleczony! Pani się nie boi dotykać go?

– Przecież go znam. To pies pana Marka, codzienny gość w Poświciu. Opalił się, biedak, w pożarze, pilnując pańskiego dobra. Bardzo go lubię!

Pogładziła zwierzę, łaszczące się do niej, i spojrzała po pokoju.

Marek kładł swój podpis pod wyrokiem, otoczony gronem poważnych obywateli, i milcząc, przyjmował ich tłumaczenia i uściski.

– Czy wolno mi już odejść? – zagadnął marszałka.

– Możemy wszyscy się oddalić – odpowiedziano razem, ruszając się z miejsc – obyż za rok zejść się znowu, a zgodnie.

Podano sobie dłonie; syn marszałka przystąpił do Czertwana ostatni.

– A mnie czy pan pozwoli podać sobie rękę, choć bardzo mało się znamy? Obyż to było na dobrą dalszą znajomość i bliższe porozumienie. Nauczyłeś mnie pan dziś więcej niż szkoły i uniwersytet. Proszę pozostać i nadal mistrzem i przyjacielem. Do widzenia rychło!

Tłum żegnał proboszcza i wychylał się przed plebanię. Zajeżdżały powozy, żegnano się, wołano, kłaniano. Wśród zamętu Witold stanął obok Irenki i z cicha, żebrzącym głosem spytał:

– Może i mnie zrobi pani tę łaskę i pozwoli się przeprowadzić?

Potrząsnęła głową i cofając się, wsunęła rękę pod ramię Marka, jakby szukając tam obrony przed napaścią.

– O nie, dziękuję panu! Mamy wiele spraw poważnych do roztrząsania. Nie zabawi to pana.

Niedbałym skinieniem odpowiedziała na ukłon głęboki i ruszyła pieszo na szlak zakurzony, nie troszcząc się, co pomyślą i powiedzą pozostali.

Dziwnie wyglądała ta para. On jak zaściankowiec, zgrubiały pracą, ona jak królewna z bajki, taka piękna i delikatna! Co między nimi mogło istnieć wspólnego?

Po chwili milczącej wędrówki rzekła, jak zwykle, pierwsza:

– A zatem ten sąd to był ostatni smok Wejdawuta. Już leży pokonany, bez zębów, a jenerałowie w prochu. Czego pan chmurny jeszcze? Czego panu jeszcze brak?

– Ja zawsze taki! – szepnął swoje ulubione zdanie.

– Nie! Umie pan mówić, czuć, porywać za sobą! Poznałam dziś dopiero pana i dlatego pytam raz drugi, czego panu brak?

Wyzywała go, szła naprzeciw zaciętej duszy, prosiła, by uległ dobrowolnie przed nią. Ale wybuch przeminął, wulkan ucichł, żelazny pancerz był znowu na piersi.

– Niczego, pani! – odparł.

Spojrzała nań bystro.

– Proboszcz mówił, że pan nigdy nie kłamie. Czyż pan mu i na spowiedzi takąż prawdę mówi, jak mnie w tej chwili?

– Proboszczowi bym nie powiedział tego, co czuję, jeśli grzechu w tym nie ma! Nędzę człowieczą i udręczenie powinien tylko znać Bóg, bo on jeden pomoc dać może!

– W żadnym jednak razie kłamać nie trzeba! Niech pan spojrzy mi w oczy i powtórzy, że nic mu nie brak!

Zmilczał, zaciskając usta. Zamykał coraz szczelniej duszę, zacinał się w oporze.

Zaśmiała się wesoło.

– Przecie dowiodłam panu fałszu! Poprzestanę tymczasem na tym małym triumfie i nie nalegam dalej! Czy zadowolony pan z wyroku sądu?

– Spodziewałem się gorzej. Żebym milczał, potępiono by mnie.

– Widzi pan, jak to dobrze mnie posłuchać! Ile razy teraz poradzę mówić, proszę usłuchać, a za dobry skutek zawsze ręczę! Dobrze?

Uśmiechnął się za całą odpowiedź.

– Cóż pan zamyśla robić przez ten rok próby? – spytała po chwili.

– Co zawsze! Zbierać pieniądze i kupować u Żydów długi Witolda, kiedy mi nie pozwala nabywać ziemi. Jeden skutek, tylko kłopot większy!

– A więcej nie ma pan zamiarów na ten rok?

– Sam nie wiem. Pan Komar chce mi powierzyć główny zarząd swych dóbr, bo wyjeżdża za granicę. Jeżeli czasu stanie i sił, to przyjmę!

– Jaki pan chciwy na pieniądze. Gotów pan duszę za nie dać!

– Duszy nie, ale wszystką krew to bym dał.

– Niepojęte! I na cóż one panu? To istna chorobliwa mania! Krew dać za podły grosz! To nie szczęście i nie spokój.

– Dla mnie i jedno, i drugie.

– Fe, to do pana niepodobne! Przypuśćmy tedy, że pan już posiada skarby Krezusa, co by pan robił z tym ciężarem?

Powiódł okiem po niebie, otworzył usta i cofnął, co rzec miał.

– Po co gadać o tym, czego nie będzie! – zamruczał.

– Co to szkodzi? Pan jest na drodze do skarbów i pewnie dosięgnie, czego żąda. Czy pan kiedy w życiu odstąpił od swych pragnień? Chyba nigdy!

– Odstąpiłem! – odparł chmurno.

– Być nie może! Pan wrócił z drogi? To nie do wiary! I dlaczego? Przeszkody były za wielkie?

– Cel za mały! – rzekł niewyraźnie.

– Ach, to już wiem! Mówił mi pan Ragis kiedyś pod dębem. Ustąpił pan narzeczonej i desperowałeś potem okropnie.

– Co chrzestny może wiedzieć o mojej desperacji? Kiedy ustąpiłem, to i nie desperowałem! Nie było woli Boskiej i koniec!

– No, ależ ona teraz owdowiała! Może pan wrócić.

– A mogę!

– Zatem po roku nabywa pan Skomonty i zakłada pan rodzinę! – rzekła z widoczną ironią w głosie.

Skinął głową. Rysy jego twardniały z każdą chwilą, ponurymi oczyma błądził po drodze. Choćby miał zginąć, nie wyzna jej tego, co czuje; nie usłyszy od niego słowa prawdy.

– Szczęść panu Bóg! – Uśmiechnęła się lekko. – Żałuję, że na tym ślubie nie będę obecna, bo zapewne w ciągu tego roku wyjadę.

Zdziwił się Marek i spoglądając uważnie na nią, spytał:

– Daleko pani pojedzie? Na długo?

– Do Ameryki, wrócę jesienią. Pan Marwitz stracił poniekąd z mojej przyczyny Clarke'a i zasypuje mnie rozpaczliwymi listami. Muszę go pocieszyć i rozerwać w samotności. Czy na długo? Nie wiem. Może na zawsze! Może pan chce kupić ode mnie Poświcie?

Pobladł aż do warg. Zadrżało mu ramię.

– Pani żartuje – rzekł – pani nie myśli sprzedawać, a ja kupić nie mogę. I pani zostanie!

– Bardzo wątpliwe! Co ja tu mam i kogo? Pan bohaterem jest, Wejdawutem, więc niedostępne są pana duszy ani tęsknota, ani osamotnienie, ani pustka w wielkim uroczystym domu! A ja zżyć się z tym nie potrafię, nic mi nie zastąpi domowego ogniska w przyjaznym gronie, życzliwego słowa, serdecznego spojrzenia, wszystkiego tego, com miała dotąd u mego przybranego ojca w Drakecity! Nie rozumie mnie pan, bo pan jest wyższy nad takie drobiazgi, pan tego nie potrzebuje, a ja niestety! Nie jestem stworzona na anachoretę* i mam też swój cel i poglądy na życie, wcale różne od pańskich.

Zdawało się, że nie słyszał nic prócz jednej rzeczy, bo zamruczał jakby do siebie:

– Więc pani odjedzie, może na zawsze?

– Cóż pan w tym znajduje dziwnego? Co by pan zrobił w mojej roli?

– Co bym zrobił? Zostałbym!

– Tak, całe życie samotny?

– Rok nie upłynie, jak pozna pani całe sąsiedztwo. Nie trzeba jechać do Ameryki po przyjaciół i stosunki. Pójdzie pani za mąż…

– Bardzo chętnie; na to nie potrzebuję nawet poznawać nikogo. Wybór dawno już uczyniłam. Niech mi pan zaręczy, że weźmie mnie ten jeden, wybrany, a zostanę!…

– Może pani wybrała takiego…

Niecierpliwie rzuciła główką, zmarszczyła brwi.

– Niech pan lepiej milczy tym razem, bo ani sobie, ani mnie słowami oczu nie zamydli. Po co ten ton nieznośny i udawanie? Nas w Ameryce nie chowano, jak tutejsze panienki, na bierną rolę; nas uczono, żeśmy wam równe, niezależne! Nie cierpię tonu, na który schodzi nasza rozmowa;

_____

* anachoreta – pustelnik

jest fałszywy i niegodny przedmiotu! Ja nigdy swych uczuć nie kryłam, nie znajduję w nich nic karygodnego ani niestosownego!…

Podniosła dumnie czoło i przejmująco patrząc mu w oczy, rzekła po małej przerwie:

– Nie zmienimy przeznaczenia swego, Wejdawucie! Pan wie dobrze, bom szczerze okazywała, że pana kocham, a mnie nie trzeba było pana słów, żeby wiedzieć, żem panu miła… Po co się męczyć, gdy możemy być szczęśliwi…

Przez oczy jego przeszła chmura rozpaczy. Zwiesił głowę na piersi i pobladł śmiertelnie…

Uśmiechnęła się promiennie, triumfująca cała. Zajrzała ukradkiem w jego twarz i odezwała się serdecznie:

– Jeżelim się pomyliła, niech pan zaprzeczy. Nie kocha mnie pan? Może nie tyle, ile Żmujdź, ale więcej niż resztę ludzi!

Opanował się i rzucając jej spojrzenie pełne wyrzutu, zaczął półgłosem:

– Na co pani ta prawda? I na co mnie ta jeszcze jedna niedola, najsroższa? I tak życie ciężkie!

– Właśnie dlatego ja pierwsza przychodzę, bo pan ze swymi dzikimi poglądami lata by milczał i cierpiał, no… i mnie cierpieć kazał! I po co?…

Ani się spostrzegli, że stali już u stóp Dewajtisa, na polance.

Słońce spuszczało się nisko, roztaczając na drzewa, ziemię i niebo purpurowe barwy. Dąb stary zakołysał się jak żywy. Dawno już nie widział swego obrońcy. Zdziwił się sędziwy patriarcha dąbrowy, że młody człowiek oczu nań nie podniósł, nie powitał, tylko zatrzymał się opodal i patrzył w twarz dzieweczki.

– Po co?… – powtórzył jej pytanie. – Po to, że między panią i mną jest otchłań, której gdybym w nią i życie rzucił, nie zrównam! Więc stanąłem nad tym skrajem i choć mnie obłęd chwytał, a wszystkie moce ciągnęły na tamtą stronę, nie poszedłem i nie pójdę! W bajkach pastuchy zaślubiają królewny, ale na ziemi tak być nie powinno... Bóg dopuścił na mnie tę próbę, to prawda! Umiłowałem panią, sam nie wiem kiedy i jak... Alem milczał i cierpiał – i tak by zostało!

Zarumieniła się jak wiśnia i uśmiechnięta, objęła wzrokiem jego rysy.

– No, i cóż by z tego wynikło, z tej pana szczególnej taktyki, żeby pan trafił na dziewczynę z Europy, co umie także tylko milczeć, cierpieć i czekać? Gdzieżby się podziało nasze szczęście? Co by warte było nasze życie w ciągłym targaniu szlachetnego i prawego uczucia? To tak dobrze mieć kogoś swojego na świecie i marzyć, i kochać, a pan to w sobie gnębił! Gdzie pan dopatrzy otchłani i mąk? Mnie tak lekko i błogo na świecie teraz, to i panu tak samo! Oto masz pan moją rękę: możesz ją pocałować i wziąć sobie na własność!

Potrząsnął głową i odstąpił na krok.

– Nie godzi się, pani! Kochać nie grzech, i robak słońce kocha, ale ja nie mąż dla pani. Służyć pani będę i życie dam w potrzebie, ale skarbów waszych nie chcę ani do Poświcia na łaskę nie pójdę, bo wtedy by ludzie nikczemnikiem mnie nazwali – i słusznie!... Dziwiła się pani, żem na pieniądze chciwy i szczęściem je zowię. Nie dla sławy i potęgi ich pożądam; rzuciłbym je w tę otchłań i dopiero równy pani do nóg bym wam padł, prosząc o szczęście i spokój! Inaczej nie mogę, nie chcę!... Wolę zmarnieć!...

– Gdzie pana rozum i zastanowienie? Więc dla gawędy ludzkiej rzucasz pan mnie i serce?... Więc próżna pycha większa w panu niż uczucie? To wstyd! Skarby, Poświcie! Któż je zbierał, czyja to praca, trud, starania? Albo żem choć grosz dodała, i dlaczegóż mam cierpieć za to, że o kilkanaście tysięcy jestem bogatsza od pana? Co nam do ludzi? Wstyd panu?...

– Wstyd będzie, gdy ulegnę! – odparł twardo.

Wzburzyło się w niej wszystko. Oczy sypały iskry, usta drżały.

– Więc pan odrzuca mą rękę i serce dlatego, że pan się wstydzi bogactwa? Więc mamy dlatego zabić serce w piersi i odejść, jak obcy i obojętni, i nigdy się nie spotkać? Cierpieć dla nędznego względu, a żyć bez uśmiechu, osłody, bez bratniej dłoni, sami wydziedziczeni z uczuć i szczęścia? I to ma być z pana strony wielkie kochanie?

Czy pan rozumie, żeś w tej chwili postawił na kartę wszystko, żeś pan mnie zranił i obraził śmiertelnie, odrzucając moją dłoń, lekceważąc uczucie? I pomyśl pan, co za gorycz zostałaby nam z życia, gdyby we mnie, jak w panu, pycha była większa od miłości? Nie pomogłyby panu skarby i darmo byś kiedy padał mi do nóg! Odtrąciłabym za odwet, dla dogodzenia fałszywej dumie! Na marne poszłoby nam wszystko, dla pychy. Pan tak czyni, daje mi przykład!...

Ale ja nie mam pana pychy i zanadto mi pan drogi. Odpłacę się panu, ale inaczej! Ja wiem, że pan nie miał prawie matki i rodziny, więc cię nikt kochać nie nauczył. Nie zna pan serdecznej tęsknoty i niepokoju o miłą osobę, więc zdaje się panu możliwe przemóc uczucie jak trud ciężki, niewczas i niewygody. Obyć się bez kochania jak bez jadła i snu!...

Ja to wiem i dlatego darowuję panu wiele, bo mi pana żal serdeczny! Serce zemści się nad panem samo: gorzko pan odboleje swą pychę i odmowę! Odrzuca mnie pan, odchodzę, ale się nie zmienię! Niedługo będę czekała! Gdy panu będzie smutno i ciężko nie do zniesienia, niech pan śmiało przychodzi! Będę tak szczęśliwa i tak panu wdzięczna! Będę dopiero wiedziała, że pan mnie kocha prawdziwie! Do widzenia zatem!

Skłoniła mu się z daleka i odeszła, nucąc coś półgłosem. Była bardzo pewna wygranej, nie omyliła jej ta twarz posępna, bez żadnego pozornie wyrazu. Umiała już czytać na pamięć w niej.

Obejrzała się po chwili, szedł za nią o kilka kroków.

– A pan gdzie idzie?

– Ja… – zająknął się, nie wiedząc, co odpowiedzieć – ja tylko zobaczę, bo prąd taki wartki, wirów pełno!

– Co? Już się pan troska o mnie? Czy nie mówiłam, że tak będzie? Dziękuję panu! Co by to panu szkodziło, żebym się utopiła? Przecież jestem panu niczym: ani narzeczoną, ani żoną!

Milczał, ale nie odstępował. Stanęli nad brzegiem. Łódka kołysała się na fali, ale bez przewoźnika. Jedno wiosło leżało na dnie.

– Pani sama przypłynęła? – zawołał przerażony.

– Sama. Umiem sterować. W Ameryce zawsze prześcigałam Clarke'a. Niech pan wraca do domu po tak mozolnym dniu. Do widzenia!

Zamiast odejść, zaczął odczepiać łańcuch od wierzby, łódkę przyciągnął do brzegu, podał jej rękę.

– Niech mi pan da wiosło pierwej! – zawołała.

Potrząsnął głową.

– Ja panią przewiozę! Uchowaj Boże wypadku! Proszę siadać!

Wskoczyła do środka, śmiejąc się śmiechem radosnej szczęśliwości.

– I co ja pana mogę obchodzić? I co pan zrobi, jeżeli mi jutro przyjdzie ochota puścić się tą łódką aż do Niemna samej? A żebym odjeżdżała do Ameryki, ocean większy i straszniejszy!… Wieź mnie pan tymczasem, bardzom rada, uczy się pan kochać!…

Usiadła naprzeciw niego. Wiatr rozwiewał jej ciemny włos, uśmiech serdeczny i drażniący zarazem rozchylał koralowe usta, oczy mieniły się życiem, tysiącem myśli i gorącymi blaskami uczucia.

Chwilami milczała, zapatrzona na ślad wiosła, potem przesunęła wzrokiem po niebie i wybrzeżu i odetchnęła głęboko.

– Płynęłabym tak daleko i długo w pana milczącym towarzystwie! Moglibyśmy myśleć każde z osobna i nie wyszlibyśmy poza tę łupinę! Nie ma tu Poświcia i skarbów ani owej złowrogiej otchłani. Niech pan nie patrzy tak ponuro! Proszę mi lepiej powiedzieć, co pan myśli w tej chwili? Pewnie pan pieśń jaką ma w pamięci, jak ja.

– Nie umiem śpiewać.

– Nauczy się pan, jak wielu innych pięknych rzeczy. Ja panu zaśpiewam w nagrodę trudu wiosłowania.

Pochylił się nad wiosłem i podwoił szybkość. Uciec chciał rychlej od jej widoku i rozmarzającej melodii jakiejś piosenki Gounoda* nuconej półgłosem. Ale Dubissa sprzysięgła się, aby dopił do dna czarę udręczenia. Borykała się z nim zajadle, odrzucała gwałtem od brzegu. Nareszcie, zdyszany, dobił poświckiego parku, wparł łódkę na piasek i wyskoczył, pomagając jej wysiąść.

– Dziękuję! Czy pan łódką wróci do siebie?

– Łódką. Odeślę ją pani zaraz.

– Dobranoc zatem i do widzenia!

Podali sobie dłonie; zawahał się i nagle pochylił kornie, i pocałował tę rękę, którą odrzucił.

– Dziękuję pani i przepraszam! – wyszeptał głucho.

---

* Gounod Charles (1818–1893) – kompozytor francuski

– Nie gniewam się i czekam pana.

Wskoczył do łódki i odepchnął ją na głąb.

– Wejdawutas! – zabrzmiał za nim wesoły głos.

– Słucham pani! – odparł z daleka już.

– Wracaj pan rychło!

Nie było na to żadnej odpowiedzi, tylko monotonny, głuchy plusk fal o boki czółna. Irenka patrzyła długo zamyślona.

– I niech mi kto wytłumaczy, czemu on mi milszy nad cały świat? – szepnęła do siebie, podnosząc brwi i zawracając z powrotem do domu.

XI

Nad Sandwilami unosiły się białe włókna pajęczyny i chłodne mgły jesieni.

Trawą porosła mogiła Grala, nowe wypadki zatarły wspomnienie chłopca, a i śladu pogorzeli już nie było. Zakryły ją białe ściany, nowe strzechy, otoczyły płoty świeże, aż na ostatku począł się wznosić zrąb chaty, rosnąć z dnia na dzień.

Szlachta przyglądała się temu zdumiała, trochę może zawistna, utrwalając się jeszcze więcej w wierze w czary Ragisa.

Bo czyż nie czary pędziły do tej budowli od świtu gromady dostatnich gospodarzy, odciągały od własnej roboty dorodnych parobków, ściągały o każdym czasie setki roboczych rąk?

Nie brali pieniędzy, a śmiali się dzień cały i odchodzili wieczorem z siekierami na ramieniu – napełniali zaścianek chórem pieśni, jakby szli z wesela czy z kiermaszu. Czyż nie byli oczarowani?

Więc szlachta zaczęła się także garnąć z pomocą, skarbić łaski Ragisa, a stary chodził jak paw i pośpiewywał bez ustanku.

Marek jak zwykle nie wtrącał się do drobiazgów gospodarczych, nie wglądał w zarząd Rymki. Rzadko ukazywał się w zaścianku, przelotnie, na chwilę jaką, w przejeździe, jak gość. Panna Aneta korzystała z tej chwili, żeby go nakarmić, uściskać, oporządzić odzież; Ragis, żeby się pochwalić i pogawędzić, Grenis, żeby odpaść zdrożonego konia.

Posiedział minutę, wypalił fajkę, dał rozporządzenie, radę, ucałował ręce starych i znów siadał na swój wóz drabiniasty, słomą wysłany, i ruszał dalej.

Jesień to żniwo dla ludzi pracowitych, gorący czas dla handlarzy, a on był jednym i drugim.

Rozliczne interesy przerzucały go z końca w koniec powiatu. Widziano go rzadko w domu, ale wiedziano, że skupił olbrzymią partię bydła, że wziął w dzierżawę jeszcze sześć innych młynów i ogarnął cały handel mąką, że kontraktował zboże po okolicznych dworach. Wiedziano, że systemem jego była spółka i w każdym z tych interesów brał do pomocy i do połowy jednego lub dwóch towarzyszów. Najczęściej Downar młody był wybrańcem; zastąpił miejsce Łukasza Grala i szedł w ślad Marka posłuszny, sprawny, wierzący ślepo.

Od niego wiedział zaścianek o obrotach Czertwana i dziwił się, a ujrzawszy go, kłaniał się nisko. Był im przykładem, chlubą i bodźcem!

Pod jesień rozeszła się wieść, że Marek ma kontraktować konopie. Żydzi chcieli go uprzedzić, odsprzedać mu od siebie z zarobkiem, ale trafili na opór wsi i szlacheckich sadyb. Żmujdzini odpowiadali *ne suprantu* na wszelkie propozycje. Czekali Marka.

Zabrawszy z dworu zboże i bydło, zajechał i do chat jego wóz drabiniasty i zagarnął też sobie ten wielki produkt żmujdzkiej ziemi.

Sypnęły się pieniądze do nicianych sakiewek i szmat ukrytych w głębi kuferków i znów obliczali próżniacy z zawiścią, że trud tych targów i umów opłaci się tysiącami, a Downar rozradowany spoglądał na Ejnę i Dubissę i marzył, jak z wiosną popędzi do Niemna i morza ładowanych barek długi sznur.

I znowu po paru tygodniach nieobecności zawitał Marek do zagrody.

Pomimo kolosalnych sił te dwa miesiące bezustannej wędrówki i niewygód odbiły się na nim. Sczerniał i schudł, oczy wpadły jeszcze głębiej i zaogniły się od czuwania. Usta miał spalone, na czole bruzd kilka więcej, w całej postawie okropne wyczerpanie.

W braku chaty sypiali w stodole, więc mu Ragis usłał wiązkę wonnego siana, ciotka przemocą zadała, choć się nie skarżył, jakiegoś cudownego biedrzeńca i ułożyli go do snu, nakazując spocząć i nie pracować choć tydzień.

Już piały pierwsze kury, gdy zbudził starego szelest siana obok.

– A co ty, synku, nie śpisz? – zagadnął.

– Nie, ojcze, jakoś sen nie bierze…

– A tobie co? Czy cię co trapi?…

– Co mnie ma trapić?…

– Możeś ty niechcący skrzywdził kogo, a teraz przypomniałeś? Podówczas to człowiek nigdy zasnąć nie może!

– Nie, ojcze, żebym krzywdę przypomniał, tobym się zaraz wrócił i naprawił. Tak mi coś przyszło.

– Może zła myśl, bo i to sen bierze z oczu. Zmów pacierz do cudownej Panienki z Ugian! Zaraz ci Ona spokój ześle…

Stary zatrwożony, a ufny w tę wielką pomoc, począł odmawiać półgłosem:

– *Swejka Maria, miłystos piłna, Wieszpatis su tawinii…* *

– *Pagyrtas tu taid meterin, ir pagyrtas wsjies żiwota tawo, Jezus* – wtórował mu gorącym, błagalnym szeptem głos Marka.

Po *Amen* stary, pewien dobrego skutku, owinął się burką i zachrapał.

---

* *Swejka Maria, miłystos piłna, Wieszpatis su tawinii…* (lit.) – Zdrowaś Mario, łaskiś pełna, Pan z tobą…

Długo jeszcze cichym szmerem, z akcentem głębokiego smutku i prośby, brzmiało od posłania Marka kilka razy coraz ciszej:

– *Melskis uż mus grieszus dabar ir in walando ja smerties musu. Amen.*

O świcie Ragis wstał i chciał wyjść nieznacznie, by nie budzić śpiącego, ale posłanie było już puste. Wyjrzał na podwórze.

Na świeżo ociosanej belce Marek siedział zgarbiony i tak jak go stary nauczył, ćmił fajkę zapatrzony w kłąb dymu; chłodna rosa błyszczała na jego odzieży.

– Już tutaj? Po coś się zerwał tak rano? – zawołał niezadowolony.

– Nie zwykłem się wylegać! Noc długa!

Oj, długa, bardzo długa wydała mu się ta noc bezsenna, ale nic więcej nie dodał i zagadał coś o budowli.

Ten przedmiot pochłonął całą uwagę Ragisa i przerwał uwagi i gderanie.

Gdy cieśle przybyli, Marek wziął także siekierę w ręce i zmieszał się z nimi w robocie. Nie pomogły prośby ciotki i krzyk kaleki, ciosał tak wytrwale, jakby na tym chleb miał zarabiać – nie odpowiadał nawet starym.

Żyły mu nabrzmiały na rękach i czole, po twarzy biegł pot, ale nie ustawał. Bez surduta, schylony nad drzewem, przetrwał do wieczora.

Dnia tego przed niedzielą chłopi pracowali zawzięcie, mało kto się odzywał, o zmroku jeszcze brzmiały siekiery.

Nagle od bramy rozległ się obcy głos:

– Pochwalony Jezus!…

Marek głowę podniósł, topór mu zawisł w powietrzu. Na podwórzu stał Sawgard, ekonom poświcki, konno. Nie dojrzał go wśród robotników, więc nie czekając odpowiedzi na pozdrowienie, zwrócił się do Ragisa.

– Nie ma tu naszej panienki, kumie? – spytał żywo.

– Już dwa miesiące, jakem jej nie widział…

– I pana Marka nie ma?

– Jestem! Co trzeba? – odparł wezwany, rzucając siekierę i podchodząc.

– Nie spotkał pan naszej panienki dzisiaj?

– Nie? Co się stało?

– Coś złego, panie! Jak sobie wyszła, z domu rano, tak dotąd nie ma!

– Gdzie poszła?

– Nikt nie wie! Łódki nie znaleźli na brzegu, ale może ją fala gdzie poniosła. Rozesłałem konnych po folwarkach, a sam przybiegłem do pana…

Marek obejrzał się na wszystkie strony jak błędny i oniemiał na chwilę, dygocąc całym ciałem; potem, nie pytając o nic więcej, jak stał, wypadł za wrota.

– A co by jej się przytrafić miało? – zawołał Ragis. – Taka dzielna dziewczyna! Toż tu opryszków nie ma, każdy by ją na ręku odniósł, a i zbłądzić nie sposób! Jednakowoż i ja pójdę szukać!

– I my z wami! – krzyknęli chłopi z Poświcia. – Uchowaj Boże czego na naszą panienkę!

Rzucili się gromadą za Sawgardem; Ragis pokulał na końcu. Odwołała go panna Aneta.

– Da Bóg, wszystko się dobrze skończy, ale nasz chłopak poleciał z tej żałości nieprzytomny. Weźcie mu, dobrodzieju, kurtkę i czapkę i pocieszcie trochę. I ja bym poszła z wami, ale sił nie ma! Powiedzcie mu, żeby nie desperował daremnie. Biednyż on, biedny!

– Powiem, powiem, ale czy złapię go z moją kociubą* – zamruczał stary, oddalając się tak szybko, jak tylko mógł.

---

* kociuba – pogrzebacz, szufla

Nikt nie dogonił Marka. Pędziła go silniejsza moc jak życzliwość służby i chłopów, jak przyjazny żal Ragisa. Dobiegł pierwszy Poświcia. Dwór cały był poruszony, wylękły; zewsząd wyglądały strapione twarze. Daremnie przeszukano folwarki i drogi, Irenka Orwidówna zginęła bez wieści.

Jak widmo rozpaczy wpadł Marek bez czapki i surduta; nie potrzebował słuchać sprawozdania, nieszczęście i groza patrzyła z oczu wszystkich.

Nie zatrzymał się nawet.

– Światła i za mną! – rozkazał i pobiegł przodem nad rzekę.

Kilkanaście smolnych drzazg i latarni oświetliło po chwili kawał wybrzeża, gdzie zwykle stała łódka pałacowa. Nie było jej na miejscu.

Marek, świecąc sobie głownią zapaloną, jął szukać śladów. Mieszało się ich tam kilkanaście, snadź ludzi, którzy tu szukali niedawno. Wśród nich dojrzał, cudem chyba, znak stopy, elegancko obutej: szła w kierunku rzeki.

Zdyszany, drżący, zlany potem, wyprostował się.

– Czółna! – zawołał takim tonem, że kto żyw ruszył się.

Nie upłynęło minuty, pięć łódek podano. Skoczył w pierwszą zatknął przed sobą żagiel, wziął wiosło, popłynęli.

Noc tymczasem zapadła i biała jak mleko, a do kości przejmująca chłodem mgła zawisła nad całą okolicą. O krok nic nie widać było oprócz gęstego tumanu, wśród którego, jak skierki, świeciły pochodnie. Nareszcie i one poginęły. Noc przerwała poszukiwania na lądzie. Zresztą przetrząśnięto całą okolicę, pozostała tylko rzeka, nieubłagana, zdradna i wiecznie tajemnicza.

Chłopi rozeszli się, obiecując nazajutrz przyjść z niewodem, szukać zwłok; Ragis i Sawgard zasiedli w oficynie i stękając, gadali o wypadku, otoczeni kilku emerytami. Reszta służby była w czółnach z Markiem.

– A szukaliście na Dewajte? – spytał kaleka.

– Gdzie nie szukali! – spytał desperacko stary ekonom. – Dąbrowę strzęśli od krzaku do krzaku, wołali, zaglądali do lochów, ani śladu.

– A byli na starym cegielnisku?

– Byli...

– A w olszynie, tej grząskiej za Bubiszkami?

– Byli...

– To nic innego, tylko ją woda zgubiła! Oj! Bierze ta Dubissa, bierze ofiar co roku! Pamiętacie księżego synowca i Butwiła starego, i żonę Kantrymasa z dzieckiem?

– Było jej samej nie puszczać!

– Boże, Boże! – lamentował Sawgard, włosy targając. – I mnie też to przyszło takiego końca doczekać! A takie to było dobre i wesołe, i rozumne! Takeśmy ją wszyscy pokochali, a ona do nas przywykła, jakbyśmy razem wiek przeżyli! Tak się cieszyli, jak przyjechała, tak witali, tak dogadzali! I ot, na co? Na zgubę tej – pieszczotce naszej, tej nadziei!

– Szkoda, szkoda – kiwał głową Ragis – taka młodość i zmarnieć! Nic nie pomoże, jak Bóg co sądzi! Murem się od śmierci odgrodź, a przelezie jak trzeba.

– Wyjdźmy, zobaczmy, może pan Czertwan wraca. – Sawgard westchnął.

– Ej, nie wróci on, nie wróci, aż sam zmarnieje lub zginie! – zamruczał kaleka smutno.

– Aha – potwierdził ekonom żałośnie – i mnie się zdaje, że oni przylgnęli do siebie. Patrzyłem z radością, jak szli czasem we dwoje, i błogosławiłem im w duchu. Ot, i nabłogosławiłem! Boże miłosierny, zdejm z nas twoje karanie.

Rękawem kapoty otarł łzy i zamilkł, i wszyscy za nim płakali i milczeli, tylko Ragis coś mruczał niezrozumiale.

Nikt o śnie nie myślał. Od czasu do czasu ktoś wyjrzał, dorzucił drew na komin i mruczał, wzdychając. Z rzeki nikt nie przybywał.

Nad ranem usłyszano szybkie kroki na podwórzu. Drzwi się rozwarły, na progu stanął Marek.

Suchej nitki nie było w jego odzieży: włosy rozrzucone, w ręku kawał tlejącej drzazgi i ułamek potrzaskanego wiosła.

Siny był od wilgoci i chłodu, a mimo to pot spływał mu wzdłuż policzków, oczy patrzyły dziko, strasznie, bezbrzeżną rozpaczą; poruszył parę razy ustami, nim wydobył z siebie jeden wyraz:

– Sieci!…

Nie pytano o nic. Sawgard poszedł, płacząc, do spichrza po niewody, Ragis wziął Marka za ramię.

– Wypij, biedaku, wódki, bo się tu sam rozchorujesz. Włóż surdut, ogrzej się. Bóg wziął, wola Jego!

Młody człowiek wyrwał się gwałtownie i wyszedł, rzucając kalece okropne spojrzenie; zacisnął zęby, aż mu zgrzytnęły, ale nic nie rzekł.

Służba wzięła sieć olbrzymią i wróciła do czółen, on sam siadł w najmniejsze i przodował w tym smutnym połowie.

Zajęto pierwszą toń. Sieć cicho spadła na dno rzeki i ogarnęła ją od brzegu do brzegu. Ciągniono ją z łódek powoli. Sam w swym czółenku Marek płynął w ślad, jak za konduktem pogrzebowym, i patrzył w wodę uparcie suchą rozszerzoną źrenicą. On jeden z tych wszystkich ludzi nie płakał i nie desperował.

Wydobyto sieć i zbierano ją na brzeg powoli, tamując oddech.

Pełna była ryb, ale Irenki nie było. Zarzucono raz drugi.

Dzień się robił na niebie i ziemi, rozbijając tumany mgły.

Rzeka pokryła się setką czółen; przyszli chłopi, dworscy z folwarków, na brzegach zbierał się tłum ciekawych, powietrze napełniło się płaczem kobiet, wołaniem wioślarzy, wieść smutna piorunem szła po okolicy.

Wśród tego mnóstwa ludu, wśród tych łkań i krzyków wioślarz samotny na drobnej łódce stał nieporuszony i niemy, znieczulony na drewno.

Tylko ilekroć dobywano sieć, rysy kurczyły mu się spazmatycznie i drganie przebiegało członki, a wszyscy stawali i cisza głęboka ogarniała brzegi rzeki. Ale oprócz ryb niczego nie wyławiał niewód.

O południu stanęli za jurgijskimi młynami: stracono nadzieję odnalezienia zwłok, zatrzymano się…

Tak kiedyś szukano daremnie ciała Olechny Nerpalisa. Łupu swego nie zwykła oddawać Dubissa.

Marek opuścił wiosło i zapadłymi oczyma spojrzał w niebo sine, gęste od chmur; szukał tam wysoko ratunku dla rozdartej duszy.

Ludzie przeziębli, głodni, opuścili ręce. W tej chwili z tłumu głos się podniósł i ktoś się przedarł do brzegu:

– Marku!

Olbrzym spojrzał machinalnie. Nad wodą stał ksiądz Michał Nerpalis, za nim Ragis i panna Aneta.

– Chodź do mnie, dziecko! – powtórzył proboszcz – czekam!

Po chwili wahania młody człowiek, nawykły słuchać tego głosu, przybił do brzegu i wysiadł.

Ledwie się trzymał na nogach; wsparł się na wiośle.

– Pohamuj żałość, miej litość nad sobą, nie masz prawa się gubić! – zaczął ksiądz serdecznie. – Jeśli Bóg ją wziął, na moc Jego nie poradzimy. Ludzie z sił opadli, niech spoczną. A ty chodź ze mną, rozkazuję ci, chodź!

Wziął go za rękę i pociągnął, a on szedł, jak nieżywy, bez oporu i woli.

Dobiło go moralnie i fizycznie to ostatnie nieszczęście.

Na drodze Grenis stał z wozem. Kazano Markowi siąść, siadł; ksiądz z ciotką towarzyszyli mu, Ragis został dla rozkazów nad rzeką.

Zajechali na plebanię, posadzili go w ciepłej izbie u komina, panna Aneta starła mu pot i wodę z twarzy. Dał robić ze sobą, co chciano, ani się odezwał, tylko nie tknął jadła i napoju.

Gdy nalegano, potrząsał tylko głową i bezmyślnie, uparcie patrzył w ogień komina. Nie znaleźli słowa pociechy dla tej cichej, bezmiernej rozpaczy!

Usta staruszki poruszały się modlitwą, pleban chodził z kąta w kąt i palce wyłamywał ze stawów, wzdychając.

Po godzinie Marek wstał i ruszył do drzwi. Zastąpili mu drogę.

– Gdzie idziesz? Zostań! – wołali.

Popatrzył w oczy obojga z rozdzierającym żalem, do ich rąk się pochylił.

– Zlitujcie się nade mną! Nie wytrzymam w miejscu. Do Boga się pomodlę, gdzie mnie nikt nie zobaczy! Pójdę, pójdę!

Proboszcz chciał zabraniać, ale panna Aneta pociągnęła go za rękaw.

– Niech idzie, dobrodzieju, niech idzie! Nie bójcie się, nic złego sobie nie uczyni, chrześcijańską, złotą ma zbroję na duszy! Ale żal mu serce rozpiera; niech idzie, może mu Bóg łez użyczy! Może zapłacze!

Marek wyszedł. Po chwili dopiero przypomniała sobie ona, że go puściła bez kurty, w mokrej koszuli – wybiegła! Ale już go nie dojrzała.

Wielkimi krokami szedł tąż drogą, którą w ów pamiętny dzień sądu przeprowadzał Irenkę. Margas nieodstępny szedł za nim o krok teraz i szła z nim rozpacz i niedola, a w zimnej fali leżała ta urocza i dobra, co mu z taką wiarą i radością – oddawała wtedy serce.

Gdyby upokorzył pychę i dumę, żyłaby teraz szczęśliwa i bezpieczna: on by ją ustrzegł przed rzeką, sam by prędzej zginął; uśmiechałaby się do niego, złociła życie, dźwigała w każdej trosce.

Odszedł i Bóg go skarał, zgnębił, nędzę całą ukazał tego triumfu pychy!…

Kto go teraz dźwignie, uratuje, kto położy ręce na wyjącą zrozpaczoną duszę i powie: pokój tobie! Kto?

Dewajtis stał na polance i płakał po dniach lata. Odleciało odeń świergotliwe ptactwo i rodzina orla rozproszyła się po świecie, a chłody jesieni obrywały liść po liściu z jego szat i rzucały po ziemi daleko, jak szmaty złota i purpury.

Na mchy i zeschłe paprocie upadł Marek i zajęczał raz pierwszy od wczoraj i dąb ucichł w swej żałości i zda się spytał go z politowaniem:

„Kto cię skrzywdził, młody, kto?… Czy ludzie?… Bracia?… Nie płacz, nie tylko dla nich służysz i pracujesz! Źli przeminą, a ty zostaniesz olbrzymem!”

Jęk nie ustawał głuchy, przejmujący. Jak robak leżał ten olbrzym i cierpiał.

„Co cię boli, młody, co?… Czy ci ziemię zabrano i dom, i korzenie twe darmo szukają oparcia wyrwane? Co cię boli…”

Ale głosu nie było na wargach zgnębionego i tylko jękiem odpowiedział:

– Nie wstanę już – nie wstanę! Boże, miej zlitowanie!

A drzewo snadź pojęło ten jęk, bo poruszyło się aż do szczytu.

„Bóg ma prawo i moc nad tobą! Prawo jak Ojciec! Moc jak pan! Jeśli on cię dotknął, nie ożyjesz własną wolą! Proś łaski, jak ja Go proszę o wiosnę i słońce, a nigdy mi nie odmówi!… A oto zamieram i wierzę, że zmartwychwstanę!… Wierzę, wierzę!…”

– Boże, Boże, miej zlitowanie! – powtarzały bezdźwięcznie usta człowiecze.

I umilkło wszystko na chwilę. Dąb stał bez ruchu, posępny, a biedny bohater wił się na ziemi bez głosu, bez siły do skargi nawet.

Nagle, w tej ciszy ponurej rozległo się dalekie szczekanie psa. Ozwało się parę razy i po chwili zziajany wpadł Margas na polanę do nóg pana.

Marek głuchy był na odgłosy wewnętrzne; pies go trącił, zaczął drapać łapą po ramieniu – lizać po rękach, nareszcie usiadł na ziemi przy głowie leżącego i skomlał, i szczekał bez ustanku.

Poruszyło to nareszcie nieszczęśliwego, przypomniało życie. Długi czas minął, jak tu zaszedł; wieczór zapadł. Podniósł się mozolnie, skostniały był od zimna, febra nim trzęsła, głowa tylko pałała żarem.

Obejrzał się, zbierając myśli. Nie pamiętał, gdzie się znajdował; po długiej chwili wróciła mu przytomność, spojrzał na psa, jedynego wiernego we wszelkiej doli i niedoli towarzysza.

– Nie ma jej, Margas – szepnął – niczego nie ma! Tylko żyć trzeba, jak?

Pies wspiął mu się na piersi i piszczał, jakby rozumiał, potem odbiegł o parę kroków, obejrzał się i wołał szczekaniem.

Marek się zatrząsł. Czemu on go wzywa? Gdzie chce prowadzić? Może znalazł gdzie w łozie to, czego daremnie szukali – zwłoki?…

Na tę myśl poskoczył naprzód, a pies rad, że go zrozumiano, ruszył żywo, oglądając się ciągle i skomląc niespokojnie.

Nie nad rzekę go wiódł jednak, ale w głąb dąbrowy, między nieprzebytą gąszcz malin, ożyn, chmielu, zawaloną na pół spróchniałym drzewem, które tu kiedyś przed łaty burza podruzgotała.

Margas czasem gubił ślad, węszył i zawracał, a Marek szedł, sadząc jak jeleń przez powały, nie dbając o kolące krzaki, co mu szarpały odzienie, kaleczyły ręce. Mrok utrudniał jeszcze bardziej tę drogę.

Margas był brzydki i złośliwy. Nie dał się nikomu dotknąć oprócz pana, bywał często bity i wypędzany i stale głód cierpiał, bo Marek czasu nie miał o nim pomyśleć; nawet Ragis przypisywał mu złe skłonności i oprócz morałów nic mu nigdy nie ofiarował.

Zwierzę to chude, o burej nastroszonej sierści, dziko patrzące, miało jednak dobrą pamięć.

Nie zapomniał drobnych rąk dziewczyny, która niezrażona jego odstręczającą miną, gładziła niekiedy jego kudły pełne ostów i pyłu drożnego; pamiętał, że w Poświciu dawała mu chleb i mleko, a kiedyś nakarmiła pasztetem. Margas to wszystko zakarbował w swej wiernej, psiej głowie, i ślady jej znał dobrze. Toteż choć błądził w gęstwinie, odnajdywał trop niewidzialny i doprowadził pana, gdzie chciał.

Stanął nagle i z triumfem zaszczekał, zaglądając do otworu jakiegoś, zakrytego na pół gałęziami pnących się roślin, wybujałych jak w dziewiczej puszczy.

Marek padł na ziemię, rękami darł kolące pędy, zdawało mu się, że tam w głębi coś się ozwało, jak słabe stękanie.

Była to zapadlina lochów zamkowych, czarna, głęboka. Mrok gęstniał z każdą chwilą. Wyobraźnia ludu zapełniała te tajemnicze przejścia widmami Krzyżaków zabitych, a wiecznie chciwych żmujdzkiej krwi. Nie wiadomo było, jak wysokim był korytarz: mógł mieć na dnie otchłań, zrobioną przed wiekami na pułapkę ścigającym! Stękanie podobne było do żałosnego krzyku czerwonych sów zaludniających zwaliska.

Wszystko to z szybkością błyskawicy przemknęło w myśli Marka; gdy rozszerzał otwór; ale nie powstrzymało go ani na chwilę.

Miał na sobie pasek długi, rzemienny. Drżącymi rękami umocował go do zwalonego korzenia, rosnącego tuż nad tą czarną otchłanią, drugi koniec okręcił około ręki, przeżegnał się i zniknął pod ziemią. Spadł na kupę gruzów, kamieni śliskich i zgniłych liści; znalazł się w zupełnej ciemności, nad głową jego siwiało ledwie niebo i rysował się kontur głowy Margasa, w prawo i w lewo wąski wysoki korytarz.

Jęk czy stękanie ucichło i znowu go ogarnęła rozpacz. Ten głos było to złudzenie rozdrażnionych nerwów. Strachu on nie znał, ale podniecenie chwilowe go opadło. Czego on tu przyszedł? Pies może zwęszył borsuka? Skąd mógł sądzić, że znajdzie w tej gąszczy odludnej zwłoki swej ukochanej? Oszalał chyba!…

Gdy tak stał i brał już za pasek, by się dźwignąć na powrót, nagle zastygła mu krew w żyłach, pot oblał skronie. Gdzieś tam, w głębi tej ciemni ohydnej, rozległ się ten sam słaby jęk, ledwie dosłyszalny. Margas na górze skomlał coraz zajadlej.

Marek, trzymając się ściany, zrobił kilka kroków. Zęby mu szczękały…

– Kto tam? – spytał głośno, szukając zapałek w kieszeni, ale ręce mu opadły i stanął jak gromem rażony.

Z czarnej głębi dobiegł jego uszu słaby, mdlejący głos; głos zmieniony, bez srebrnego dźwięku i żywego wyrazu, ale znajomy – o, jak znajomy!

– To pan? Ja wiedziałam, że pan przyjdzie, ale… już nie mogę!…

Jęk się rozległ i grobowe milczenie.

Zapałka błysnęła w ciemności. Kilka nietoperzy spłoszonych musnęło go po twarzy, z gzymsu u sklepienia zerwała się sowa i łopocząc okropnie, umknęła dalej, otrząsając ze ścian pleśń i kurz; zapałka rozświeciła na chwilę zakątki i zgasła, ale Marek już drugiej nie zapalał. Dojrzał na ziemi, z głową na kamieniu, leżącą postać dziewczyny, bez ruchu już jak martwą.

W ciemności padł na kolana przy niej.

– O Boże! O Boże! – wyjąkał wybuchem całej duszy. – Czy jest lepszy ojciec jak Ty i lepszy Pan? O Boże, Boże!

Chwilę rozszalały, obezwładniony szczęściem, jak przedtem rozpaczą, klęczał z czołem w prochu, potem krew buchnęła mu do znękanego serca i rozpłynęła się jak fale ożywcze, gorące, młode, pełne woli i energii.

Na ręce wziął tę swą zagubioną, a odzyskaną cudem i ruszył do wyjścia.

Noc zupełnie zapadła. Irenka omdlała, bez czucia, zwisła mu w ramionach. Podtrzymując ją jedną ręką, mozolnie wydobył się na świat i tam złożył na ziemi. Omdlenie przeraziło go; chwilę stał, nie wiedząc, co robić, opędzając się od Margasa, który z całą świadomością, że on to był istotnym wybawcą, lizał ją po rękach i skakał wokoło.

Świeże powietrze i chłód nocy orzeźwiło dziewczynę. Życie wróciło jej na twarz i nareszcie z westchnieniem otworzyła oczy. Mizerne oblicze ponurego człowieka pochyliło się nad nią, pełne blasków i szczęśliwości, a głos brzmiący niezmierną czułością spytał z cicha:

– Czy panią co boli?

– Nogę zwichnęłam, padając… okropnie boli. Czy to już późno? – odparła słabym głosem, próbując się uśmiechnąć.

– Około dziewiątej godziny. Dobę szukamy pani! Gorsza niż wiek taka doba! – rzekł głucho.

– O wierzę, bo i mnie tak się wydało, ale byłam pewna, że pan mnie znajdzie! Żeby nie ta noga, dobyłabym się sama może! Ale z bólem tym nie mogłam się ruszyć ani głośno wołać ratunku. Jęczałam i mdlałam na przemian. Pić mi się chciało okropnie i nareszcie płakałam w poczuciu swej bezsilności. Tak mi wstrętne było zginąć podobnie! Aż gdy posłyszałam psa, przeczułam, że to

Margas i pan, ale już sił nie miałam wołać! Och, jak to miło żyć!...

Odetchnęła i wzdrygnęła się cała.

– Jak tu zimno! – szepnęła.

– Można panią zanieść do domu? – spytał nieśmiało.

– Przecież pan mnie tu nie rzuci, a ja iść nie mogę. Ależ pan pokaleczony i obdarty. Gdzie pan surdut i czapkę zgubił?

– Nic nie wiem, co się ze mną działo od wczoraj! – odparł, uśmiechając się.

Wziął ją na ręce jak piórko i ruszył, nie czując ciężaru, przez gęstwinę kierując się na huk rzeki.

– Jak zimno! – szepnęła po chwili.

Nie miał czym jej otulić, ale w piersi biło mu gorące serce wielką miłością, co już wszystko zwyciężyła.

– Czego się pan uśmiecha? – spytała, spoglądając ku niemu.

– Ze szczęścia! – odparł wesoło i szczerze.

Zamilkła na chwilę.

– Przed dwoma miesiącami czemu go pan nie czuł? Nic się nie zmieniło! A ten czas jak nam zszedł obojgu? Czy bardzo miło panu, bo mnie to wcale! Co dzień myślałam, że pan przyjdzie, i smutniej mi było z dnia na dzień! Zawiodłam się na panu, miałam za lepszego, niż jesteś w istocie. I teraz może odniesie mnie pan do pustego domu i uspokojony pożegna na zawsze, i odejdzie pyszny i dumny? Nie będę się nawet dziwiła!

– Już nie odejdę i nie dumny jestem... Wolę znosić ludzkie oszczerstwa, rolę sługi, rezydenta, co pani każe, ale drugiej takiej doby nie zniosę! Silny jestem, ale nie na takie rozpacze wytrzymały, ale nie na taką mękę! Pani mówiła kiedyś, że duszę mą w żar trzeba włożyć, by zmiękła... Wykuła ją na taką modłę, jak pani chciała, ta noc i dzień... Jest potęga, co mnie zmogła, i takim wobec niej pokorny jak małe dziecko!…

Mówił to, urywając i wahająco. Miała prawo i sposobność zemścić się na nim za dawną odmowę, podrożyć się teraz ze sobą. Uśmiechnęła się wprawdzie z triumfem, ale zamiast odwetu objęła go rękoma za szyję i położyła ciemnowłosą głowę na jego ramieniu, a on, mimo woli, niezdolny słowa wymówić, przycisnął ją silniej do piersi drgającej szalenie.

– Bardzo panią noga boli? – zagadnął po chwili z cicha.

– Zapomniałam! – odparła. – Sądzę jednak, że bardzo będzie bolała potem, w Poświciu. Teraz mi tak dobrze… Ale panu pewnie ciężko dźwigać taki ciężar?

– Czy ja co dźwigam?… – rzekł wesoło. – Zapomniałem! Będzie mi ciężko potem – w Poświciu!…

Uśmiechnęli się oboje sobie w oczy.

– Już nie będziesz krytykował bajek, Wejdawucie! – rzekła żartobliwie. – Gdzie znajdziesz teraz miejsce na otchłań między nami? Jedną mamy drogę przed sobą, jeden cel, jedno serce… Czy ci czego brak jeszcze? Tak dobrze żyć na świecie… Tak dobrze!…

– Tak dobrze! – powtórzył półgłosem, ogarniając ją spojrzeniem.

– Kto panu doniósł o moim zniknięciu? – zagadnęła po chwili.

– Sawgard wczoraj wieczorem. Przez te dwa miesiące borykałem się sam z sobą; głupi, myślałem, że zmogę kochanie… i takie! Dzień i noc pracowałem, zebrałem znowu tysiące, rósł mi grosz w dłoniach, a słabość w duszy. Boże, Boże! Co to za męka! I na co się zdała?… Omijałem Poświcie, drżałem na myśl przypadkowego spotkania z panią! I cóż z tego?… Nocą, jak złodziej, płynąłem do parku, przekradałem się gęstwiną, by na dom popatrzeć; trzy razy byłem, przeklinałem siebie, pogardzałem i po paru tygodniach szedłem znowu... Oto moja siła i wola!

Ręce Irenki zacisnęły się mocniej na jego szyi, około swych ust poczuł jej oddech – jak pożar przeszedł on mu po tętnach i twarzy!

Pochylił się nieco i ten chłodny, dumny, olimpijsko spokojny człowiek sam się nie spostrzegł ani opamiętał, jak ucałował usta swej królewny gorąco i długo, rozszalały szczęściem i kochaniem...

Potem nie mówili nic więcej. On może karał siebie za ten brak woli i sił, ona uśmiechała się z głową na jego ramieniu i marzyła, nie troszcząc się o drogę, o ból nogi, o noc ponurą wokoło. Nie skarżyła się na chłód nawet.

Nagle ocknęła się, bo on stanął.

– Gdzie my jesteśmy? – spytała obojętnie.

– Nad rzeką, muszę tu panią zostawić i poszukać na wybrzeżu czółna. Nie boi się pani?

– Ja się niczego nie boję! Alboż pan nie ze mną, blisko?... Proszę mnie położyć pod drzewem i zostawić mi naszego psa. Będę czekać cierpliwie.

Umieścił ją troskliwie, a sam pobiegł kłusem. Nie upłynęło kilka minut, zapluskało wiosło. Rzeka ich porwała i poniosła w stronę Poświcia.

W parku wziął ją znowu na ręce. We dworze nie spano. Sawgard ze służbą płakali w oficynie, po dziedzińcu snuli się ludzie wzburzeni wypadkiem. Raptem wśród tych szeptów, głuchej nocy i snujących się postaci zabrzmiał jak trąba anielska donośny głos Czertwana:

– Ludzie! Otwierać dom! Gdzie Sawgard?!

– Jezu Nazareński! Panienka! – zawrzeszczał dzikim głosem pierwszy, co się zbliżył.

Powstał zgiełk nie do opisania. Zawrzało jak w kotle. Potracili wszyscy głowy. Filemon biegał jak młody, Sawgard to śmiał się, to szlochał.

Krzyżowały się tysiące zapytań, opowiadań, rad, wykrzykników. Znosił każdy jadło, napoje, drzewo do komina, bandaże, szarpie, cudowne odwary, a wśród tego Irenka się śmiała uszczęśliwiona, wzruszona tą troskliwością, a Marek patrzył w nią jak w słońce i promieniał.

– Na to zwichnięcie nikt nie pomoże bez mojej ciotki – rzekł wreszcie. – Niech Justka ułoży panienkę; a ja pobiegnę do domu i ciotkę przyślę.

– Chwilę jeszcze – zaprotestowała Irenka. – Założą konie dla pana, a tymczasem spożyjemy we dwoje swą zaręczynową ucztę…

Pół godziny potem pędził Marek, co koń wyskoczy, na plebanię.

I tam czuwano jeszcze, bo się zaczynano o niego niepokoić, i Rymko właśnie z Grenisem mieli iść na poszukiwania. Wpadł do stancji jak burza.

– Dobry wieczór – pozdrowił wesoło.

Struchleli. Na myśl im przyszło, że oszalał…

– Żyje panna Orwidówna! – zawołał, chyląc im się do rąk.

– Matko cudowna! – krzyknął Ragis, wytrzeszczając oczy. – A ty ją gdzie wynalazłeś? I po co my się tyle nagryźli?…

– W lochy wpadła przypadkiem, tam, w jeżynowym gąszczu.

– To zawsze tak z łakomstwa. Ma się rozumieć: „Chciało się Zosi jagódek!". A tu jegomość o mszy żałobnej rozmyślał! Skaranie Boże z dziećmi i kobietami!…

– Chwała cudownej Panience! – rzekła panna Aneta. – A czy zdrowa biedaczka? Tyle godzin strachu o głodzie i chłodzie!

– Nogę zwichnęła, padając w korytarzu.

Panna Aneta, nie słuchając dalej, podreptała do krzesła, gdzie leżała jej jubka watowana. Marek szedł za nią, nie rozumiejąc, czego szuka.

– Jeśli łaska cioci, proszę obejrzeć owe kalectwo i poradzić cokolwiek.

– Zaraz, Mareczku, zaraz, tylko się ubiorę cieplej i z kuferka wyjmę garść ziółek. Konika mi dasz – mówiła, odziewając się żywo.

– Dziękuję cioci stokrotnie. Ja bym jeszcze o coś ciocię poprosił…

– Może chcesz, żebym przy niej została, nim wyzdrowieje?…

– Ona nie śmie cioci o to prosić, ale tak by rada. Samiutka w domu, sierota.

– Czemu nie śmie? Toć szczęście komu usłużyć. Zostanę, Mareczku, zostanę, nie turbuj się. Tylko przez to moją robotę w ogródku opuszczę, ale to nic, odrobię wiosną. Bądź spokojny; jeśli Bóg da, że dożyję, to nasadzę jeszcze, nahoduję ci ogródek. A gdzie ten konik, bo do chorego nie godzi się zwlekać? Jużem gotowa!…

– Czekają na ciocię konie poświckie. Dziękuję z całego serca!

– Moje dzieciątko, bądź zdrowe. W sypialni księdza przygotowałam ci bieliznę i odzienie. Dobrodzieje moi, nakarmcie go, ogrzejcie! Pochwalony Jezus!

Marek wsadził ją do powozu i pożegnał błogosławieństwem.

Gdy wrócił, Ragis zajrzał mu w twarz i głową pokręcił.

– Coś ty, chłopcze, taki ładny raptem się zrobił? – spytał, mrużąc oczka.

– Więc do dzisiaj byłem brzydki? – odparł młody, a zęby mu błysnęły w uśmiechu.

– At, nie brzydki, ale jakiś nieosobliwy. Nieprawda, dobrodzieju?

– A prawda, prawda – potakiwał ksiądz, niosąc własnoręcznie kubek miodu i pełną butelkę.

Młody przyjął podany sobie napój i wychylił duszkiem. Przy tym ruchu błysnęło na jego palcu coś, czego także wczoraj nie było.

– A to co? – krzyknął Ragis, chwytając go za rękę. – A ty skąd porwałeś Orwidowski sygnet, ty nic dobrego?

– Nigdzie nie porwałem – odparł swobodnie – połowę zostawił mi ojciec w spuściźnie – a połowę dostałem z Ameryki.

– Aha, ma się rozumieć! Orwidów klejnot: panna na niedźwiedziu. To dla ciebie stworzone, ty burczymucho. Widzi dobrodziej?

– Widzę, widzę! A prędko dasz na zapowiedzi? Co?

– Prędko! – rzekł z uśmiechem, czerwieniejąc cały.

– Ot, tobie! Z proboszczowej opłakanej mszy żałobnej wyniknie *Veni creator*. Gdzie moja noga? Gwałtu! Kto beze mnie tańcami pokieruje? I wierz tu w czyją śmierć! Bóg dobry nad nami!

– Niech mu będzie chwała! – wyszeptał Marek.

– A co? Bardzo ci teraz szkoda Marty? – zauważył Ragis, zacierając ręce. – Wojnat piorunował, że cię zgubi, a sam zmarniał, nieborak. Tak to zawsze bywa, gdy kto się porywa na tego, którego ja do chrztu trzymałem! Oho, ho! Ma się rozumieć! Za rok do Skomontów wrócimy z młodą panią.

Marek wyprostował się, oczy mu się zaiskrzyły.

– Mówiłem ojcu kiedyś, że Żemajtis zawsze stoi, a wyście mi ducha odbierali. Pamiętacie?

– Gadałem, synku, żebyś gorzej nie uwiązł. Ho, ho, podlewałem ci oliwy! A bajeczkę o Wejdawucie kto opowiadał?

My z czarną Julką wiedzieli, jak trawa rośnie. Ma się rozumieć. Dopomagałem, ile mocy, bo mi twoja panna strasznie przypadła do gustu. Dobra dusza, słowo daję. Jeża mi podarowała, a jaki zmyślny! Szpileczką go nazwałem dla odmiany.

– Ragis, ja wam całe życie powtarzam, że zbytnio się lubujecie w zwierzętach – upomniał proboszcz, grożąc palcem.

– Dobrodziej bo mi nigdy nie pozwoli się wygadać! Ja jeszcze dobrodzieja przekonam… – wołał stary, zapalając się do długiej dysputy.

– Nie gadaj, Ragis, nie gadaj! – bronił się ksiądz, zatykając uszy.

– Tak to zawsze z dobrodziejem. Ma się rozumieć! – burczał kaleka.

Tej nocy nic już Markowi nie przerywało snu, a nazajutrz rano Ragis długo trząsł go za ramię, nim zbudził.

– A to, synku, zapomniałeś, że ci przybył jeszcze jeden obowiązek? – krzyczał. – Wstawaj no, wstawaj! Przysłali już po ciebie z Poświcia, niby to panna Aneta. Uhm! Ma się rozumieć, panna Aneta, jakby ona kiedy odważyła się ciebie turbować! Oblecz godowe szaty i marsz!

Czertwan porwał się jak oparzony, ubrał w minutę i ruszył prędko, a kaleka pokulał w stronę zaścianka, pykając fajkę i monologując pod nosem:

– Ho! ho! Ma się rozumieć! Cwałem na pozycję! Dobrze go wymustrowała i szybko! Już jak mnie dziewczęta opadną po lubczyk, słowo daję, odeślę do Poświcia. Jeśli mego chłopca tak oswoiła, to na świecie nie ma większej czarodziejki.

Zamyślił się, pokiwał głową, przykręcił wąsy i zanucił:

Była babuleńka rodu wysokiego,
Miała koziołeczka bardzo upartego…

Nie dośpiewał dalszych losów babuleńki i koziołeczka, bo wchodził w ulicę Sandwilów, gdzie otoczyła go szlachta, dopytując o Orwidównę.

Odłożył swą rapsodię na wolniejszy czas…

XII

Lipy stały w kwieciu niespełna rok potem, otulając gęsto stare gniazdo Orwidów. Miliony pszczół krążyły wśród rozłożystych konarów, a u ich spodu na ziemi uwijały się karawany mrówek i ludzi pracowitych. Nikt nie próżnował mimo upalnego południa, nawet stary Filemon udawał zajęcie, chodząc z pokoju do pokoju i ścierając po raz setny imaginacyjne kurze.

Lipy zaglądały w otwarte okna, rzucając kłęby miodowej woni i puch srebrzysty; pszczoły, uzuchwalone ciszą w domu, docierały bezkarnie aż do łysiny głuchego kredencarza; nikt ich nie płoszył. Dom wyglądał pusty, tylko u jednego okna słychać było ludzkie kroki i suwanie sprzętów.

Tam wewnątrz oryginalnie wyglądało. Ściany pokoju otaczały półki szerokie zastawione od góry do dołu tysiącem kuchennych specjałów i skarbów kobiecej skrzętności. Czego tam nie było! Pęki suszonych grzybów, antałki octu, szeregi butelek z nalewkami i sokiem, konserwy, konfitury, stosy żółtego wosku, białego lnu – zapasy mogące wykarmić oblężoną fortecę.

Na ścianach wisiały ogrodnicze narzędzia i wiązanki suszonych ziół i kwiatów, a całą szerokość tej szafarni zajmował stół biało malowany, na którym schylona postać kobieca nakładała z wielkiego kosza na kryształowe talerze wonne maliny.

Pszczoły zaglądały i tu, znęcone zapachem wosku i miodu, uwijały się nad malinami, wtedy kobieta podnosiła głowę i przyglądała się z lubością skrzętnym robotnicom. Cieszyła ją ta praca niestrudzona.

Nagle ktoś z ogrodu rozchylił gałęzie lip i cień stanął między słonecznym dniem w oknie.

– Ciociu! Szukam wszędzie! – zawołał dźwięczny, młody głos.

Kobieta opuściła łyżkę i poczciwa stara twarz panny Anety Czertwanówny zwróciła się do okna.

– Kogo szukasz, moje dzieciątko? – spytała niespokojnie.

Ciemna głowa Irenki przechyliła się dalej do środka, oparła oburącz na krawędzi okna i zaśmiała się do staruszki blaskami piwnych oczu, białymi ząbkami, koralem świeżych ust. Śliczna była w tej jasności słońca i wyrazu twarzy.

– Kogo? Cioci naturalnie! Jedynej, wiernej towarzyszki! Jestem tu od rana, jak zaklęta królewna. Opuścił mnie mąż, Julka Nerpalis, naresznie Marwitz. Załatwiłam swe roboty i szukam cioci wszędzie. Czy to dla naszych gości ten specjał?

– Za godzinę wrócą, moja śliczna! Na dworze upał i kurz. Niech się ochłodzą jagodami. Może i tobie, moja złota, podać?

– I owszem, ciociu, bo i ja się dosyć nałykałam kurzu. Byłam w trzech folwarkach. Ten nieznośny Marek siedzi sobie w Kownie i ani dba, że tu potrzebny. Zostawił mi cały kłopot i rad. Ani pomyśli, że na moją głowę dość jednego Clarke'a z nieustannym lamentem i przypuszczeniami różnych nieszczęść.

– Nierad on siedzi, moja duszko, cóż, gdy trzeba! Ale mi dziś kabała powiedziała, że rychło wróci. Proszę malinek, niech smakują.

– Dziękuję cioci. Podobno nasz czarodziej niezdrów? Wyprawiłam Clarke'a, żeby go odwiedził.

– Najgorsza choroba nasza starość. Czego to by się nie zrobiło, żeby się miało młode ręce, nogi i głowę? Stara się człowiek, stara i zawsze mało.

– Czyż ciocia jeszcze mało robi albo nasz Ragis poczciwy? Ciekawa jestem, kto by mógł więcej?

– Moje dzieciątko! To twoja dobroć tak mówi tylko, ale co prawda, to prawda. Daje wam Bóg za to swą łaskę i dawać będzie. Idźcie, pszczółki, idźcie na Boży świat, bo okienko zamknę.

– Gdzież to ciocia znowu się wybiera i mnie wyprawia razem z pszczołami?

– Pójdę, moja duszeczko, do ogrodu do maku. Siaki taki grosz się tam zbierze dla Marka na tytoń, a potem na wieś zajrzę, bo dziatwa na koklusz choruje. Jest i na to ziółko przy Bożej pomocy.

Irenka chciała coś mówić jeszcze, gdy wtem turkot rozległ się na drodze.

Nadstawiła ucha i zarumieniła się radosną nadzieją,

– Może on? – szepnęła do siebie, odchodząc szybko w stronę ganku. – Pewnie Clarke – dodała o wiele spokojniej, słysząc, że hałas to był powozu, a nie pocztowej bryczki.

Zahuczały koła na kamieniach podjazdu i ucichły.

– Pewnie goście. – Irenka westchnęła. – Będzie pusta rozmowa, ciekawe spojrzenia i w rezultacie plotki. Nic się nie dziwię, że Marek tak nie lubi etykietalnych wizyt.

Weszła na ogrodowy ganek i rzuciła z niechęcią na stół kapelusz i rękawiczki.

W tej chwili młodszy kolega Filemona wyszedł z domu i ogłosił:

– Proszę jasnej pani, przyjechała pani ze Skomontów.

Promienna twarz Irenki spoważniała natychmiast. Cień chłodu pokrył złotawe źrenice, zagryzła usta i nie mówiąc słowa, wyszła na spotkanie rzadkiego gościa. Macochy Marka nie widziała już od roku.

W salonie odbyło się przywitanie wedle wszelkich wymagań etykiety.

Pani Czertwanowa cała w atłasach, czerwona i zakłopotana, umieściła się na kanapie, Irenka naprzeciw niej na krześle.

– Co za cudowną ma pani rezydencję – zaczęła się zachwycać wdowa – jakie kwiaty, szpalery! Jak to starannie utrzymane! Jaka pani szczęśliwa, posiadając to wszystko!

– Nawet bez dodatku szpalerów i kwiatów nic mi do szczęścia nie brakuje. – Młoda kobieta uśmiechnęła się lekko.

– Zapewne, zapewne – potakiwała, wzdychając, pani Czertwan.

W tej chwili przez drzwi od ogrodu wsunął się wielki bury pies i ułożył się u nóg gospodyni, nieufnie spoglądając na gościa. Pani Czertwan usunęła skwapliwie swe atłasy, a Irenka pogłaskała psa.

– Idź, Margas, zobacz, czy pan nie wraca – rzekła mu.

Zrozumiał, bo wstał i wyniósł się z pokoju.

– Więc nie zastałam Marka? – zagadnęła niespokojnie macocha.

– Nie, pani, jeszcze z Kowna nie wrócił.

– Bardzo mi przykro. Chciałam obojgu złożyć moje spóźnione życzenia. Okoliczności nie pozwoliły mi być na ślubie... Bardzo mi to było przykro…

– I nam także – odparła lakonicznie Irenka. – Z rodziny Marka jeden poczciwy Kazimierz przybył na nasz ślub, za co mu stokrotnie jestem wdzięczna.

– Biedny Wicio ciężko był chory wówczas, nie mogłam go odstąpić, choć szczerze pragnęłam powinszować Markowi takiego losu.

– Sądzę, że mnie raczej należały się powinszowania. Wracając do Kazimierza, wezwał on teraz Marka na swoje zaręczyny z panną Jazwigło. I ta para warta powinszowania i serdecznych życzeń, bo oboje bardzo poczciwi.

– Ach! – jęknęła pani Czertwan – co to za partia? Kazimierz sklep założył.

– Cóż w tym złego? – Irenka ruszyła ramionami. – Nie sklep właściwie, ale kantor zbożowy. Być uczciwym handlarzem równie zaszczytnie, jak rolnikiem lub urzędnikiem. Praca to jak każda inna.

– Zapewne, zapewne, ale Kazio mógłby osiąść w swym majątku. Długów nie miał i Marek odstąpiłby mu z dzierżawy.

– Mój mąż, pani, nie odstępuje nigdy od jednego planu, a Kazimierz bardzo chętnie sprzedał mu swą fortunę.

– Wiem, wiem. Znam Marka. I my mu ustąpić musimy. Pani słyszała rezultat sądu, który się odbył ostatecznie we wtorek?

– Słyszałam od pana Rymwida wczoraj. Próba poprawy pana Witolda spełzła na niczym, a cyfra długów przenosi wartość majątku.

– Niestety! Biedak się wił jak ryba w sieci, ale nieszczęście go prześladowało. Jesteśmy jak rozbitki teraz na łasce Marka i jedyna nasza ucieczka w pani.

– We mnie? – Piękna gospodyni ruszyła brwiami. – Mogę panią zapewnić, że być na łasce Marka nie jest wcale straszne. Położenia swego on nigdy nie wyzyskuje jak inni.

– Broń Boże! Ja go mam za najlepszego, ale cóż my teraz ze sobą poczniemy bez ziemi, funduszu i miejsca zamieszkania? Wicio rad by szukać kariery, ale gdzie? A ja przyjęłabym służbę, ale tymczasem gdzie głowę ułożymy? Pani jedna może wpłynąć na Marka, żeby o nas pomyślał i zajął się bratem. Proszę mi obiecać tę łaskę.

– Mogę pani zaręczyć, że uczyni to sam z siebie. Zemsta nie leży w jego naturze. Zresztą spodziewam się go lada chwila z powrotem. Wspólny interes może być wspólnie omówiony. Szkoda tylko, że pan Witold nie będzie obecny.

– Jakże, i on wybrał się ze mną do Poświcia, ale po drodze spotkał pana Marwitza i opuścił mnie dla milszego towarzystwa. Mieli podobno odwiedzić starego Ragisa i spotkać tam Hankę ze swą przyjaciółką. Zaraz pewnie przyjadą. Nawet już jadą, poznaję po turkocie.

Po chwili ruch się zrobił w domu i przez otwarte szeroko drzwi weszła Julka, coś nucąc wesoło, Hanka z widoczną zadumą na twarzy, Marwitz zawsze zajęty swymi tylko myślami, a na końcu Witold, cichy jakiś, znudzony i niepewny przyjęcia.

– Ragis zdrów – oznajmiła po przywitaniu Julka – obiecał przyjść jutro z własnym sprawozdaniem i podzięką.

– Bardzo ci wdzięczny za pamięć – wtrąciła z cicha Hanka.

– I bardzo tęskni po pannie Anecie – dodała wesoło Julka.

Witold nieśmiało z daleka ukłonił się Irence; wybąknąwszy coś niewyraźnie. Jego żarty, humor urwisa, cynizm bursza* roztopiły się i znikły wraz z funduszem. Bez złota było to zero.

Rozmowa stała się ogólna, dość ożywiona za staraniem Julki. Irenka coraz częściej wyglądała oknem i nadstawiała uszu.

Pani Czertwan całą swą uwagę i łaskę zwróciła na Marwitza.

– Pan niedawno w naszych stronach? – zapytała uśmiechnięta.

– Przyjechałem jednocześnie z tymi paniami – odparł, oczyma wskazując na Hankę.

_____

* bursz (z niem.) – słuchacz uniwersytetu należący do jednej z korporacji studenckich

– A długo pan myśli zabawić?

– Do wyjazdu tych pań.

– Jeszcze dwa tygodnie zatem – zauważyła z ubolewaniem. – Pan się znudzi okropnie na Żmujdzi.

– Ja? Znudzę się? – zawołał, otwierając szeroko swe blade oczy. – A te panie? A rybołówstwo? Ja się tu okropnie bawię!

Irenka wmieszała się do rozmowy.

– Niedługo już, Clarke, tej „okropnej" zabawy. Lada dzień Żorż zawinie ze swą „Hero" do Libawy i porwie cię po woli czy niewoli do ojca. I słusznie! Ja gotowa jestem nawet dopomóc mu ze swej strony.

– Ty wiesz, Iry, że nie pojadę – odparł ze swym spokojnym uporem.

– Co się ma stać naszemu koledze? – zapytała Julka. – Któż to dybie na jego swobodę?

– Rodzony brat z polecenia ojca.

– Czego oni chcą ode mnie? – zamruczał Amerykanin. – Żorż sobie wróci, jak przyjechał. Ja miłuję nade wszystko spokój.

– A robisz burzę w rodzinie! – Irenka zaśmiała się.

– Niepodobne to do pana Marwitza – wtrąciła pani Czertwan.

Podczas tej rozmowy słychać było kroki na żwirze ogrodowej ulicy i dwa głosy: dyszkancik kobiecy i bas męski. Zbliżały się one do ganku i przy ostatnich słowach pani Czertwan uchyliły się drzwi salonu, a w progu stanął tak oczekiwany pan i gospodarz.

– Nareszcie! – zawołała Irenka, porywając się z miejsca. – Skąd się wziąłeś pieszo?

– Dobry wieczór! Dowiedziałem się po drodze, że chrzestny chory, więc ruszyłem wprost do zaścianka. Wracałem przez rzekę.

– Przez Dewajte – poprawiła.

– Niech i tak będzie. Odwiedziłem starego druha.

Ucałował jej obie rączki długo i serdecznie. Powitali się gorącym spojrzeniem i uśmiechem szczęścia. Potem, nie okazując zdziwienia, skłonił się nisko macosze i przywitał swobodnie resztę towarzystwa.

– Jakże stoją sprawy Kazimierza? – zapytała pani Czertwan.

– Wczoraj odbyły się jego zaręczyny. Miał ze mną jechać, ale ponieważ zwlekał z dnia na dzień, a ja nie chciałem czekać, został, obiecując odwiedzić matkę wkrótce. Zupełnie zadowolony z swego przedsięwzięcia i zamiarów. Marwitz, mam tu dla ciebie list i depeszę – dodał, zwracając się do Amerykanina.

– Żorż czeka! – Irenka zaśmiała się.

– Niech czeka! – zadecydował spokojnie Marwitz, chowając obie koperty do kieszeni.

Panna Aneta ukazała się w progu, za nią wniesiono maliny.

Marek usiadł obok żony. Obecność macochy i Witolda zasępiła mu czoło. Zamilkł, kręcąc wąsy. Czuł w powietrzu nowy napad na jego spokój. Julka jak zwykle pierwsza zrozumiała, że się zanosi na scenę familijną, w której one dwie i Marwitz byli zbyteczni. Skinęła na Hankę i wyszły do parku. Amerykanina nie trzeba było wołać. Zaledwie drzwi się za nimi zamknęły, wstał, wziął czapkę i westchnąwszy, ruszył w tymże kierunku. Panna Aneta, nakarmiwszy Marka malinami, ucałowawszy go serdecznie, wyniosła się także cichutko. Miała sobie za grzech próżnować w dzień roboczy.

Pozostali, milcząc, obserwowali się przez chwilę. Witold wstał i przeszedł się po salonie, niby oglądając malowidła, Irenka podała mężowi papierosy, pani Czertwan kręciła się niespokojnie, nie wiedząc, jak zacząć swą sprawę. Marek wywierał na nią wpływ przygnębiający.

Młoda kobieta zrozumiała ten wzrok i pierwsza przerwała milczenie.

– Pani Czertwan przybyła tu w interesie do ciebie, Marku. Niespokojna jest, co z nią będzie teraz, gdy Skomonty przechodzą na twoją własność.

– Co? Matka dziesięć lat mieszkała tam przecież przy moim zarządzie. Zda mi się, że jej nic nie brakło. Nie zajmuje wiele miejsca, jak to sobie przypomina.

– Więc mnie zatrzymasz? Nie wypędzisz? – zawołała, składając ręce.

– Za kogo mnie matka ma? Skąd takie wyobrażenie? Nie trzeba ludzi sądzić wedle siebie, ale wedle faktów.

– I Wicio może przy mnie pozostać? – przerwała, pąsowiejąc.

– Witold nie! Matka ma prawo i wiek za sobą, by w spokoju i wygodach żyć bez trudu. On niech idzie i uczy się z musu pracować. Ja go na pieczeniarza* i próżniaka nie myślę kierować. Dla niego w Skomontach nie ma miejsca...

Pani Czertwan zalała się łzami. Chłopak zmienił się na twarzy; znać było, że go wstyd ogarniał, żal, złość nawet.

Zatrzymał się przed Markiem i nadąsany, chmurny wybąkał przez zęby:

– Nie będę twego chleba żebrał, możesz być spokojny. Wolę z głodu umrzeć gdzieś pod płotem. Jutro wyjeżdżam.

Irenka podniosła głowę i spojrzeniem powstrzymała Marka, który swoim zwyczajem miał na ustach odpowiedź lakoniczną i twardą.

---

* pieczenierz – darmozjad, pochlebca żyjący na cudzy koszt, pasibrzuch

– Panie Witoldzie – rzekła poważnie, a zarazem serdecznie – nie traktujmy tego przedmiotu z gniewem i obrazą. Nie chodzi tu, aby pan zmarniał, ale żeby pan się podniósł. Marek panu nie żałuje chleba, ale żąda pracy i rehabilitacji. Rozważmy serio i spokojnie kwestię tej pracy. Poszukajmy jej wspólnie.

– Nie tak to łatwo – zamruczał.

– Zajmij się w kantorze Kazimierza – rzekł Marek.

– Nie chcę! Za nic nie chcę! – Skoczył chłopak. – Tu, gdzie mnie wszyscy znają! Nie zostanę, wolę Sybir!

– Biedaczek, nie zniesie takiej zmiany położenia. – Matka westchnęła. – On chce wstąpić do wojska.

– To żadna kariera – wtrącił Marek niechętnie. – Przy jego nawykach i gwałtownym charakterze gotowa awantura.

Zamilkli wszyscy zamyśleni. Nagle Irenka poruszyła się żywo i zwróciła do męża ożywioną twarz.

– Marku, a Drakecity? – zawołała.

– Co? Myślisz, że on tam się zda? Wyjechałbyś do Ameryki, Witoldzie?

– Bardzo chętnie. Nic mnie tu nie wiąże. Wszystko obrzydło – odparł zapytany. – Może mi tam szczęście lepiej posłuży? Pojadę!

– Tak daleko? Za morza? – zaczęła, łamiąc ręce, matka.

– Bez ofiary się nie obejdzie – rzekł Marek. – Pożegna go matka ze łzami, a może za lat kilka powita z radością. Wezmę Clarke'a do pomocy.

Wstał żywo i wyszedł do ogrodu. Po chwili wrócił z Amerykaninem.

Marwitz, snadź już poinformowany, podszedł prosto do Witolda.

– Panie! – zawołał. – Pan mnie ratuje! Ja pana oddam swemu bratu na moje miejsce! Tam, za oceanem, znajdzie pan rodzinę, dom i moją przędzalnię bawełny. Ja wszystko panu oddaję, bo wcale wracać nie myślę. Bo to, widzi pan, mam tutaj teraz cel i obowiązki...

– Posłyszymy po raz setny historię niefortunnego pierścionka – szepnęła Irenka wesoło do męża.

– Wybawiłaś nas, jedyna, z wielkiego kłopotu! Może Ameryka zrobi cokolwiek z tej lalki, bo w Europie on stracony – odparł Marek.

Istotnie, było to rozwiązanie kwestii nadzwyczaj pomyślne.

Rozchmurzyło się czoło Witolda, pani Czertwanowa otarła łzy, a Marwitz prawił cuda o życiu za Atlantykiem. Spokój powrócił...

*

Potem rozjechali się wszyscy wesoło i w zgodzie. Wieczór zapadł.

Jak dawniej, na ganku lewej oficyny stała gromada oficjalistów, zwiększona jeszcze tymi, co przybyli po rozkazy z Ejników, Budrajciów i Skomontów. Ten sam jasnowłosy olbrzym wydawał rozkazy krótko, stanowczo, z widoczną chęcią uwolnienia się czym prędzej.

Potem rozległo się unisono:

– *Łaba nakt, pone!*

– *Likites swejki!** – odparł, zamykając oficynę.

Rzecz niesłychana! Marek Czertwan nucił coś półgłosem, wracając do domu. Nauczyła go tego zapewne Irenka.

Wszyscy spali, ona tylko czuwała, oparta w oknie, czekając na niego.

– Skończyłeś już? – rzekła serdecznie, wyciągając rękę.

– Skończyłem – odparł poważnie, prostując się w całej swej okazałości. – Wszystko skończyłem! Żadnej myśli nie

_____

* *Likities swejki!* – Zostańcie zdrowi!

zostawiłem niedokonanej! Ziemia moja. Odzyskałem, jakem sobie przysiągł, i dąb mój stary żyje i przestoi wieki! Dziś mi szumiał tak potężnie jak młody!

– O, jakiś pyszny, Wejdawutas! – Zaśmiała się przekornie. – A pamiętasz, przed rokiem, te okropne otchłanie troski, męki? Pokonałeś wszystko! Było ich legion – wrogów, a ty jeden, bohaterze! Teraz tobie czas spocząć i być szczęśliwym. Wyrosłeś, jak twój Dewajtis, na przykład całym pokoleniom. Już ci teraz nic nie brak!

– Nic! Dobiegłem celu! Mogę spocząć – wyszeptał zapatrzony w mrok nocy i gwiaździste niebo.

Po chwili zamruczał jakby do siebie:

– Brak mi czegoś jeszcze! O, brak! Ale nie moja siła na to! Dąb szumi, że wszystko mija i marna wszelka potęga przy Bożej mocy! Dąb wielki patrzy i lepiej wie niż my, efemerydy. Wszystko mija! A choćby i nie minęło…

Zaiskrzyły mu się źrenice i przez zęby z kamiennym uporem dodał:

– Czy się stanie, co się ma stać, czy nie stanie, Żemajtis zawsze zostanie!

„Zostanie” – powtórzyło echo cichej nocy wśród lip stuletnich drżeniem przyrody i przebiegło coraz cichsze aż na fale Dubissy i wierzchy dąbrowy.

„Zostanie!” – zdawała się mówić ziemia cała, urobiona z klęsk, strat i ciągłej walki. Potakiwała swemu synowi…

CHCESZ ZAPŁACIĆ MNIEJ
I MIEĆ GWARANCJĘ,
ŻE NIE PRZEGAPISZ ŻADNEGO TOMU?

Zadzwoń i zamów prenumeratę już dziś!
Oferta dotyczy 24 tomów
KLASYKI LITERATURY KOBIECEJ:
Maria Rodziewiczówna

**PŁACISZ TYLKO 240 ZŁ ZA 24 TOMY
I NIE PONOSISZ KOSZTÓW DOSTAWY DO DOMU!**

Zadzwoń i zamów:
tel. (22) 584 22 22; pn.–pt. w godz. 8.00–17.30

WARUNKI PRENUMERATY

PŁATNOŚĆ JEDNORAZOWA:

WARIANT 1. – prenumerata od 1. do 24. tomu – 240 zł

WARIANT 2. – prenumerata od 2. do 24. tomu – 230 zł

PŁATNOŚĆ RATALNA:

WARIANT 1. – prenumerata od 1. do 14. tomu – 140 zł

WARIANT 2. – prenumerata od 2. do 14. tomu –130 zł

WARIANT 3. – prenumerata od 15. do 24. tomu – 100 zł

Zamawiając prenumeratę w trakcie jej trwania,
w pierwszej przesyłce otrzymasz tomy
od pierwszego zamówionego do tomu znajdującego się
w sprzedaży.

PRENUMERATĘ
KLASYKI LITERATURY KOBIECEJ:
MARIA RODZIEWICZÓWNA
MOŻESZ ZAMÓWIĆ

• **telefonicznie:**
zadzwoń pod numer (22) 584 22 22,
pn.–pt. w godz. 8.00–17.30 i zamów wybrany rodzaj
płatności (jednorazowa lub ratalna)
i wariant prenumeraty (1.–24. lub 2.–24.)

• **mailowo:**
wyślij e-mail na adres bok@edipresse.pl
w tytule wpisz „Klasyka literatury kobiecej",
a w treści podaj imię i nazwisko,
dokładny adres z kodem pocztowym oraz rodzajem płatności
(jednorazowa lub ratalna)
i wariantem prenumeraty (1.–24. lub 2.–24.).

• **kartą płatniczą:**
na stronie www.hitksiazki.pl w zakładce
PRENUMERATA
(Visa Classic, MasterCard).

WARUNKI PŁATNOŚCI

• Zamawiając wszystkie tomy, opłaty dokonasz
po otrzymaniu pierwszej przesyłki
z tomami 1.–2., wpłacając należną kwotę na podany
numer konta, który będzie dostarczony wraz z pierwszą
przesyłką, oraz po otrzymaniu tomów 15. i 16.
(tylko przy płatności w dwóch ratach).

• Jeżeli zamówisz prenumeratę po ukazaniu się drugiego
tomu, opłaty dokonasz przy odbiorze pierwszej przesyłki
(płatność jednorazowa).

• Jeżeli zamówisz prenumeratę po ukazaniu się drugiego tomu, a wybrałeś opcję płatności ratalnej, opłaty dokonasz przy odbiorze pierwszej przesyłki oraz po otrzymaniu tomów 15. i 16., wpłacając należną kwotę na podany numer konta.

**PRENUMERATA
TO GWARANCJA BEZPŁATNEJ DOSTAWY
PROSTO DO DOMU!**

Kolejne tomy KLASYKI LITERATURY KOBIECEJ:
Maria Rodziewiczówna
można zamówić również bezpośrednio
w sklepie internetowym
www.hitsalonik.pl (możliwość zapłaty
za pobraniem, przelewem lub kartą kredytową)
lub za pośrednictwem strony www.hitksiazki.pl